O FANTASMA DA ÓPERA

Gaston Leroux

O Fantasma da Ópera

TRADUÇÃO: ANDRÉIA MANFRIN ALVES

Principis

Esta é uma publicação Principis, selo exclusivo da Ciranda Cultural

Título original:
Le Fantôme de l'Opéra

Texto
Gaston Leroux

Tradução
Andréia Manfrin Alves

Preparação
Beluga Editorial (Erika Jurdi)

Revisão
Karin Gutz

Produção editorial e projeto gráfico
Ciranda Cultural

Imagens
Gleb Guralnyk/Shutterstock.com;
Harry Kasyanov/Shutterstock.com;
Fatal Sweets/Shutterstock.com;
Vasya Kobelev/Shutterstock.com;
rudall30/Shutterstock.com;
Martial Red/Shutterstock.com

L618f Leroux, Gaston

O fantasma da Ópera / Gaston Leroux ; traduzido por Andréia Manfrin Alves. - Jandira, SP : Principis, 2020.
320 p. ; 16cm x 23cm. - (Literatura Clássica Mundial).

Tradução de: Le Fantôme de l'Opéra
Inclui índice.
ISBN: 978-65-555-2004-0

1. Literatura francesa. 2. Romance. I. Alves, Andréia Manfrin. II.. Título. III. Série.

2020-587 CDD 843
CDU 821.133.1-31

Elaborado por Odilio Hilario Moreira Junior - CRB-8/9949

Índice para catálogo sistemático:
1.! Literatura francesa: romance 843
2.! Literatura francesa: romance 821.133.1-31

1ª edição em 2020
www.cirandacultural.com.br

SUMÁRIO

Para o meu velho irmão Jo, que, sem ter nada
de fantasma, é, como Erik, um Anjo da Música.
Com todo afeto, GASTON LEROUX.

Prefácio

Onde o autor desta obra singular conta ao leitor como foi levado a ter certeza de que o Fantasma da Ópera realmente existiu.

O Fantasma da Ópera existiu. Não foi, como durante muito tempo se acreditou, uma inspiração de artistas, uma superstição de diretores, a criação tola dos cérebros excitados das jovens do corpo de baile, ou de suas mães, das lanterninhas, dos funcionários dos camarins ou do zelador.

Sim, ele existiu, em carne e osso, apesar de ter adotado a aparência completa de um verdadeiro fantasma, isto é, de uma sombra.

Fiquei impressionado desde o início, quando comecei a examinar os arquivos da Academia Nacional de Música, pela surpreendente coincidência de fenômenos atribuídos ao Fantasma, o mais misterioso, o mais fantástico dos dramas, e logo fui tomado pela ideia de que talvez fosse possível explicar, racionalmente, isto por aquilo. Os acontecimentos datam de menos de trinta anos e não seria difícil encontrar, ainda hoje, no *foyer*[1] da dança, velhos respeitáveis, cuja palavra não pode ser posta em dúvida, que se lembram como se fosse ontem das misteriosas e trágicas condições que acompanharam o sequestro de Christine Daaé, o desaparecimento do visconde de Chagny e a morte de seu

1 *Foyer* é uma palavra da língua francesa que designa os espaços do teatro ou da ópera em que os espectadores aguardam o início ou reinício do espetáculo. (N.T.)

irmão mais velho, o conde Philippe, cujo corpo foi encontrado à margem do lago que acompanha toda a extensão da Ópera, ao largo da rua Scribe. No entanto, nenhuma das testemunhas acreditava que pudesse haver qualquer envolvimento do lendário Fantasma da Ópera nessa terrível aventura.

A verdade penetrou de forma lenta em minha mente, conturbada por uma investigação que esbarrava a todo momento em acontecimentos que, à primeira vista, poderiam ser julgados como sobrenaturais, e, mais de uma vez, estive muito perto de abandonar a tarefa que me esgotava em perseguir uma imagem vã, sem nunca a alcançar. Finalmente, tive as provas de que meus pressentimentos não me haviam enganado e meus esforços foram totalmente recompensados no dia em que me certifiquei de que o Fantasma da Ópera tinha sido mais do que uma mera sombra.

Naquele dia, eu havia passado longas horas na companhia de *Memórias de um diretor*, uma obra simples do cético Moncharmin, que, durante o seu tempo na Ópera, não havia entendido nada da conduta do Fantasma, e por isso, tirou tanto sarro quanto pôde, mesmo sendo ele vítima da curiosa operação financeira que acontecia dentro do "envelope mágico".

Desesperado, eu tinha acabado de deixar a biblioteca quando encontrei o charmoso administrador da nossa Academia Nacional, a papear, debruçado em um corrimão, com um velhote vigoroso e atraente, a quem ele graciosamente me apresentou.

O senhor administrador estava ciente das minhas pesquisas e sabia da tamanha impaciência com que eu tinha tentado, em vão, descobrir em que ponto o juiz de instrução, senhor Faure, havia abandonado o famoso caso dos Chagny. Não se sabia o que tinha acontecido com ele, se estava morto ou vivo; e eis que agora, de regresso do Canadá, onde vivera por quinze anos, seu primeiro passo em Paris foi procurar a secretaria da Ópera para solicitar o empréstimo de uma poltrona. O tal velhote era o próprio senhor Faure.

Passamos boa parte da noite juntos e ele me falou sobre o caso Chagny tal como o havia compreendido outrora. Vira-se obrigado a concluir, por falta de evidências, que o visconde tinha enlouquecido e que o irmão mais velho havia morrido acidentalmente, mas permaneceu convencido de que um drama terrível tinha ocorrido entre os dois irmãos, envolvendo Christine Daaé. No entanto, não soube me dizer o que havia acontecido a Christine, nem ao visconde. Claro que, quando lhe falei do Fantasma, ele apenas sorriu. Também estava a par das singulares manifestações que pareciam atestar a existência de um ser excepcional, que escolhera como residência um dos mais misteriosos cantos da Ópera, e também sabia da história do "envelope", mas não via nisso nada que pudesse atrair a atenção de um magistrado responsável por investigar o caso Chagny, e apenas escutou, durante alguns momentos, o depoimento de uma testemunha que havia se apresentado espontaneamente para afirmar que tinha tido a oportunidade de conhecer o Fantasma. Esse personagem, a testemunha, não era outro senão aquele que toda Paris chamava de "o Persa", e que era bastante conhecido por todos os assinantes da Ópera. O juiz o considerara um maluco.

Você deve estar se perguntando se eu não fiquei absolutamente interessado por essa história do Persa. Gostaria de encontrar, se ainda houvesse tempo, essa preciosa e original testemunha. Minha boa sorte retornou e consegui encontrá-lo em seu pequeno apartamento na rua Rivoli, onde vivia desde aquela época, e onde viria a falecer cinco meses após minha visita.

No início, fiquei bastante desconfiado, mas quando o Persa contou, com uma candura infantil, tudo o que sabia pessoalmente sobre o Fantasma, e me entregou provas de sua existência (especialmente a estranha correspondência de Christine Daaé, que esclarecia de maneira tão deslumbrante seu terrível destino), já não era mais possível duvidar! Não! Não! O Fantasma não era um mito!

Estou ciente de que, como disseram, toda aquela correspondência poderia não ser autêntica e que poderia ter sido produzida, uma a uma, por um homem cuja imaginação certamente tinha sido alimentada por sedutores contos. Mas, felizmente, encontrei a grafia de Christine para além do famoso pacote de cartas e, consequentemente, pude desfrutar de um estudo comparativo que removeu todas as minhas hesitações.

Também me informei sobre o Persa e pude atestar que era um homem honesto, incapaz de inventar uma trama que pudesse enganar a justiça.

Essa era a visão de todas as grandes personalidades que estavam de alguma forma envolvidas no caso Chagny, amigos da família a quem expus todos os documentos e desvendei todas as minhas deduções. Recebi dessas pessoas o mais nobre encorajamento e permito-me reproduzir, sobre esse assunto, algumas linhas que me foram endereçadas pelo general D.

Senhor,

Não posso encorajá-lo a publicar os resultados da investigação. Lembro-me perfeitamente bem que, algumas semanas antes da morte da grande cantora Christine Daaé, drama que deixou em luto todo o faubourg[2] *Saint-Germain, falava-se muito, no* foyer, *sobre o Fantasma, e acredito que o assunto só foi encerrado com a continuação desse caso que ocupava todas as mentes; mas, se é possível, como eu acredito que seja desde que o ouvi, explicar o drama pelo Fantasma, eu lhe peço, senhor, fale-nos do Fantasma novamente. Por mais misterioso que ele possa parecer em um primeiro momento, será sempre mais explicável do que essa história sombria em que pessoas mal-intencionadas queriam ver dois irmãos que se adoraram durante toda a vida se destruírem até a morte...*

Acredite que... etc.

Enfim, com o dossiê em mãos, percorri novamente o vasto domínio do Fantasma, o formidável monumento que tinha adotado como seu império, e tudo o que meus olhos viram, o que minha mente descobriu, corroborava admiravelmente os documentos do Persa, quando uma maravilhosa descoberta coroou definitivamente minha investigação.

2 O termo *faubourg* designa os bairros quem ficam fora dos limites de um centro. Em Paris, por exemplo, o que são hoje as *banlieues* (chamadas de subúrbios ou periferias em português) eram antes chamadas de *faubourgs*. (N.T.)

Recentemente, enquanto cavavam o porão da Ópera para enterrar as vozes fonografadas dos artistas, as picaretas dos operários desenterraram um cadáver; então, eu finalmente encontrei evidências de que aquele era o cadáver do Fantasma da Ópera! Entreguei a prova pessoalmente ao próprio administrador, e agora me é indiferente que os jornais digam que o que encontramos lá foi o corpo de uma vítima da Comuna.

Os infelizes que foram massacrados na Comuna, nos subsolos da Ópera, não foram enterrados daquele lado; sei apontar exatamente onde seus esqueletos foram encontrados, bem longe daquela imensa cripta onde haviam acumulado, durante o cerco, todo tipo de provisões. Cheguei a essa trilha enquanto procurava, precisamente, os restos do Fantasma da Ópera, que não teria encontrado sem essa oportunidade inédita de acompanhar o enterro das vozes vivas!

Mas voltaremos a falar sobre esse cadáver e sobre o que fazer com ele mais tarde; agora, importa terminar este muito necessário prefácio, agradecendo os modestos comparsas, como o senhor comissário de polícia Mifroid (que fora convocado para as primeiras observações no momento do desaparecimento de Christine Daaé), e também o antigo secretário Rémy, o antigo administrador Mercier, o antigo regente de canto, senhor Gabriel, e, em especial, a baronesa de Castelot-Barbezac, conhecida à época como "a pequena Meg" (fato que não a envergonha), a estrela mais encantadora do nosso admirável corpo de baile, filha mais velha da honorável senhora Giry, antiga lanterninha, que morreu no camarote do Fantasma. Todas essas pessoas me foram de grande ajuda, e graças a elas poderei, juntamente com o leitor, reviver, em seus mínimos detalhes, essas horas de puro amor e medo.

Primeira Parte
ERIK

É o Fantasma?

Naquela noite, quando os senhores Debienne e Poligny, diretores demissionários da Ópera, ofereciam uma última noite de gala por ocasião de sua partida, o camarim de Sorelli, uma das primeiras dançarinas do corpo de baile, foi subitamente invadido por uma meia dúzia de bailarinas que retornavam do palco depois de terem dançado *Polieucto*. Elas se precipitaram no camarim fazendo uma enorme balbúrdia, algumas com um riso excessivo e pouco natural, e outras com gritos aterrorizantes.

Sorelli, que desejava ficar sozinha por um momento para decorar o discurso elogioso que faria, no *foyer*, aos senhores Debienne e Poligny, encarou com mau humor toda aquela gente atordoada se debatendo atrás dela. Olhou para suas colegas e se mostrou bastante incomodada com o tumulto. Foi a pequena Jammes (nariz de Grévin, olhos de miosótis, bochechas de rosas, garganta de lírios) quem explicou a razão em três palavras, em uma voz trêmula que sufocava de angústia:

– É o Fantasma!

E trancou a porta a chave. O camarim de Sorelli tinha uma elegância ao mesmo tempo distinta e banal. Um *psyqué*[3], uma poltrona, uma

3 Tipo de espelho móvel, acoplado a um suporte, que permite movimentá-lo a fim de ver toda a silhueta, da cabeça aos pés. (N.T.)

penteadeira e alguns armários compunham toda a mobília. Nas paredes, algumas gravuras (lembranças da mãe que conhecera os dias gloriosos da antiga Ópera, na rua Le Peletier), retratos de Vestris, Gardel, Dupont, Bigottini. O camarim parecia um palácio para as garotas do corpo de baile, que ficavam alojadas em quartos comuns, onde passavam o tempo cantando, discutindo, disputando os cabeleireiros e as camareiras e comprando pequenas taças de cassis ou cerveja, ou até mesmo rum, enquanto aguardavam soar o sinal.

Sorelli era muito supersticiosa. Quando ouviu a pequena Jammes falar do Fantasma, estremeceu e disse:

– Sua pequena idiota!

E como ela era a primeira a acreditar em fantasmas em geral e no Fantasma da Ópera em particular, quis saber imediatamente o que estava acontecendo.

– Vocês o viram? – ela perguntou.

– Como estou vendo você agora! – respondeu, tremendo, a pequena Jammes, que mal conseguia ficar em pé e desabou sobre uma cadeira.

Logo a pequena Giry (com olhos de ameixas, cabelo de tinta, tez de bistre, a sua pobre pele sobre seus pobres ossos) completou:

– Se for ele, é muito feio!

– Oh! Sim! – confirmaram em coro as outras dançarinas.

E continuaram a falar todas ao mesmo tempo. O Fantasma havia aparecido para elas sob as vestes negras de um cavalheiro, de súbito, no corredor, sem que ninguém soubesse de onde vinha. Sua aparição tinha sido tão repentina que se podia pensar que havia saído de dentro da parede.

– Ora! – disse uma das moças, que tinha mantido o sangue frio. – Vocês veem o Fantasma por toda parte!

É verdade que, há alguns meses, só se falava sobre o tal fantasma de roupa preta que caminhava como uma sombra para cima e para baixo na Ópera, não falava com ninguém e com quem ninguém se atrevia a falar e desaparecia tão rapidamente quanto o viam, sem que se soubesse por onde ou como. Ele não fazia nenhum barulho enquanto caminhava, como convém a um verdadeiro fantasma. As pessoas começavam a rir e a gozar do espectro vestido como um homem mundano ou como um coveiro, mas a lenda do Fantasma logo assumiu proporções colossais no corpo de baile. Todas afirmavam ter encontrado esse ser sobrenatural e terem sido vítimas de suas maldições. E mesmo aquelas que zombavam de sua existência não estavam tranquilas. Quando não se deixava mais ver, ele sinalizava sua presença ou sua passagem por meio de eventos divertidos ou funestos, cuja superstição quase genérica sempre o classificava como responsável. Um acidente lamentável aconteceu, uma colega havia feito uma travessura com alguma das garotas do corpo de baile, uma esponja de pó de arroz havia desaparecido? Era tudo culpa do Fantasma, do Fantasma da Ópera!

Mas quem o teria visto de fato? Pode-se encontrar tantas vestes pretas na Ópera que não são fantasmas. Mas aquela veste tinha uma particularidade que as outras vestes pretas não têm: ela vestia um esqueleto.

Pelo menos era o que as garotas diziam.

E, naturalmente, o esqueleto sustentava um crânio.

Será que tudo aquilo era verdade? A verdade é que a imaginação do esqueleto tinha nascido da descrição que Joseph Buquet, maquinista-chefe[4] da Ópera, havia feito do Fantasma, ele que, de fato, tinha visto o Fantasma. Buquet havia se chocado (não se pode dizer "dado de frente com o nariz dele", pois o Fantasma não tinha nariz) com o misterioso personagem na estreita escada, perto da rampa que dá acesso direto ao porão. Tivera tempo de vê-lo por um segundo, pois o Fantasma fugiu, desde então, conservava uma lembrança inesquecível dessa visão.

E isto foi o que Joseph Buquet disse sobre o Fantasma a quem quisesse ouvir:

– Ele é prodigiosamente magro e sua veste preta flutua sobre uma moldura esquelética. Seus olhos são tão profundos que mal se pode distingui-los das pupilas imóveis. Só se veem, de fato, dois grandes buracos negros, como nos crânios dos mortos. Sua pele, esticada sobre

4 Maquinista, no teatro, é o profissional que opera todas as máquinas e os equipamentos dos bastidores. (N.T.)

a ossatura como a pele de um tambor, já não é mais branca, mas feiamente amarelada; seu nariz é tão mínimo que fica invisível de perfil, e a ausência desse nariz é uma coisa horrível de se ver. Três ou quatro madeixas castanhas lhe cobrem a testa e fazem as vezes de cabelo atrás das orelhas.

Joseph Buquet perseguiu em vão aquela estranha aparição, que desapareceu como por magia, e não conseguiu encontrar nenhum rastro do Fantasma.

O maquinista-chefe era um homem bastante sério, bem arrumado e de pouca imaginação, e costumava estar sempre sóbrio. Seu relato foi ouvido com espanto e interesse, e logo encontrou outras pessoas que o procuraram para dizer que também haviam encontrado uma veste preta com um crânio no lugar da cabeça.

As pessoas sensatas que ouviram essa história pela primeira vez afirmaram que Joseph Buquet tinha sido vítima de uma peça pregada por um de seus subordinados. E então, começaram a ocorrer incidentes tão curiosos e inexplicáveis, um após o outro, que mesmo os mais astutos passaram a ficar atordoados.

Um tenente do corpo de bombeiros é um homem corajoso! Ele não teme nada, sobretudo o fogo!

Pois bem, o tenente dos bombeiros em questão, que tinha ido fazer uma ronda de vigilância nos porões e se aventurara, ao que parece, um pouco mais longe do que o habitual, reapareceu repentinamente no palco, pálido, assustado, tremendo, com os olhos arregalados, e quase desmaiou nos braços da nobre mãe da pequena Jammes. E por quê? Porque viu uma cabeça de fogo, sem corpo, mas com a mesma altura de sua própria cabeça, avançar em sua direção! E, repito, um tenente do corpo de bombeiros não teme o fogo.

Esse tenente se chamava Papin.

O corpo de baile ficou horrorizado. Em primeiro lugar, a cabeça de fogo não correspondia de forma alguma à descrição do Fantasma feita por Joseph Buquet. O bombeiro foi questionado, o maquinista-chefe foi novamente interrogado, e as garotas chegaram à conclusão de que o Fantasma tinha várias cabeças que ele alternava conforme sua vontade.

Naturalmente, elas logo imaginaram que corriam um grande perigo. A partir do momento em que um tenente dos bombeiros não hesitava em desmaiar, corifeus e ratinhas[5] podiam invocar muitas desculpas para o terror que as fazia correr a toda velocidade quando passavam por um buraco escuro em um corredor mal iluminado.

A fim de proteger tanto quanto possível o monumento condenado a tão horrendos malefícios, a própria Sorelli, rodeada por todas as dançarinas e seguida pela pequena multidão das turmas mais jovens com seus *collants*, no dia seguinte à história do tenente, colocou sobre a mesa que se encontrava no vestíbulo do zelador, ao lado da sala da administração, uma ferradura de cavalo na qual todos aqueles que adentrassem a Ópera, sob qualquer título que não o de espectador, tinham que tocar antes de pisar no primeiro degrau da escada. E isso sob a pena de se tornar a presa do poder oculto que se apoderara do edifício, das caves ao sótão!

Ainda hoje, essa ferradura, como toda essa história, aliás, eu infelizmente não a inventei, pode ser vista sobre a mesa do vestíbulo, de frente para o alojamento do zelador, quando entramos na Ópera pela sala da administração.

Eis uma breve visão do estado de espírito das garotas na noite em que adentramos com elas no camarim de Sorelli.

– É o Fantasma! – exclamou a pequena Jammes.

E a preocupação das dançarinas aumentou ainda mais. Agora, um silêncio angustiante reinava no camarim. Só se ouviam os barulhos das respirações ofegantes. Então, Jammes, que tinha se recolhido com expressão de medo ao canto mais distante da sala, murmurou esta única palavra:

– Ouçam!

De fato, parece que todo mundo ouviu um ranger vindo do outro lado da porta. Nenhum barulho de passos. Era como uma espécie de seda fina deslizando pelo assoalho. Depois, mais nada. Sorelli procurou se mostrar menos covarde que suas companheiras. Caminhou na direção da porta e perguntou com uma voz branda:

---

5 No balé, corifeu é um termo que designa a dançarina (ou o dançarino) que faz parte do corpo de baile, mas que também pode se apresentar como solista. Já o termo ratinhas (ou ratos) faz referência às jovens bailarinas que têm, normalmente, entre oito e quatorze anos, e ainda estão em processo de formação artística. (N.T.)

– Quem está aí?

Mas ninguém respondeu.

Então, sentindo que todos os olhos à sua volta espiavam seus mínimos gestos, procurou ser mais incisiva e disse em alto e bom som:

– Tem alguém atrás da porta?

– Oh! Sim! Sim! Certamente, tem alguém atrás da porta! – repetiu a ameixinha seca da Meg Giry, que segurava Sorelli heroicamente pela saia de tule. – Não abra, por favor! Pelo amor de Deus, não abra!

Mas Sorelli, armada com o estilete que sempre carregava consigo, ousou girar a chave na fechadura e abriu a porta, enquanto as dançarinas recuavam até o toalete e Meg Giry suspirava:

– Mamãe! Mamãe!

Sorelli olhou corajosamente por todo o corredor, que estava deserto. Uma pequena chama borboleteava em sua prisão de vidro e lançava uma luz vermelha e sinistra no ambiente tenebroso, sem iluminá-lo. A dançarina então fechou rapidamente a porta, soltando um profundo suspiro.

– Não, não tem ninguém! – ela disse.

– No entanto, nós realmente o vimos! – afirmou mais uma vez Jammes, enquanto recuava a passos curtos e temerosos para retomar seu lugar próximo de Sorelli. – Ele deve estar em algum lugar por aqui, à espreita. Eu não volto lá para me vestir. Nós deveríamos descer todas juntas até o *foyer* para o "cumprimento", e depois retornamos também juntas.

Nesse instante, a garotinha tocou devotamente a figa de coral destinada a afastá-la de todo e qualquer mal. Sorelli desenhou, furtivamente, com a ponta cor-de-rosa da unha do polegar direito, uma cruz de Santo André sobre o anel de madeira que cercava o dedo anelar de sua mão esquerda.

Um célebre cronista escrevera a seu respeito: "Sorelli é uma dançarina esguia, bela, com uma expressão séria e voluptuosa, tão flexível quanto o ramo de um salgueiro, e comumente classificada de 'bela criatura'. Seus cabelos, loiros e puros como ouro, coroam uma fronte bronzeada sob a qual se encontram dois olhos de esmeralda. A cabeça balança suavemente como uma garça sobre o pescoço longo, elegante e orgulhoso. Quando ela dança, tem um certo movimento de quadris indescritível, que dá a todo seu corpo um frêmito de inefável langor. Quando levanta os braços e se inclina para iniciar uma pirueta, deixando à mostra todo o contorno do corpete, a inclinação de seu corpo faz os quadris dessa bela mulher se projetarem, é uma cena que dá um nó no cérebro".

Quanto ao cérebro, parece ser fato que ela não o utilizava, mas ninguém a recriminava por isso.

Disse ainda às pequenas dançarinas:

– Minhas meninas, voltem a si! O Fantasma! Talvez ninguém jamais o tenha visto de fato!

– Claro que sim! Claro que sim! Nós o vimos! Nós o vimos há pouco! – repetiram as garotas. – Ele tinha um crânio no lugar da cabeça e usava as mesmas vestes da noite em que Joseph Buquet o viu!

– E Gabriel também o viu! – completou Jammes. – Quase no mesmo horário de ontem! Ontem à tarde, em plena luz do dia.

– Gabriel, o regente?

– Sim. Ele mesmo! Você não sabia?

– E ele estava de terno, durante o dia?

– Quem? Gabriel?

– Claro que não! O Fantasma?

– Claro que estava de terno! – afirmou Jammes. – Foi o próprio Gabriel quem me contou. Foi justamente por isso que ele o reconheceu. A história aconteceu assim: Gabriel estava no escritório do diretor, quando a porta se abriu de repente. Era o Persa entrando. Vocês sabem que o Persa tem "mau-olhado".

– Oh! Sim! – responderam em coro as pequenas dançarinas, que, assim que evocaram a imagem do Persa, imitaram chifres com o dedo indicador e o dedo mínimo esticados, enquanto o dedo médio e o anelar estavam dobrados sobre a palma e presos pelo polegar.

– E, ainda que Gabriel seja supersticioso – prosseguiu Jammes –, ele é sempre muito polido e, quando vê o Persa, contenta-se em colocar as mãos no bolso discretamente e tocar suas chaves. Pois bem, assim que a porta se abriu diante do Persa, Gabriel deu um pulo de sua poltrona e foi parar na fechadura do armário, a fim de tocar em alguma coisa de ferro! Com esse movimento, rasgou uma aba inteira de seu paletó em um prego. Depois, precipitando-se para fora da sala, deu com a testa em um cabide e fez um galo enorme; em seguida, recuando bruscamente, arranhou o braço no biombo perto do piano; tentou se apoiar no piano, mas foi tão desastrado que a tampa se fechou sobre suas mãos, esmagando seus dedos; saiu do escritório pulando como louco e calculou tão mal os degraus da escada que desceu rolando até chegar ao primeiro andar. Nesse exato momento, eu passava por ali com mamãe. Corremos para levantá-lo. Ele estava todo machucado e tinha o rosto coberto de sangue, o que nos deixou apavoradas. Mas ele logo sorriu e exclamou: "Obrigado, Senhor! Obrigado por ter me salvado na hora certa!". Foi então que nós o interrogamos e ele nos contou todo o seu desespero. Isso era resultado do que ele acabara de ver: o Fantasma, bem atrás do Persa! O Fantasma com a cabeça de caveira, exatamente como descreveu Joseph Buquet.

Um murmúrio de pavor saudou o desfecho dessa história, que Jammes terminou com a voz ofegante de tão rápido que a contou, como se ela mesma estivesse sendo perseguida pelo Fantasma. Em seguida, um novo silêncio foi interrompido por um sussurro da pequena Giry, enquanto Sorelli lixava as unhas, bastante abalada.

– Joseph Buquet deveria se calar – retrucou a ameixinha.

– E por que se calaria? – perguntaram-lhe.

– É a opinião de mamãe – replicou Meg, desta vez com uma voz sussurrada e olhando ao redor, como se tivesse medo de ser ouvida por outros ouvidos que não os que ali estavam.

– E por que sua mãe tem essa opinião?

– *Shhhh!* Mamãe diz que o Fantasma não gosta que o importunem!

– E por que é que ela diz isso?

– Porque… porque… por nada…

Essa proposital reticência teve o dom de exasperar a curiosidade das jovens, que se precipitaram em torno da pequena Giry e suplicaram para que explicasse. Elas se posicionaram lado a lado, inclinadas em uma mesma pose de oração e medo, misturados a um certo prazer que as congelava.

– Jurei não dizer nada! – sussurrou Meg.

Mas as garotas não lhe deram trégua e prometeram guardar tão bem o segredo que Meg, ardendo de desejo de contar o que sabia, começou a fazê-lo, com os olhos fixos na porta:

– Bem... É por causa do camarote.

– Que camarote?

– O camarote do Fantasma!

– O Fantasma tem um camarote?

Diante da informação de que o Fantasma tinha seu próprio camarote, as dançarinas não conseguiram conter a alegria funesta de sua estupefação, e disseram entre suspirinhos:

– Oh, meu Deus! Conta! Conta!

– Falem baixo! – ordenou Meg. – É o primeiro camarote, o número 5, aquele que fica do lado esquerdo do palco.

– Impossível!

– Estou dizendo! Minha mãe é a lanterninha. Mas vocês juram que não vão contar pra ninguém?

– Mas é claro, oras!

– Pois bem, é o camarote do Fantasma. Ninguém entra lá há mais de um mês, exceto o Fantasma, é claro, e deram ordens à administração para nunca mais o alugar.

– Mas é verdade que o Fantasma vem?

– Claro que sim!

– Então tem *alguém* que vem?

– Não!... O Fantasma vem, e não há mais ninguém.

As pequenas dançarinas se entreolharam. Se o Fantasma vinha ao camarote, deveria ser possível vê-lo, uma vez que ele vestia um terno negro e tinha um crânio no lugar da cabeça. E deram essa explicação a Meg, que replicou:

– Justamente! Não é possível ver o Fantasma! E ele não tem nem roupa nem cabeça! Tudo o que contaram sobre sua cabeça de caveira e de fogo não passa de piada! Não há nada. Só é possível ouvi-lo quando está no camarote. Mamãe jamais o viu, mas já o ouviu. E ela sabe do que está falando, porque é ela quem lhe entrega o programa!

Sorelli pensou que era o momento de intervir:

– Minha pequena Giry, você está caçoando de nós.

E a pequena Giry começou a chorar.

– Eu devia ter ficado de boca fechada. Se a mamãe souber disso! Mas eu juro que Joseph Buquet está errado em cuidar de coisas que não lhe dizem respeito, isso dá azar! Ainda ontem à noite mamãe dizia...

Nesse momento, ouviram-se passadas intensas e apressadas no corredor, e uma voz sem fôlego gritando:

– Cécile! Cécile! Você está aí?

– É a voz de mamãe! – disse Jammes. – O que foi?

E abriu a porta. Uma dama honrada, esculpida como um soldado pomerânio, adentrou o camarim e desabou gemendo sobre uma poltrona. Seus olhos reviravam, perturbados, iluminando lugubremente seu rosto bronzeado.

– Que desgraça! – ela disse. – Que desgraça!

– O quê? O quê?

– Joseph Buquet!

– Bem, o que tem o Joseph Buquet?

– Joseph Buquet está morto!

O camarim se encheu de exclamações, falas assustadas e pedidos de explicação amedrontados.

– Sim. Acabamos de encontrá-lo pendurado no terceiro subsolo! Mas o mais terrível – continuou, ofegante, a pobre e honrada senhora –, o mais terrível é que os maquinistas que encontraram o seu corpo afirmam que era possível ouvir ao redor do cadáver um barulho que se assemelha à canção dos mortos!

– É o Fantasma! – deixou escapar, contra sua vontade, a pequena Giry; mas ela se recompôs imediatamente, tapando a boca com as mãos. – Não! Não! Eu não disse nada! Eu não disse nada!

Ao redor dela, todas as suas companheiras, aterrorizadas, repetiam em voz baixa:

– Com certeza! É o Fantasma!

Sorelli estava pálida.

– Nunca conseguirei declamar meu discurso – disse.

A mãe de Jammes, achando que seria conveniente dar sua opinião enquanto esvaziava uma pequena taça de licor que havia sido deixada sobre uma mesa, disse que "devia haver algum fantasma lá embaixo".

Mas a verdade é que jamais se soube exatamente como Joseph Buquet havia morrido. A investigação, sucinta, não trouxe nenhum resultado além do suicídio natural. Nas *Memórias de um diretor*, o senhor Moncharmin, que era um dos diretores, sucedendo os senhores Debienne e Poligny, relatou assim o incidente do enforcamento:

"Um infeliz acidente perturbou a pequena festa que os senhores Debienne e Poligny havia organizado para celebrar sua partida. Eu estava no gabinete do diretor quando Mercier, o administrador, entrou de repente. Ele estava assustado e me contou que haviam acabado de encontrar, pendurado no terceiro subsolo do palco, entre uma arquitrave[6] e o cenário do *Rei de Lahore*, o corpo de um maquinista. E eu gritei: 'Vamos salvá-lo!'. O tempo que demorei para voar pelas escadas e descer o trainel[7] foi suficiente para que o enforcado já não tivesse mais sua corda!"

Eis um incidente que o senhor Moncharmin considera natural. Um homem é enforcado com uma corda, alguém vai socorrê-lo, mas a corda desapareceu. O senhor Moncharmin encontrou uma explicação bastante simples para isso. Veja o que ele disse: "Era o momento da dança, e os corifeus e as ratinhas haviam tomado suas devidas precauções contra o mau-olhado. Ponto-final. É possível ver daqui o corpo de baile descendo a escada do trainel e compartilhando a corda do enforcado em

---

6 Viga mestra que é apoiada horizontalmente em duas colunas ou pilares que recebem o peso da cobertura ou dos andares superiores da construção. (N.T.)

7 Elemento cenográfico solto e móvel, usado para fazer pinturas que imitam paredes ou muros, por exemplo. (N.T.)

menos tempo do que o necessário para descrever tal ação. Isso não pode ser sério". Mas eu, ao contrário, quando penso no lugar exato onde o corpo foi encontrado no terceiro subsolo do palco, imagino que poderia haver alguém a quem interessasse o desaparecimento da corda depois de haver cumprido sua tarefa, e veremos mais tarde se me equivoco ao cogitar algo dessa natureza.

A sinistra notícia se espalhou rapidamente por todos os cantos da Ópera, onde Joseph Buquet era muito apreciado. Os camarins se esvaziaram e as pequenas dançarinas, agrupadas em torno de Sorelli como ovelhas medrosas ao redor do pastor, seguiram para o *foyer*, passando pelos corredores e pelas escadas mal iluminadas, trotando apressadamente com suas pequenas sapatilhas cor-de-rosa.

A nova Marguerite

No primeiro patamar da escadaria, Sorelli topou com o conde de Chagny, que subia. O conde, normalmente muito calmo, deixava transparecer uma grande exaltação.

– Estava indo encontrá-la – disse o conde cumprimentando elegantemente a jovem moça. – Ah! Sorelli, que bela noite! E Christine Daaé: que triunfo!

– Não é possível! – protestou Meg Giry. – Há seis meses, ela cantava como uma gralha! Deixe-nos passar, senhor conde – disse a garota com uma reverência rebelde –, estamos em busca de notícias do pobre homem que encontraram enforcado.

Nesse momento, passava, com ar ocupadíssimo, o administrador, que parou subitamente ao ouvir a notícia.

– Como? Vocês já sabem do ocorrido, senhoritas? – perguntou com um tom rude. – Muito bem, mas não falem no assunto. E, sobretudo, não digam nada aos senhores Debienne e Poligny! Isso entristeceria muito seu último dia nesta casa.

Todos se dirigiram ao *foyer* de dança, que já havia sido invadido. O conde de Chagny estava certo, nunca uma noite de gala seria comparável àquela. Os privilegiados que participaram da cerimônia ainda falam de suas lembranças aos seus filhos e netos, bastante comovidos. Imagine então que Gounod, Reyer, Saint-Saëns, Massenet, Guiraud e Delibes se revezaram no púlpito do maestro e regeram a execução de suas próprias obras. Tiveram, entre outros intérpretes, Faure e Krauss, e, naquela noite, Christine Daaé, cujo misterioso destino vou apresentar neste livro, foi revelada a um *Tout-Paris*[8] inebriado e estupefato.

Gounod regeu a *Marcha fúnebre para uma marionete*; Reyer, sua bela abertura de *Sigurd*; Saint-Saëns, *A dança macabra* e *Sonho oriental*; Massenet, *Marcha húngara*, inédita; Guiraud, *Carnaval*; Delibes, *A valsa lenta de Sylvia* e os *pizzicati* de *Copélia*; e as senhoritas Krauss e Denise Bloch cantaram, respectivamente, o bolero das *Vésperas sicilianas* e o *brindisi* de *Lucrécia Borgia*.

No entanto, todo o triunfo ficou com Christine Daaé, que primeiro cantou alguns trechos de *Romeu e Julieta*. Era a primeira vez que a jovem artista cantava a obra de Gounod, que ainda não havia migrado para a Ópera, e que a Ópera-Comique havia remontado muito tempo depois de sua criação, no antigo Théâtre-Lyrique, por Madame Carvalho. Ah! É preciso ter piedade daqueles que não ouviram Christine Daaé no papel de Julieta, que não conheceram sua graça ingênua, não se emocionaram com o timbre de sua voz seráfica, não tiveram suas almas envolvidas à dela acima dos túmulos dos amantes de Verona:

"Senhor! Senhor! Senhor! Perdoai-nos!".

Pois bem, tudo isso não era nada perto dos trinados sobre-humanos emitidos no ato da prisão e no trio final de *Fausto*, que ela cantou substituindo Carlotta, que estava indisposta. Nunca se viu ou ouviu coisa parecida!

Era a "nova Marguerite" revelada por Daaé, uma Marguerite de um esplendor e de uma radiância jamais vistos até então.

Todo o salão aclamou a inenarrável emoção de Christine, que soluçava e empalidecia nos braços de suas companheiras. Tiveram de levá-la ao camarim. Ela parecia estar morta. O grande crítico P. de St.-V. eternizou

8 Expressão da língua francesa para indicar que toda a alta sociedade parisiense estava presente na ocasião. (N.T.)

a inesquecível lembrança desse maravilhoso minuto em uma crônica que propositadamente intitulou *A nova Marguerite*. Como grande artista que era, ele percebeu que aquela bela e doce jovem havia oferecido ao palco da Ópera, naquela noite, algo que ia além de sua arte: o seu coração. Nenhum dos amigos da Ópera ignorava que o coração de Christine tinha a mesma pureza de seus quinze anos, e P. de St.-V. declarou que "para compreender o que acabara de acontecer com Daaé, era necessário imaginar que ela amava alguém pela primeira vez! Talvez eu esteja sendo indiscreto," continuou, "mas somente o amor é capaz de realizar um tal milagre, uma tão fulminante transformação. Há dois anos, ouvimos Christine Daaé no concurso para o Conservatório, e ela então nos havia dado uma esperança sedutora. De onde vem então o sublime que testemunhamos hoje? Se não desce dos céus sobre as asas do amor, sou forçado a pensar que sobe do inferno e que Christine, como o maestro Ofterdingen, fez um pacto com o Diabo! Quem não ouviu Christine cantar o trio final de *Fausto* não conhece *Fausto*: a exaltação da voz e a embriaguez sagrada de uma alma pura não seriam capazes de superá-la!".

Todavia, alguns assinantes protestavam. Como era possível dissimularem por tanto tempo tamanho tesouro? Christine Daaé era, até então, um Siebel conveniente perto da Marguerite exageradamente material que era Carlotta. E tinha sido necessária a incompreensível e inexplicável ausência de Carlotta naquela noite de gala para que, de maneira improvisada, a pequena Daaé pudesse revelar toda sua potência em uma parte do programa reservada à diva espanhola! Afinal, de que forma, privados de Carlotta, os senhores Debienne e Poligny havia chegado a Daaé? Teriam eles conhecimento de sua genialidade velada? E, se a conheciam, por que a escondiam? E ela, por que se escondia? Estranhamente, ninguém sabia quem era seu atual professor. Em diferentes momentos, ela havia declarado que estudaria sozinha. Tudo aquilo era inexplicável.

Em pé em seu camarote, o conde de Chagny havia testemunhado todo aquele delírio e se misturou a ele com seus "bravos" retumbantes.

O conde de Chagny (Philippe-Georges-Marie) tinha então exatos quarenta e um anos. Era um fidalgo e um belo homem. Mais alto do que a média dos homens, com uma expressão agradável, apesar da fronte severa e do olhar frio, tinha uma polidez refinada com as mulheres e era um pouco arrogante com os homens, que nunca lhe perdoaram o sucesso que fazia naquela sociedade. Era um homem de excelente coração e consciência honesta. Com a morte do velho conde Philibert, ele se tornou o chefe de uma das famílias mais ilustres e antigas da França, cujos aposentos de nobreza datavam de Luís, o Teimoso. A fortuna dos Chagny era considerável e, quando o velho conde, que era viúvo, faleceu, não foi uma decisão fácil para Philippe aceitar gerir tão vultoso patrimônio. Suas duas irmãs e seu irmão Raoul recusaram-se a partilhar os bens e confiaram tudo a Philippe, como se o direito de progenitura permanecesse válido. Quando as duas irmãs se casaram, no mesmo dia, requisitaram a seu irmão as suas ações, não como um direito que lhes pertencesse, mas como um dote pelo qual expressaram sua gratidão.

A condessa de Chagny, cujo nome de solteira era Moerogis de la Martynière, morreu ao dar à luz Raoul, vinte anos mais novo que o primogênito. Raoul tinha apenas doze anos quando o velho conde faleceu e Philippe cuidou pessoalmente da educação do garoto. E foi admiravelmente assistido nessa tarefa, primeiro por suas irmãs, depois por uma velha tia, viúva de um marinheiro, que vivia em Brest e ensinou Raoul a apreciar as coisas do mar. O rapaz ingressou no navio-escola *Borda*, onde se destacou e completou tranquilamente sua volta ao mundo. Graças aos intensos apoios que recebeu, tinha acabado de ser nomeado para fazer parte da expedição oficial do *Requin*, cuja missão era procurar no gelo polar os sobreviventes da expedição do *d'Artois*, de que não se tinha notícias há três anos. Enquanto aguardava a partida, ele desfrutava de uma longa licença que só acabaria dali seis meses, e as herdeiras do nobre *faubourg*, vendo aquele belo garoto que parecia tão frágil, já se queixavam dos severos trabalhos que o aguardavam.

A timidez desse marinheiro, ouso dizer a sua inocência, era notável. Parecia ter saído das mãos das mulheres na noite anterior. Na verdade, mimado por suas duas irmãs e por sua tia, herdou dessa educação puramente feminina maneiras quase cândidas, imbuídas de um charme que nada até então fora capaz de manchar. Naquela época, ele tinha pouco mais de vinte e um anos e parecia ter dezoito. Tinha um pequeno bigode loiro, belos olhos azuis e uma pele de bebê.

Philippe também o mimava muito. Sentia muito orgulho de Raoul e previa uma carreira gloriosa para o irmão mais novo nessa Marinha onde um de seus ancestrais, o famoso Chagny de La Roche, tinha chegado ao posto de almirante. Aproveitou-se da licença do jovem para lhe apresentar toda a alegria luxuosa e o prazer artístico que Paris poderia oferecer.

O conde acreditava que, na idade de Raoul, ter muita sabedoria não era mais uma escolha sábia. Era um caráter muito equilibrado, o de Philippe, ponderado em seus trabalhos e em seus prazeres, sempre em trajes impecáveis, incapaz de dar a seu irmão um mau exemplo. Levava-o consigo por toda parte. Inclusive ao *foyer* de dança. Eu sei que diziam que o conde "se dava muito bem" com Sorelli. Mas e daí? Era possível incriminar esse nobre homem, que permanecera solteiro e, portanto, tinha muitas oportunidades de lazer diante de si, especialmente desde que as suas irmãs tinham se estabelecido, e podia passar uma ou duas horas, após o jantar, na companhia de uma dançarina que, evidentemente, não era muito espirituosa, mas tinha os olhos mais bonitos do mundo? Além disso, há lugares que um verdadeiro parisiense com título de conde de Chagny deve frequentar, e, naquela época, o *foyer* de dança da Ópera era um desses.

Enfim, talvez Philippe não tivesse levado seu irmão aos bastidores da Academia Nacional de Música se este não lhe tivesse feito esse pedido mais de uma vez, com a doce obstinação de que o conde se lembraria mais tarde.

Naquela noite, depois de aplaudir Daaé, Philippe virou-se na direção de Raoul, que estava tão pálido que chegou a assustá-lo.

– Ninguém vê que aquela mulher está passando mal? – perguntou Raoul.

De fato, Christine Daaé estava sendo amparada sobre o palco.

– É você quem vai desmaiar – disse o conde, inclinando-se na direção de Raoul. – O que você está sentindo?

Mas Raoul já estava em pé.

– Vamos! – ele disse com a voz trêmula.

– Aonde quer ir, Raoul? – questionou o conde, surpreso com a comoção que tomava o caçula.

– Ora, vamos vê-la! É a primeira vez que ela canta desse jeito!

O conde olhou curiosamente para seu irmão, e um leve sorriso se instalou no canto de seu lábio maroto.

– Ora! – e acrescentou. – Vamos! Vamos! – ele parecia enfeitiçado.

Logo chegaram à entrada dos assinantes, que estava completamente lotada. Enquanto tentava chegar até o palco, Raoul arrancou suas luvas em um gesto inconsciente. Philippe, que era um homem bom, não zombou da sua impaciência. Mas agora tudo fazia sentido. Ele sabia porque Raoul estava distraído quando ele lhe falava, e também porque deixava transparecer um enorme prazer em retomar os tópicos de conversas sobre a Ópera.

Adentraram o palco.

Uma multidão de ternos pretos se precipitava na direção do *foyer* de dança ou seguiam na direção dos camarins dos artistas. Os gritos dos maquinistas se misturavam aos discursos veementes dos chefes de serviço. Os figurantes do último quadro que partiam, outros que trombavam entre si, um trainel que passava, um pano de fundo que descia do urdimento, um praticável que recebia golpes de martelo, o eterno "lugares no teatro" ecoando nos ouvidos como a ameaça de uma nova catástrofe para a cartola, ou um forte golpe de cotovelo em seus rins. Eis o que acontecia habitualmente nos entreatos, e que não deixava de perturbar um noviço como o jovem rapaz de bigodes louros, olhos azuis e pele de bebê que atravessava, tão rápido quanto a desordem lhe permitia, o palco em que Christine Daaé acabava de triunfar, e sob o qual Joseph Buquet acabava de morrer.

Naquela noite, a confusão se espalhou por toda parte, mas Raoul se mostrava menos tímido do que nunca: afastava com seus ombros vigorosos tudo o que surgia à sua frente como obstáculo, sem se preocupar com o que se dizia ao seu redor e sem procurar entender as palavras assustadas dos maquinistas. Preocupava-se unicamente com o desejo de ver aquela mulher, cuja voz mágica lhe tinha roubado o coração. Sim, ele sentia que seu pobre e jovem coração já não lhe pertencia mais. Havia tentado evitar que isso acontecesse, desde o dia em que Christine, que conheceu ainda pequena, tinha reaparecido. Sentira diante dela uma doce emoção que tentou rechaçar, depois de muito refletir, pois prometera a si mesmo (muito respeitava a si mesmo e a sua fé) que só viria a amar aquela que se tornasse sua esposa, e não poderia, naturalmente, sequer cogitar a possibilidade de se casar com uma cantora; mas eis que à doce emoção sucedera uma sensação atroz. Sensação? Sentimento? Havia naquilo tudo um misto de sentimento físico e espiritual. O peito lhe doída como se alguém o tivesse aberto para lhe arrancar o coração. Sentia um vazio terrível, um vazio real que jamais poderia ser preenchido pelo coração de outra! São acontecimentos de uma psicologia especial que, ao que parece, só podem ser compreendidos por aqueles que também foram golpeados pelo amor, esse golpe estranho, vulgarmente conhecido como "paixão fulminante".

O conde Philippe mal conseguia acompanhá-lo. E continuava a sorrir.

Na parte de trás do palco, depois da porta dupla que se abria para os degraus que levam ao *foyer* e para aqueles que levam aos camarotes do térreo, à esquerda, Raoul teve que parar em frente à pequena trupe de ratinhas que, tendo descido há pouco do sótão, fechavam a passagem. Mais de uma palavra agradável foi-lhe proferida por pequenos lábios pintados, aos quais ele nada respondeu. Finalmente, conseguiu passar e adentrou na escuridão de um corredor muito barulhento por conta das exclamações que pronunciavam admiradores entusiastas. Um nome sobressaía-se no meio de todo aquele burburinho: "Daaé! Daaé!". O conde, que vinha logo atrás de Raoul, pensava: "o malandro conhece o caminho!" e se perguntava como o teria aprendido. Ele mesmo nunca tinha levado Raoul aos aposentos de Christine. Pode-se então imaginar que fosse até lá sozinho, enquanto o conde permanecia no *foyer* conversando tranquilamente com Sorelli, que, com frequência, pedia a ele que lhe fizesse companhia até o momento de entrar em cena, e tinha essa mania tirânica de pedir também que cuidasse das polainas que costumava usar para sair do camarim, a fim de garantir que as solas de suas sapatilhas permanecessem intactas, bem como a limpeza de sua malha cor da pele. Sorelli tinha uma desculpa: ela perdera sua mãe.

Então, adiando em alguns minutos a visita que faria a Sorelli, seguiu pela galeria que levava ao camarim de Daaé e constatou que aquele corredor nunca tinha sido tão concorrido como naquela noite, quando o teatro parecia chocado não apenas com o sucesso da artista, mas também com seu desmaio. A bela senhorita ainda não tinha voltado à consciência, e o médico do teatro, que fora chamado, chegou durante a confusão, trombando com os grupos e acompanhado de perto por Raoul, que não descolava dele.

Assim, o médico e o jovem apaixonado chegaram juntos perto de Christine, que recebeu os primeiros cuidados de um e abriu os olhos nos braços de outro. O conde, e muitos outros, tinha permanecido na soleira da porta diante da qual todos se acotovelavam.

– O senhor não acha, doutor, que esses cavalheiros deveriam "desobstruir" um pouco o camarim? – perguntou Raoul, com incrível audácia. – É impossível respirar aqui.

– O senhor tem toda razão – concordou o médico, que logo pediu para que todos saíssem, com exceção de Raoul e da camareira.

A camareira olhava Raoul com os olhos arregalados pelo mais sincero espanto. Nunca o vira antes.

No entanto, não ousou questioná-lo.

O médico, por sua vez, imaginou que, se o jovem estava tão agitado, era porque estava em seu direito. Então, o visconde permaneceu no camarim contemplando Daaé, que voltava a si, enquanto os dois diretores, os senhores Debienne e Poligny, que tinham vindo pessoalmente expressar sua admiração pela contratada, foram rechaçados para o corredor com seus ternos pretos. O conde de Chagny, expulso junto com os outros, ria às gargalhadas.

– Ah, o malandro! Ah, o malandro!

E concluiu, *in petto*[9]: "desconfiem desses jovenzinhos que parecem ter ares de jovens garotas!".

Ele estava radiante. E concluiu: "É um Chagny!". Em seguida, dirigiu-se ao camarim de Sorelli, mas ela descia ao *foyer* junto com seu pequeno rebanho amedrontado, e o conde a encontrou no caminho, como foi dito.

No camarim, Christine Daaé deixou escapar um profundo suspiro e recebeu como resposta um gemido. Virou-se, viu Raoul e estremeceu. Olhou para o médico, sorriu, depois olhou para a camareira, e logo para Raoul novamente.

– Senhor! – disse a este último com uma voz que não passava de um sussurro. – Quem é o senhor?

– Senhorita – respondeu o jovem enquanto se ajoelhava e beijava ardentemente a mão da diva –, senhorita, eu sou o garotinho que foi buscar sua echarpe no mar.

Christine fitou mais uma vez o médico e a camareira e os três começaram a rir. Raoul se levantou, bastante ruborizado.

– Senhorita, como faz questão de não me reconhecer, gostaria de lhe dizer algo em particular, algo importantíssimo.

– Quando eu estiver melhor, cavalheiro, pode ser? – e sua voz tremia. – O cavalheiro é muito gentil.

– Mas é melhor sair agora – completou o médico com um sorriso muito cordial. – Permita-me cuidar da senhorita.

– Eu não estou doente – reagiu Christine com uma energia tão estranha quanto inesperada.

Então se levantou passando sua mão sobre as pálpebras com um gesto abrupto.

– Agradeço muito, doutor! Mas preciso ficar sozinha. Podem se retirar! Por favor, deixem-me! Estou muito nervosa esta noite.

O médico fez menção de protestar, mas, diante da agitação da jovem, estimou que o melhor remédio para tal estado seria não a contrariar.

9 *In petto* é uma expressão latina que significa "em segredo". (N.T.)

Ele retirou-se com Raoul, que permaneceu no corredor, completamente desamparado. O doutor lhe disse:

– Não estou reconhecendo aquela senhorita hoje, ela é sempre tão doce – e então deixou-o.

Raoul ficou sozinho. Toda aquela parte do teatro estava deserta agora. Havia se iniciado a cerimônia de despedida no *foyer* de dança. Raoul pensou que Daaé talvez aparecesse e escolheu esperá-la na solidão e no silêncio. Chegou a se esconder na oportuna sombra de uma quina de porta. Ele continuava a sentir uma dor terrível do lado do coração, e era disso que queria falar com Daaé, sem demora. A porta do camarim abriu subitamente e ele avistou a camareira, que saía sozinha carregando pacotes. Parou-a no caminho para pedir notícias de sua amada. Ela respondeu, rindo, que Daaé estava bem, mas que não era aconselhável importuná-la, pois queria ficar sozinha. E desapareceu. Uma ideia atravessou o cérebro flamejante de Raoul: obviamente, Daaé queria ficar sozinha por causa dele! Ele não tinha dito que desejava falar com ela em particular, e não seria essa a razão pela qual ela queria ficar sozinha? Respirando com dificuldade, ele se aproximou do camarim e, com o ouvido colado à porta para ouvir a resposta que viria do outro lado, fez menção de bater. Mas sua mão vacilou. Ouvira uma voz masculina no camarim, que dizia, com uma entonação particularmente autoritária:

– Christine, você tem que me amar!

E a voz de Christine, que parecia trêmula e acompanhada de lágrimas, respondeu:

– Como é que você pode me pedir isso? Eu, que canto unicamente para você!

Raoul teve de encostar na parede, tamanho era seu sofrimento. Seu coração, que ele sentia estar dilacerado, voltou a bater retumbante em seu peito. Todo o corredor ressoava e os ouvidos de Raoul pareciam ensurdecidos. Certamente, se seu coração continuasse a fazer tanto alarido, iriam ouvi-lo, abririam a porta e o jovem seria vergonhosamente afugentado. Que situação para um Chagny! Ouvir atrás de uma porta! Colocou as duas mãos no coração para tentar silenciá-lo.

Mas o coração não é como a boca de um cachorro, e, mesmo quando tentamos fechar a boca de um cachorro com as duas mãos, para que pare de latir insuportavelmente, ainda conseguimos ouvi-lo rosnar.

A voz masculina continuou:

– Você deve estar cansada, não?

– Oh! Esta noite eu lhe dei minha alma e estou morta.

– Sua alma é bela, minha criança – retomou a voz grave de homem – e eu lhe agradeço. Não há imperador que tenha recebido tamanho presente! Os anjos choraram esta noite.

Depois dessas palavras: "os anjos choraram esta noite", o visconde não ouviu mais nada.

No entanto, ele não foi embora, mas, temendo ser surpreendido, retornou ao seu canto sombrio, determinado a esperar que o homem deixasse o camarim. Acabava de aprender, ao mesmo tempo, a amar e a odiar. Sabia quem amava. Agora queria conhecer quem odiava. Para sua grande surpresa, a porta se abriu e Christine Daaé, envolta em peles e com o rosto coberto sob uma renda, saiu sozinha. Fechou a porta atrás de si, mas Raoul percebeu que não a trancou à chave. Ela passou por ele. Ele não a seguiu com o olhar, pois seus olhos se fixaram na porta, que não se abriu novamente. Então, atravessou o corredor, que estava novamente deserto. Abriu a porta do camarim e fechou-a atrás de si bruscamente. Encontrava-se na mais absoluta escuridão. Haviam apagado o gás.

– Tem alguém aqui? – perguntou Raoul com uma voz vibrante. – Por que se esconde?

E dizendo isso, manteve-se encostado na porta fechada.

A noite e o silêncio. Raoul só ouvia o som de sua própria respiração. Ele certamente não se dava conta de que a indiscrição de sua conduta ultrapassava todos os limites que se poderia imaginar.

– Você só sairá daqui quando eu permitir! – disse o jovem. – Se não me responder, é um covarde! Mas eu saberei como o desmascarar!

E riscou um fósforo. A chama iluminou o camarim. Não havia ninguém! Após tomar o cuidado de fechar a porta à chave, Raoul acendeu os abajures e as lamparinas. Adentrou no vestiário, abriu os armários, vasculhou as paredes com as mãos suadas. Nada!

– Ah! Será que estou enlouquecendo? – indagou em voz alta.

Permaneceu assim durante uns dez minutos, ouvindo o sopro do gás na paz do camarim abandonado. Apaixonado, não cogitou roubar uma só fita que lhe teria trazido o perfume daquela que amava. Então saiu sem saber o que faria ou para onde iria. Em um dado momento de sua deambulação incoerente, um ar gelado atingiu seu rosto em cheio. Encontrava-se embaixo de uma estreita escada pela qual descia, atrás de si, um cortejo de funcionários inclinados sobre uma espécie de maca coberta com um tecido branco.

– A saída, por favor? – perguntou a um dos homens.

– O senhor não a vê! Está à sua frente – responderam. – A porta está aberta. Agora nos deixe passar.

Perguntou maquinalmente, apontando para a maca:

– O que é isso?

O funcionário respondeu:

– Isso, é Joseph Buquet, que foi encontrado enforcado no terceiro subsolo, entre um trainel e um cenário do *Rei de Lahore*.

Ele abriu passagem para o cortejo, saudou-o e saiu.

Pela primeira vez, os senhores Debienne e Poligny contam, em segredo, aos novos diretores da Ópera, Armand Moncharmin e Firmin Richard, a verdadeira e misteriosa razão de sua saída da Academia Nacional de Música

Enquanto isso, acontecia a cerimônia de despedida.

Eu disse que essa magnífica festa foi dada pelos senhores Debienne e Poligny por ocasião da sua partida da Ópera. Ambos queriam sair de cena como hoje dizemos: *em grande estilo*.

Para a realização dessa cerimônia ideal e conclusiva, eles receberam ajuda de figuras importantes da sociedade e das artes de Paris.

Todas essas figuras compareceram ao *foyer* de dança, onde Sorelli aguardava, com uma taça de champanhe na mão e um pequeno discurso na ponta da língua, os diretores demissionários. Atrás dela, suas jovens e velhas colegas do corpo de baile estavam agitadas, umas cochichando sobre os acontecimentos do dia, outras fazendo sinais discretos a seus amigos que já se perdiam no meio da multidão amontoada em volta do *buffet* que tinha sido armado sobre uma tábua inclinada, entre a dança guerreira e a dança camponesa de *Boulenger*.

Algumas dançarinas já tinham vestido suas roupas de sair; a maioria ainda estava com suas saias de tule; todas, porém, esforçavam-se para manter o ar compenetrado. Apenas a pequena Jammes, cujas quinze primaveras pareciam já ter esquecido, em sua distração (feliz idade aquela!), o Fantasma e a morte de Joseph Buquet, não parava de cochichar, balbuciar, saltitar e fazer brincadeiras, até que os senhores Debienne e Poligny apareceram nos degraus do *foyer* de dança e Sorelli, impaciente, ordenou que ela mantivesse a compostura.

Todos notaram que os diretores demissionários pareciam descontraídos, o que, em qualquer província, não pareceria nem um pouco natural, mas, em Paris, aquilo era prova de muito bom gosto. Nunca será verdadeiramente parisiense quem não aprender a colocar no rosto uma máscara de alegria que encubra suas dores e um disfarce para a tristeza, o tédio e a indiferença sobre qualquer íntima alegria. Se souber que um de seus amigos está sofrendo, não tente consolá-lo; ele dirá que não é necessário; mas, se foi algo bom que lhe aconteceu, evite felicitá-lo; ele acha que sua felicidade é tão natural que se surpreenderá com qualquer cumprimento. Em Paris, vive-se em um eterno baile de máscaras, e não seria no *foyer* de dança que personagens tão calejados como os senhores Debienne e Poligny cometeriam o deslize de expressar seu real sofrimento. Eles já estavam sorrindo demais para Sorelli, que começava a pronunciar seu discurso, quando uma queixa da incontrolável Jammes veio quebrar o sorriso dos diretores de uma forma tão brutal que a figura de desolação e pavor que estava por baixo da máscara apareceu aos olhos de todos:

– O Fantasma da Ópera!

Jammes tinha pronunciado essa sentença com um tom de terror indescritível, e seu dedo apontava na multidão de roupas pretas um rosto tão pálido, tão sombrio e tão feio, com buracos negros tão profundos nas cavidades orbitais, que aquela cabeça de caveira designada imediatamente se tornou um enorme sucesso.

– O Fantasma da Ópera! O Fantasma da Ópera!

As pessoas riam, empurravam-se, tentavam oferecer uma taça ao Fantasma da Ópera, mas ele tinha desaparecido! Misturou-se à multidão, e as pessoas o procuravam em vão; enquanto isso, dois senhores tentavam acalmar a pequena Jammes, ao mesmo tempo em que a pequena Giry soltava gritos agudos.

Sorelli estava furiosa, pois não tinha conseguido terminar seu discurso; os senhores Debienne e Poligny a abraçaram, agradeceram e partiram tão rapidamente quanto o próprio Fantasma. Ninguém ficou surpreso, pois sabiam que teriam de encarar a mesma cerimônia no andar de cima, no *foyer* de música, quando seus amigos íntimos seriam então recebidos uma última vez por eles no grande vestíbulo do gabinete do diretor, onde um requintado jantar os aguardava.

É justamente lá que se encontrariam com os novos diretores, os senhores Armand Moncharmin e Firmin Richard. Eles se conheciam, mas trocaram efusivos cumprimentos e demonstrações de amizade, e estes responderam com mil agradecimentos, de tal forma que os convidados que acreditavam que aquela seria uma noite enfadonha mostraram-se imediatamente mais contentes. O jantar foi quase alegre e a ocasião foi favorável a muitos brindes. O comissário do governo foi particularmente político, misturando a glória do passado com os sucessos do futuro, fazendo uma imensa cordialidade reinar entre os convivas. A transferência dos poderes direcionais havia sido realizada na véspera de modo bastante simples. Os detalhes que ainda precisavam ser resolvidos entre a antiga e a nova gestão tinham sido acordados sob a presidência do comissário do governo e com um desejo tão grande de acordo entre ambos os lados, que era pouco surpreendente encontrar quatro expressões tão sorridentes durante aquela noite memorável.

Os senhores Debienne e Poligny já haviam entregue aos senhores Armand Moncharmin e Firmin Richard as duas minúsculas chaves-mestras que abriam todas as milhares de portas da Academia Nacional de Música. Logo essas pequenas chaves, objetos de curiosidade geral, começaram a passar de mão em mão, quando a atenção de alguns foi atraída pela descoberta que acabavam de fazer: na ponta da mesa, via-se pálida e fantástica figura de olhos fundos, que já tinha aparecido no *foyer* de dança e que Jammes saudara como "o Fantasma da Ópera!".

Ali estava ele, como o mais natural dos convivas, só que não comia nem bebia.

Aqueles que, no início, olhavam para ele sorrindo acabaram evitando seu olhar, de tanto que aquela visão imediatamente lhes trouxe à mente os pensamentos mais fúnebres. Ninguém ousou recomeçar a brincadeira do *foyer*, ninguém gritou:

– Vejam, o Fantasma da Ópera!

Ele não pronunciou uma só palavra, e seus vizinhos não seriam capazes de dizer qual foi o exato momento em que ele veio se sentar ali, mas todos pensavam que, se os mortos vinham às vezes se sentar à mesa dos vivos, mesmo eles não tinham uma aparência tão macabra. Os amigos dos senhores Firmin Richard e Armand Moncharmin acreditavam que o conviva descarnado era um amigo íntimo dos senhores Debienne e Poligny, enquanto os amigos dos senhores Debienne e Poligny pensavam que o cadáver pertencia à clientela dos senhores Richard e Moncharmin. De tal modo que não houve qualquer pedido de explicação, nenhuma observação desagradável, nenhuma brincadeira de mau gosto que ousasse ofender esse hóspede do além. Alguns convivas que conheciam a lenda do Fantasma e a descrição dele, feita pelo chefe-maquinista (mas ignoravam a morte de Joseph Buquet), pensavam *in petto* que o homem na ponta da mesa poderia muito bem ser a realização viva do personagem inventado, segundo eles, pela incorrigível superstição do pessoal da Ópera; e, no entanto, segundo a lenda, o Fantasma não tinha nariz, e esse personagem tinha um. Mas o senhor Moncharmin afirma em suas *Memórias* que o nariz do conviva era transparente. "Seu nariz," disse ele, "era longo, fino e transparente" – e eu acrescentaria que aquele poderia ser um falso nariz. O senhor Moncharmin deve ter confundido com transparência o que brilhava. Todo mundo sabe que a ciência pode criar falsos narizes admiráveis àqueles que deles foram privados, seja pela natureza, seja por algum tipo de cirurgia. Será, então, que o Fantasma tinha vindo se sentar à mesa dos diretores, naquela noite, sem ter sido convidado? E nós, podemos ter certeza de que aquela figura era mesmo o Fantasma da Ópera? Quem poderia garantir? Se menciono aqui tal incidente, não é porque tenha a intenção de convencer o leitor, ou pelo menos tentar, de que o Fantasma foi capaz de tamanha audácia, mas porque, na verdade, isso é muito possível.

Eis uma razão plausível. O senhor Armand Moncharmin, em suas *Memórias*, diz textualmente: – Capítulo XI: "Quando penso nessa primeira noite, não consigo dissociar a confidência que nos fizeram, em seu gabinete, os senhores Debienne e Poligny, sobre a presença, em nosso jantar, do fantasmagórico personagem que ninguém conhecia".

Vamos aos fatos.

Os senhores Debienne e Poligny, sentados no centro da mesa, ainda não haviam percebido a presença do homem com cabeça de caveira, quando este começou a falar.

– As ratinhas têm razão – ele disse. – A morte do pobre Buquet talvez não tenha sido tão natural quanto pensam.

Debienne e Poligny levaram um susto.

– Buquet está morto?! – exclamaram.

– Sim – respondeu tranquilamente o homem, ou a sombra do homem. – Ele foi encontrado enforcado, esta noite, no terceiro porão, entre uma arquitrave e um cenário do *Rei de Lahore*.

Os dois diretores, ou melhor, ex-diretores, levantaram-se fitando seu interlocutor com certa estranheza. Estavam extremamente agitados, mais do que o normal para alguém que soube do enforcamento do chefe-maquinista. Entreolharam-se. Estavam mais pálidos que a toalha da mesa. Debienne fez um sinal aos senhores Richard e Moncharmin: Poligny pronunciou algumas desculpas aos convidados e os quatro se dirigiram ao gabinete do diretor. Passo a palavra ao senhor Moncharmin.

"Os senhores Debienne e Poligny pareciam cada vez mais agitados," conta em suas *Memórias*, "e tínhamos a impressão de que havia alguma coisa que queriam nos contar e que os deixava muito incomodados.

Primeiro, perguntaram se conhecíamos o indivíduo sentado na ponta da mesa que havia contado sobre a morte de Joseph Buquet. Como respondemos negativamente, pareciam agora ainda mais perturbados. Então pegaram as chaves de nossas mãos, observaram-nas por alguns instantes, balançaram a cabeça e nos aconselharam a trocar todas as fechaduras, da forma mais discreta possível, incluindo os gabinetes e objetos que quiséssemos manter bem fechados. Falavam de um jeito tão engraçado que nos pusemos a rir e perguntamos se havia ladrões na Ópera. Responderam que havia algo muito pior, um fantasma. Nós rimos novamente, persuadidos de que eles nos contavam alguma piada que deveria ser uma espécie de coroamento de nossos festejos daquela noite. Sob insistência deles, recobramos nossa 'seriedade', decididos a participar daquela brincadeira para fazer-lhes a vontade. Eles disseram que jamais teriam nos falado do Fantasma se não tivessem recebido ordem formal dele próprio para que nos comprometêssemos a sermos gentis com ele e a lhe conceder tudo o que nos pedisse. No entanto, muito felizes por estarem deixando o espaço dominado por aquela sombra tirânica, livrando-se dela de uma vez por todas, eles hesitaram até o último momento em nos contar sobre tão curiosa aventura para a qual, certamente, as nossas céticas mentes não estavam preparadas, quando o anúncio da morte de Joseph Buquet os fez lembrar brutalmente que, cada vez que eles não obedeciam aos desejos do Fantasma, algum acontecimento estranho ou fatal vinha rapidamente os lembrar de sua dependência.

Durante esses inesperados discursos pronunciados em um tom confidencial dos mais secretos e importantes, eu observava Richard, que, desde os tempos de estudante, tinha uma reputação de brincalhão, ou seja, dominava todas as mil maneiras diferentes de zombar dos outros, e os *concierges* do *boulevard* Saint-Michel o conheciam bem. Dessa forma, ele parecia apreciar o prato que lhe serviam naquele momento. Não perdia uma só mordida, embora o condimento fosse um pouco macabro em razão da morte de Buquet. Balançava a cabeça tristemente e, conforme os outros falavam, sua aparência ia ficando cada vez mais pesarosa, como a de um homem que lamenta amargamente o acontecimento da Ópera agora que sabia da existência de um fantasma. Eu não pude fazer outra coisa senão imitar fielmente essa reação desesperada. No entanto, apesar de todos os nossos esforços, não pudemos nos privar de caçoar bem debaixo dos narizes dos senhores Debienne e Poligny que, vendo-nos passar do mais sombrio estado de espírito às risadas mais insolentes, agiram como se acreditassem que tínhamos enlouquecido.

A farsa ia um pouco longe demais e Richard perguntou, em um tom ao mesmo tempo sério e anedótico:

– Mas, enfim, o que esse fantasma quer?

O senhor Poligny foi até seu escritório e voltou com uma cópia do caderno de encargos.

A primeira frase do caderno era a seguinte: A direção da Ópera se obriga a dar às representações da Academia Nacional de Música o esplendor que convém à primeira cena lírica francesa, e terminava com o artigo 98, assim redigido:

O presente privilégio pode ser retirado:

1° Se o diretor infringir as disposições estabelecidas no caderno de encargos.

Seguem-se as disposições.

– Esta cópia – disse o senhor Moncharmin – foi escrita com tinta preta e é exatamente igual à que possuímos. No entanto, percebemos que o caderno de encargos que nos foi submetido pelo senhor Poligny contém *in fine*[10] uma alínea escrita com tinta vermelha, com uma grafia estranha e tremida, como se tivesse sido traçada com a ponta de um fósforo, uma caligrafia infantil de quem ainda escrevia com tracinhos e não teria aprendido a ligar as letras. E essa alínea, que prolongava de modo estranho o artigo 98, dizia o seguinte:

5° Se o diretor atrasar por mais de 15 dias a mensalidade devida ao Fantasma da Ópera, mensalidade essa fixada, até nova ordem, em vinte mil francos – 240 mil francos por ano.

O senhor de Poligny nos mostrava, com o dedo tremendo, essa cláusula suprema que nós certamente não esperávamos que existisse.

– É isso? *Ele* não quer mais nada? – perguntou Richard com enorme sangue frio.

– Na verdade, sim – respondeu Poligny.

Folheou algumas páginas do caderno de encargos e leu:

– Artigo 63, O grande proscênio da direita, nº 1, será reservado em todas as apresentações ao chefe de Estado.

A frisa nº 20, às segundas-feiras, e o camarote nº 30, às quartas e sextas-feiras, serão colocados à disposição do ministro.

---

10 *In fine* é uma expressão do latim que significa "parte final" – a parte final de um artigo de lei, por exemplo. (N.T.)

O camarote nº 27 ficará reservado para uso exclusivo dos prefeitos do Sena e aos chefes da polícia.

Mais uma vez, no final do artigo, o senhor Poligny mostrou uma linha escrita com tinta vermelha, que tinha sido acrescentada.

O camarote nº 5 ficará à disposição do Fantasma da Ópera durante todas as apresentações.

Com essa última cartada, levantamo-nos e cerramos calorosamente as mãos de nossos predecessores, felicitando-os por terem imaginado uma tão charmosa brincadeira, que provava que o velho espírito alegre francês não perdia seu lugar de honra. Richard achou importante acrescentar que agora entendia por que os senhores Debienne e Poligny estavam deixando a direção da Academia Nacional de Música. Não era mais possível fazer negócios com um fantasma tão exigente.

– Evidentemente – acrescentou Poligny, sem pestanejar –, não se tropeça em 240 mil francos por aí. E os senhores calcularam quanto nos custaria não alugar o camarote nº 5, reservado ao Fantasma durante todas as apresentações? Sem contar que fomos obrigados a reembolsar as reservas feitas previamente, foi assustador! De fato, não trabalhamos para divertir fantasmas! Por isso, preferimos partir!

– Sim, repetiu o senhor Debienne, preferimos partir! Estamos indo!

E se levantou. Richard disse:

– Bem, a mim parece que os senhores foram generosos demais com esse fantasma. Se eu tivesse que lidar com um fantasma tão inconveniente quanto esse, não hesitaria em prendê-lo.

– Mas onde? Mas como? – interrogaram em coro. – Nunca o vimos!

– E quando ele vem ao camarote?

– Jamais o vimos no camarote.

– Ora, então o aluguem para o público.

– Alugar o camarote do Fantasma da Ópera! Pois bem, senhores, tentem fazê-lo!

Dito isso, nós quatro deixamos o gabinete da direção. Richard e eu nunca tínhamos rido tanto."

O camarote nº 5

Armand Moncharmin escreveu memórias tão volumosas que podemos nos perguntar se teve tempo de efetivamente cuidar da Ópera durante o longo período em que foi seu codiretor, ou se gastou todo o tempo escrevendo sobre o que lá acontecia. O senhor Moncharmin não conhecia uma só nota musical, mas tratava com informalidade o ministro da Instrução Pública e das Belas Artes, havia estudado um pouco de jornalismo e detinha uma considerável fortuna. Enfim, era um jovem charmoso a quem não faltava inteligência, pois, decidido a administrar a Ópera, soube escolher quem seria um diretor útil à sua empreitada, e foi direto ao encontro de Firmin Richard.

Firmin Richard era um músico distinto e um homem elegante. Eis seu perfil traçado pela *Revue des théâtres* no dia de sua posse:

> *O senhor Firmin Richard tem cerca de cinquenta anos, é alto, de compleição robusta e porte atlético. É garboso e distinto, tem a pele bronzeada, cabelos volumosos, curtos e bem penteados, em harmonia com a barba. O aspecto de sua fisionomia tem um quê de tristeza misturado com um olhar franco e direto, além de um sorriso muito charmoso.*

Músico muito estimado, o senhor Firmin Richard é um hábil harmonista, contrapontista experiente, tem a grandeza como principal qualidade de sua composição. Publicou músicas de câmara muito apreciadas, músicas para piano, sonatas e peças cheias de originalidade, uma verdadeira coleção de melodias. A morte de Hércules, *executada em concertos do Conservatório, respira um sopro épico que lembra Gluck, um dos mestres venerados por Firmin Richard. No entanto, por mais que adore Gluck, ele também ama Piccini; o senhor Richard busca na música todo o prazer que ela pode oferecer. Admirador de Puccini, inclina-se também diante de Meyerbeer, deleita-se com Cimarosa e aprecia mais do que ninguém o gênio inimitável Weber. Além disso, o senhor Richard afirma ser o primeiro francês, ou talvez o único, a ter de fato compreendido Wagner.*

Encerro aqui minha citação, considerando que se pode concluir tranquilamente que, se o senhor Firmin Richard apreciava praticamente toda e qualquer música e todo e qualquer músico, era dever de todos os músicos, por sua vez, amarem o senhor Firmin Richard. Digamos, para encerrar este breve retrato, que o senhor Richard era aquilo a que chamamos autoritário, ou seja, tinha um gênio dificílimo.

Os primeiros dias dos dois parceiros na Ópera foram plenos de alegria em se sentir mestres de tão grande e bela empresa, e eles certamente tinham esquecido da curiosa e bizarra história do Fantasma, quando ocorreu um incidente provando que, se havia uma farsa, esta não tinha chegado ao fim.

Naquele dia, o senhor Firmin Richard chegou ao seu escritório às onze horas. Seu secretário, o senhor Rémy, entregou-lhe meia dúzia de cartas que ainda não tinham sido abertas, pois traziam a menção "confidencial". Uma das cartas chamou imediatamente a atenção de Richard, não somente porque os dizeres do envelope tinham sido escritos com tinta vermelha, mas porque teve a impressão de já ter visto aquela grafia em algum lugar. Não precisou pensar muito: aquela era a escrita com que o caderno de encargos havia sido estranhamente completado. Ele logo reconheceu a aparência infantil dos traços. Rasgou rapidamente o envelope e leu:

Caro diretor, peço desculpas por incomodá-lo nestes momentos tão preciosos em que o senhor decide o futuro dos melhores artistas da Ópera, em que renova importantes contratos e estabelece outros novos; e isso com uma segurança evidente, com um bom entendimento do teatro, uma ciência do público e de seus gostos e com uma autoridade que quase impressionou minha velha experiência. Estou a par de sua decisão a respeito de Carlotta, Sorelli e da pequena Jammes, e também de outras cujas admiráveis qualidades, cujo talento e genialidade o senhor soube perceber. (O senhor sabe muito bem de quem estou falando quando escrevo estas palavras; evidentemente, não me refiro a Carlotta, que canta como uma gralha e que nunca deveria ter deixado o Ambassadeurs ou o café Jacquin; tampouco a Sorelli, que faz grande sucesso sobretudo por conta de sua aparência; e também não falo da pequena Jammes, que dança como um bezerro no pasto. Tampouco me refiro a Christine Daaé, cuja genialidade é evidente, mas que o senhor cuida, invejosamente, de deixar longe de qualquer criação importante.) Enfim, o senhor é livre para administrar seus pequenos negócios como bem entender, não é mesmo? No entanto, eu gostaria de aproveitar que o senhor ainda não demitiu Christine Daaé para ouvi-la cantar esta noite no papel de Siebel, uma vez que o papel de Marguerite, desde o seu triunfo na outra noite, lhe foi vetado. Aproveito para pedir que não disponibilize meu camarote para locação, nem hoje nem nos próximos dias, pois não posso terminar esta carta sem confessar o quanto fiquei desagradavelmente surpreso, estes últimos tempos, em saber que meu camarote havia sido alugado, na bilheteria, sob suas ordens.

Não protestei, primeiro porque sou avesso a escândalos, segundo porque imaginei que seus predecessores, os senhores Debienne e Poligny, que sempre foram muito respeitosos comigo, haviam sido negligentes com o senhor em não lhe revelar meus pequenos caprichos. Mas, para minha surpresa, acabo de receber a resposta dos senhores Debienne e Poligny para meu pedido de explicações, resposta que me garante que o senhor está a par do meu caderno de encargos e, portanto, que o senhor me ignora de maneira ultrajante. Se quiser que vivamos em paz, comece por não tirar meu camarote! Feitas essas pequenas observações, queira considerar, caro diretor, os meus mais humildes e sinceros cumprimentos.

Assinado... F. da Ó.

A carta veio acompanhada de um recorte da *Revue des théâtres*, onde se lia:

F. da Ó.: R. e M. são imperdoáveis. Nós os prevenimos e entregamos em mãos o seu caderno de encargos. Saudações!

O senhor Firmin Richard mal terminara sua leitura quando a porta do seu gabinete se abriu e o senhor Armand Moncharmin veio falar com ele com uma carta na mão, muito semelhante à que seu colega tinha recebido. Os dois se olharam e começaram a gargalhar.

– A brincadeira continua – disse o senhor Richard –, mas ela não é engraçada!

– O que isso significa? – perguntou o senhor Moncharmin. – Eles pensam que terem sido diretores da Ópera lhes dá o direito de ter um camarote cativo?

Para ambos, não havia dúvida de que a dupla missiva era fruto da colaboração facciosa de seus dois predecessores.

– Não estou disposto a ser enganado durante muito tempo! – declarou Firmin Richard.

– Isso é inofensivo! – ponderou Armand Moncharmin. – Mas o que eles querem, afinal? Um camarote para esta noite?

O senhor Firmin Richard ordenou a seu secretário que destinasse o camarote nº 5 aos senhores Debienne e Poligny, caso ele já não estivesse reservado.

E não estava. A reserva foi imediatamente expedida em nome dos dois cavalheiros. Os senhores Debienne e Poligny moravam, respectivamente, na esquina da rua Scribe com o *boulevard* des Capucines, e na rua Auber. As duas cartas do F. da Ó. tinham sido postadas no correio do *boulevard* des Capucines. Foi Moncharmin quem encontrou essa informação ao examinar os envelopes.

– Está vendo! – disse Richard.

Os dois encolheram os ombros e lamentaram que pessoas daquela idade ainda fizessem brincadeiras tão inocentes.

– Ainda assim, eles poderiam ter sido educados! – observou Moncharmin. – Você viu como nos trataram ao falar de Carlotta, Sorelli e da pequena Jammes?

– É, meu caro, essa gente está doente de inveja! Quando penso que chegaram a pagar pela publicação de uma nota na *Revue des théâtres*! Eles não têm mais nada a fazer?

– Aliás – continuou Moncharmin –, parecem muito interessados na pequena Christine Daaé.

– Você sabe tão bem quanto eu que ela tem a reputação de ser muito recatada! – respondeu Richard.

– É fácil criar uma reputação – respondeu Moncharmin. – Por acaso eu não tenho a reputação de ser um profundo conhecedor de música, sendo que ignoro até mesmo a diferença entre a clave de sol e a clave de fá?

– Você nunca teve essa reputação – tripudiou Richard –, pode ficar tranquilo.

Dito isso, Firmin Richard ordenou ao porteiro que deixasse entrar os artistas que vagavam há quase duas horas pelos largos corredores da administração, aguardando que a porta da direção se abrisse – porta atrás da qual os aguardavam a glória e o dinheiro... ou a demissão.

O dia foi repleto de discussões, negociações, assinaturas ou cancelamentos de contratos; por isso, peço que acredite, caro leitor, que naquela noite, dia 25 de janeiro, nossos dois diretores, cansados depois de uma amarga jornada de crises de raiva, intrigas, recomendações, ameaças, declarações de amor e de ódio, recolheram-se cedo sem ao menos terem a curiosidade de espiar o camarote nº 5 para saber se os senhores Debienne e Poligny apreciavam o espetáculo. A Ópera não ficava ociosa desde a saída da antiga direção, e o senhor Richard havia realizado alguns trabalhos primordiais sem que fosse necessário interromper o curso das apresentações.

Na manhã seguinte, os senhores Richard e Moncharmin encontraram em suas correspondências uma carta de agradecimento do Fantasma, que dizia o seguinte:

Meu caro diretor,

Obrigado. Que noite encantadora. Daaé estava deslumbrante. Cuidem da atuação do coro. Carlotta é um instrumento ao mesmo tempo magnífico e banal. Em breve escreverei para falar dos 240 mil francos: ou, exatamente, 233.424,70 francos; os senhores Debienne e Poligny já me haviam pago os 6.575,30 francos referentes aos dez primeiros dias da minha pensão deste ano, mas o adiantamento venceu na noite do dia 10.

Do vosso

F. da Ó.

Havia também uma carta dos senhores Debienne e Poligny, que dizia:

Senhores,

Gostaríamos de agradecer sua amável atenção, mas os senhores logo compreenderão que a perspectiva de ouvir Fausto *novamente, por mais doce que seja para antigos diretores da Ópera, não nos deixa esquecer que não temos o direito de ocupar o camarote nº 5, que pertence exclusivamente àquele de quem já lhes falhamos quando lemos juntos, pela última vez, o caderno de encargos, última alínea do artigo 63.*

Queiram aceitar, cavalheiros… etc.

– Ah! Mas eles estão começando a me irritar! – declarou ferozmente Firmin Richard, rasgando a carta dos senhores Debienne e Poligny.

Naquela noite, o camarote nº 5 foi disponibilizado para reservas.

No dia seguinte, ao chegarem aos seus gabinetes, os senhores Richard e Moncharmin encontraram um relatório da segurança que descrevia as ocorrências da véspera no camarote nº 5. Eis o trecho mais importante do relatório, que é breve:

"Eu fui obrigado", escreveu o inspetor, "a solicitar, esta noite" (o inspetor tinha escrito seu relatório na noite anterior) "um guarda municipal para evacuar por duas vezes, no início e no meio do segundo ato, o camarote nº 5. Os ocupantes, que tinham chegado no início do segundo ato, causaram um verdadeiro escândalo com suas risadas e suas reflexões absurdas. Pedidos de 'silêncio!' vinham de toda parte e a plateia começava a protestar quando a lanterninha veio até mim; entrei no camarote e chamei a atenção das pessoas. Mas elas não pareciam estar em seu juízo perfeito e me deram explicações insensatas. Eu adverti a todos de que, se aquele incidente voltasse a acontecer, seria obrigado a evacuar o camarote. Mal tinha saído quando ouvi novamente os risos e o protesto do restante do público. Então retornei com um guarda municipal que os obrigou a sair. Eles reclamaram, aos risos, que não partiriam até que devolvêssemos seu dinheiro. Enfim, acalmaram-se, e autorizei que retornassem aos seus lugares; mas logo os risos recomeçaram e eu os expulsei em definitivo."

– Traga esse inspetor – ordenou Richard a seu secretário, que tinha sido o primeiro a ler o relatório, sublinhando alguns trechos com um lápis azul.

O secretário, senhor Rémy (24 anos, bigode fino, elegante, distinto, bem vestido; naquele tempo as sobrecasacas eram obrigatórias durante o dia), inteligente e tímido diante do diretor, ganhava 2.400 francos por ano, pagos pelo diretor. Folheava os jornais, respondia às cartas, distribuía os camarotes e os ingressos de cortesia, organizava as reuniões, conversava com quem aguardava na antecâmara, procurava por notícias dos artistas enfermos, encontrava substitutos para eles, relacionava-se com os chefes de serviços e, acima de tudo, era a barreira humana que protegia o gabinete do diretor. Ainda assim, poderia ser demitido da noite para o dia, pois não tinha vínculo com a administração. Esse secretário já havia mandado chamar o inspetor e pediu que entrasse.

O inspetor entrou, um pouco preocupado.

– Conte-nos tudo o que aconteceu – ordenou Richard grosseiramente. O inspetor balbuciou algumas palavras e fez alusão ao relatório.

– Mas, enfim! Por que aquelas pessoas riam? – interrogou Moncharmin.

– Senhor diretor, eles pareciam ter jantado bem e estavam mais dispostos a piadas do que a ouvir boa música. Quando chegaram, mal entraram no camarote e saíram novamente para chamar a lanterninha, que lhes perguntou o que estava acontecendo. Ao que eles responderam: "Olhe dentro do camarote, não há ninguém ali, certo?". "Não", respondeu a lanterninha. "Pois acredite", afirmaram, "quando chegamos, ouvimos uma voz que dizia que o camarote estava ocupado."

O senhor Moncharmin não pôde conter um sorriso ao olhar para o senhor Richard, mas este não sorria. Outrora, ele havia trabalhado muito para não reconhecer no relato feito pelo inspetor (o mais ingênuo do mundo) todas as marcas de uma daquelas piadas desagradáveis que primeiro divertem aqueles que são vítimas para, em seguida, deixá-los enfurecidos.

Para ser cortês com o senhor Moncharmin, o inspetor achou que deveria lhe devolver o sorriso, e assim o fez. Infeliz ideia! O olhar do senhor Richard fulminou o funcionário, que logo substituiu sua expressão por um semblante assustadoramente consternado.

– Enfim, quando essas pessoas chegaram – perguntou Richard em um tom de repreensão – não havia ninguém no camarote?

– Ninguém, senhor diretor! Ninguém! Nem no camarote à direita, nem no camarote à esquerda, eu juro! Ponho minha mão no fogo! E isso prova que tudo isso é uma mera brincadeira.

– E a lanterninha, o que diz?

– Oh! Para ela, a explicação é bem simples, ela diz que isso é coisa do Fantasma da Ópera. Veja só!

O inspetor riu de maneira debochada. Porém, mais uma vez, compreendeu que estava fazendo a coisa errada, pois mal completou a frase "ela disse que isso é coisa do Fantasma da Ópera!" e a fisionomia do senhor Richard, que era sombria, transformou-se em ferocidade.

- Procurem a lanterninha! - ordenou. - Agora! E tragam-na aqui! E ponham todas essas pessoas para fora!

O inspetor tentou se manifestar, mas Richard fê-lo se calar com um estrondoso "Cale-se!". Depois, quando os lábios do infeliz subordinado pareciam ter-se cerrado definitivamente, o senhor diretor ordenou que ele os abrisse novamente.

- O que é o "Fantasma da Ópera?" - decidiu perguntar com um grunhido.

Mas o inspetor era incapaz de dizer uma só palavra. Respondeu com uma mímica desesperada que não sabia de nada, ou melhor, que preferia não saber.

- O senhor viu pessoalmente o Fantasma da Ópera?

Com um gesto brusco com a cabeça, o inspetor negou tê-lo visto.

- Azar o seu! - declarou friamente o senhor Richard.

O inspetor arregalou os olhos, que pareciam saltar da órbita, e perguntou ao diretor por que ele havia pronunciado esta sinistra frase: "Azar o seu!".

- Porque eu vou acertar as contas com todos que disserem que nunca o viram! - explicou o senhor diretor. - Uma vez que ele está por toda parte, é inadmissível que não seja visto em lugar nenhum. Eu quero que as pessoas cumpram o seu dever!

Continuação de "O camarote nº 5"

Dito isso, o senhor Richard não se preocupou mais com o inspetor e tratou de diversos negócios com seu administrador, que acabara de chegar. O inspetor pensou que poderia se retirar lentamente, bem lentamente, oh! Meu Deus! Tão lentamente!... Andando de costas, já tinha chegado perto da porta quando o senhor Richard, percebendo sua movimentação, soltou um "Não se mova!" que o fez congelar.

Sob os cuidados do senhor Rémy, tinham ido buscar a lanterninha, que era porteira na rua de Provence, a poucos metros da Ópera. Ela logo surgiu.

– Qual o seu nome?

– Dona Giry. O senhor já me conhece, senhor diretor; sou mãe da pequena Giry, ou melhor, da pequena Meg!

Isso foi dito em um tom solene e rude que impressionou por um momento o senhor Richard. Ele fitou detalhadamente dona Giry (xale desbotado, solas gastas, vestido velho de tafetá, chapéu cor de fuligem). Parecia evidente, pela atitude do diretor, que ele não a conhecia ou não se lembrava de conhecer a senhora Giry, tampouco a pequena Giry ou ainda a "pequena Meg"! Mas a senhora Giry era tão orgulhosa de si que essa famosa mulher (e acredito que a gíria *giries*[11], muito conhecida nos bastidores, vem de seu nome. Por exemplo, quando uma artista repreende sua colega por fazer fofocas, ela lhe diz: "Isso tudo não passa de *giries*"), essa lanterninha, imaginava que todos a conheciam.

– Não a conheço! – respondeu finalmente o senhor diretor. – Mas, dona Giry, eu gostaria muito de saber o que aconteceu ontem à noite para que a senhora e o inspetor tenham chegado ao ponto de ter que apelar para a guarda municipal.

– Era disso mesmo que eu queria falar com o senhor, seu diretor, para que não lhe aconteça os mesmos aborrecimentos que perturbaram os senhores Debienne e Poligny... Eles também não quiseram me ouvir no início.

– Não estou perguntando sobre isso. Quero saber o que aconteceu ontem à noite!

Dona Giry corou de indignação. Nunca falaram com ela dessa forma. Levantou-se como se fosse se retirar, juntando as pontas de sua saia e agitando com dignidade as plumas de seu chapéu cor de fuligem; mas, mudando de ideia, sentou-se novamente e disse com um tom de desprezo:

– Aconteceu que o Fantasma foi novamente incomodado!

Neste momento, quando o senhor Richard estava prestes a explodir, o senhor Moncharmin interveio e conduziu o interrogatório, de modo que dona Giry deixou transparecer que era natural que se ouvisse uma voz declarar que havia alguém no camarote que, no entanto, estava vazio. Ela não podia explicar o fenômeno, que não era novidade para ela, por outro meio que não fosse a interferência do Fantasma. Ninguém o via no camarote, mas todos eram capazes de ouvi-lo. Ela mesma o ouviu muitas vezes, e podiam confiar em sua palavra, pois ela não mentia. Se quisessem, podiam perguntar aos senhores Debienne e Poligny e a todos que a conheciam, também a Isidore Saack, cuja perna tinha sido quebrada pelo Fantasma!

---

11 *Giries* é um termo francês que significa falsa modéstia ou fingimento. (N.T.)

– Ah, mas é claro! – interrompeu Moncharmin. – O Fantasma quebrou a perna do pobre Isidore Saack?!

Dona Giry arregalou os olhos, o que refletia sua surpresa diante de tanta ignorância. Finalmente, consentiu em instruir os dois infelizes inocentes. O caso havia acontecido na época dos senhores Debienne e Poligny, no mesmo camarote nº 5, e também durante uma representação de *Fausto*.

Dona Giry tossiu, impostou a voz e começou. Era como se ela se preparasse para cantar toda a partitura de Gounod.

– Foi assim. Havia, naquela noite, na primeira fileira, o senhor Maniera e sua esposa, os lapidários da rua Mogador, e, atrás da senhora Maniera, o amigo pessoal deles, Isidore Saack. Mefistófeles cantava (*Dona Giry começa a cantar*): "Vós que estais adormecida", e então o senhor Maniera ouviu, em seu ouvido direito (sua mulher estava sentada à sua esquerda), uma voz que disse: "Ah! Ah! Não é Julie que está dormindo!" (o nome de sua esposa é justamente Julie). O senhor Maniera virou-se para a direita para ver quem lhe falava dessa forma. Ninguém! Ele então esfregou a orelha e pensou: "Será que estou delirando?". Em cena, Mefistófoles continuava a cantar... Por acaso estou aborrecendo os senhores com essa história?

– Não! Não! Continue...

– Os senhores são muito gentis! (*e dona Giry fez uma careta*). Então, Mefistófoles continuava seu canto (*Dona Giry volta a cantar*): "Catherine, minha amada, por que recusar ao amante que implora tão doce beijo?" e logo o senhor Maniera ouviu novamente, na orelha direita, a voz dizer: "Ah! Ah! Não seria Julie a recusar um beijo de Isidore?". Desta vez, virou-se e adivinhem o que ele viu, ao se virar para o lado de sua esposa e de Isidore? Justamente Isidore, que segurava as mãos de Julie por trás dele e a beijava no pequeno vão deixado pela luva, assim, meus senhores. (*Dona Giry cobre de beijos o pedaço de pele descoberto por sua luva de filosela.*) Os senhores podem imaginar que isso não terminou bem! Plaft! Plaft! O senhor Maniera, grande e forte como o senhor, senhor Richard, cobriu com um par de bofetadas o senhor

Isidore Saack, que era magro e fraco como o senhor Moncharmin, com todo o respeito. Foi um verdadeiro escândalo. Na sala, as pessoas gritavam: "Chega! Parem! Ele vai matá-lo!". E o senhor Isidore Saack acabou por escapar.

– Mas então o Fantasma não lhe quebrara a perna? – perguntou o senhor Moncharmin, um pouco incomodado com a impressão que seu físico causava em dona Giry.

– Quebrou, sim, seu Moncharmin – replicou com altivez dona Giry (percebendo a ironia que acompanhava a pergunta). – Quebrou na escadaria central, que ele descia correndo, seu Moncharmin! E tão bem quebrada, que, por Deus, o pobre não conseguirá subi-la tão cedo!

– Foi o Fantasma quem lhe contou sobre o que disse no ouvido direito do senhor Maniera? – questionou, sempre com a seriedade que pensava ser extremamente engraçada, imbuído de autoridade.

– Não, seu Moncharmin, foi o próprio senhor Maniera. E...

– Mas a senhora já falou com o Fantasma, minha cara?

– Do mesmo modo que falo com o senhor.

– E quando vocês conversam, do que fala o Fantasma?

– Bem, ele me pede para levar um banquinho!

Dona Gary pronunciou essas palavras com um tom solene, e seu rosto foi ficando como mármore, um mármore amarelado com veios vermelhos, igual ao das colunas que sustentam a grande escadaria dos Pireneus, chamado de mármore *sarrancolin*.

Desta vez, Richard se pôs a rir com o senhor Moncharmin e o secretário Rémy. Apenas o inspetor, escaldado pelas experiências anteriores, mantinha-se sério. Encostado à parede, ele se perguntava, remexendo febrilmente as chaves no bolso, como aquela história acabaria. E, quanto mais dona Giry os olhava com um tom de desprezo, mais ele temia que a ira do senhor diretor voltasse! E agora, face à hilaridade dos diretores, dona Giry ousou tornar-se ameaçadora, verdadeiramente ameaçadora!

– Em vez de rirem do Fantasma – bradou, indignada –, vocês deveriam fazer como o senhor Poligny, que se deu conta por si mesmo.

– Conta de quê? – questionou Moncharmin, que nunca tinha se divertido tanto.

– Da existência do Fantasma! Estou dizendo. Vejam! (*Acalmou-se subitamente, julgando que o momento era grave.*) Vejam! Lembro-me como se fosse ontem. Desta vez, apresentavam a ópera *A judia*. O senhor Poligny quis assistir à apresentação sozinho, no camarote do Fantasma. A senhora Krauss fazia um enorme sucesso. Ela havia acabado de cantar antes da troca para o segundo ato (*dona Giry cantou a meia-voz*):

> "Quero viver e morrer
> Ao lado daquele que amo,
> Nem mesmo a morte
> Poderá nos separar."

– Está bem! Está bem! Já entendi – disse com um sorriso desencorajador o senhor Moncharmin.

Mas dona Giry prosseguiu à meia-voz, balançando as plumas de seu chapéu cor de fuligem:

> "Partamos! Partamos! Aqui na terra, como no céu,
> O mesmo destino nos espera."

– Sim! Sim! Já entendemos! – repetiu Richard, novamente impaciente. – E então? E então?

– Então, é nesse momento que Léopold grita: "Fujamos!", não é? E que Eléazar os interpela, perguntando: "Para onde estão correndo?". Pois bem, justo nesse momento, o senhor Poligny, que eu observava do fundo de um camarote próximo que estava vazio, levantou-se depressa e saiu, duro como uma estátua, e eu só tive tempo de lhe perguntar, como Eléazar: "Para onde o senhor está indo?". Mas ele não me respondeu, estava mais pálido que um cadáver! Vi-o descer a escada, mas ele não quebrou a perna. No entanto, caminhava como em um sonho, ou melhor, como em um pesadelo, e não conseguia encontrar o caminho. Logo ele, que era pago para conhecer bem a Ópera!

Assim dona Giry concluiu seu relato, e calou-se para observar o efeito que havia produzido. A história de Poligny havia feito Moncharmin balançar a cabeça.

– Tudo isso não explica em que circunstâncias nem como o Fantasma da Ópera lhe pediu o banco! – insistiu enquanto olhava fixamente para Giry, como dizem, "encarando-a".

– Ora, desde aquela noite, porque, a partir desse dia, deixaram o Fantasma tranquilo, ninguém mais tentou disputar o camarote com ele. Os senhores Debienne e Poligny deram ordens para que o camarote ficasse reservado ao Fantasma durante todas as apresentações. Então, quando ele vinha, sempre me pedia seu banquinho.

– Ora! Ora! Um Fantasma que pede um banquinho? Então, por acaso é uma mulher esse tal fantasma? – questionou Moncharmin.

– Não, o Fantasma é um homem.

– E como a senhora pode saber?

– Ele tem voz de homem, oras! Uma doce voz de homem! Acontece o seguinte: Quando vem à Ópera, ele chega geralmente no meio do primeiro ato e dá três pequenas batidas na porta do camarote nº 5. A primeira vez que ouvi essas três batidas, quando sabia muito bem que ainda não havia ninguém no camarote, imaginem como fiquei intrigada! Abri a porta, escutei, olhei: ninguém! Eis que, de repente, ouço uma voz que diz "Dona Jules (é o sobrenome de meu falecido marido), um banquinho, por favor?". Com todo respeito, seu diretor, eu parecia um pimentão de tão vermelha. Mas a voz continuou: "Não tenha medo, dona Jules, sou eu, o Fantasma da Ópera!". Olhei para o lado de onde vinha a voz que, além de tudo, era tão doce e tão acolhedora que já não me dava mais medo. A voz, seu diretor, estava sentada na primeira poltrona, da primeira fileira à direita. No entanto, eu não via ninguém na poltrona, mas era possível jurar que havia alguém sentado nela e que falava, e alguém muito educado, a propósito.

– O camarote à direita do nº 5 estava reservado? – perguntou Moncharmin.

– Não. Tanto o camarote nº 7 como o nº 3, à esquerda, ainda não estavam ocupados. Estávamos no início do espetáculo.

– E o que a senhora fez?

– Bem, eu levei o banquinho. Claro que não era para ele que pedia um pequeno banco, era para a sua esposa! Mas ela eu nunca ouvi nem vi.

– Hein? O quê? Agora o Fantasma tem uma esposa!

De dona Giry, os olhares dos senhores Moncharmin e Richard desviaram para o inspetor que, atrás da lanterninha, agitava os braços no intuito de atrair para si a atenção de seus chefes. Ele girava o dedo indicador em torno da orelha para sugerir aos diretores que a senhora Jules estava completamente louca; pantomima que fez o senhor Richard decidir demiti-lo de imediato, uma vez que mantinha uma alucinada trabalhando consigo. A boa senhora continuou falando de seu fantasma, e agora exaltava sua generosidade.

– Ao final do espetáculo, ele sempre me dá quarenta tostões, às vezes cem, outras vezes até dez francos, quando fica muitos dias sem aparecer. Só que, desde que voltaram a incomodá-lo, ele já não me dá mais nada.

– Desculpe, minha cara senhora (*nova revolta da pluma do chapéu cor de ferrugem diante de tão persistente familiaridade*), desculpe! Mas como o Fantasma faz para lhe entregar os quarenta tostões? – questionou Moncharmin, genuinamente curioso.

– Ora! Ele os deixa sobre a mesinha do camarote. Encontro os tostões junto do programa que sempre lhe entrego; há noites em que encontro até flores no camarote, uma rosa que deve ter caído do corpete de sua esposa, porque é certo que ele deve vir às vezes acompanhado de uma mulher, pois um dia eles esqueceram um leque.

– Ah! Ah! O Fantasma esqueceu um leque?

– E o que a senhora fez com ele?

– Bem, eu lhe entreguei na ocasião seguinte.

Neste momento, o inspetor se pronunciou:

– A senhora não respeitou as regras, dona Giry, devo multá-la.

– Cale-se, imbecil! (*Voz grave do senhor Firmin Richard.*)

– A senhora devolveu o leque! E depois?

– Depois eles o levaram, seu diretor; eu não o encontrei no final do espetáculo, mas deixaram, no lugar, uma caixa de doces ingleses de que gosto muito, seu diretor. É uma das gentilezas do Fantasma.

– Muito bem, dona Giry, a senhora está dispensada.

Quando dona Giry saudou respeitosamente os dois diretores, não sem uma certa dignidade que nunca a abandonava, eles declararam ao inspetor que estavam determinados a dispensar os serviços daquela velha louca. E também demitiram o inspetor.

Quando, por sua vez, o senhor inspetor se retirou, após protestar a favor de sua devoção à Ópera, os senhores diretores advertiram o administrador para que acertasse as contas do senhor inspetor. Uma vez a sós, ambos compartilharam da mesma ideia, que tinha surgido para ambos ao mesmo tempo: fazer uma pequena visita ao camarote nº 5.

Nós os acompanharemos em breve.

O violino encantado

Christine Daaé, vítima das intrigas de que falaremos mais tarde, não encontrou imediatamente na Ópera o mesmo triunfo da famosa noite de gala. No entanto, desde aquela noite, teve a oportunidade de se apresentar na cidade, na casa da duquesa de Zurique, onde cantou as mais belas peças de seu repertório. Eis o que o grande crítico X.Y.Z., que estava entre os convidados ilustres, falou sobre ela:

> *Quando a ouvimos em* Hamlet, *podemos nos perguntar se Shakespeare veio dos Champs-Élysées para fazê-la ensaiar* Ofélia. *É fato que, quando ela cinge o diadema de estrelas da* Rainha da Noite, *Mozart, por sua vez, deve querer deixar seu túmulo eterno para vir ouvi-la. Mas ele não precisaria se incomodar, pois a voz aguda e vibrante da intérprete encantada e de sua* Flauta Mágica *iria ao encontro dele no Céu, a que ela ascende com facilidade, exatamente como soube, sem esforço, sair de sua casa de campo no vilarejo de Skotelof para o palácio de ouro e mármore construído pelo senhor Garnier.*

Contudo, depois da noite na casa da duquesa de Zurique, Christine não cantou mais. O fato é que, na época, ela recusou todos os convites, todos os cachês. Sem dar qualquer desculpa plausível, renunciou em aparecer em uma festa de caridade para a qual havia prometido anteriormente sua ajuda. Ela agiu como se já não fosse dona do seu destino, como se tivesse medo de um novo triunfo.

Soube que o conde de Chagny, para agradar seu irmão, havia tomado providências em seu favor junto do senhor Richard; então, escreveu a ele para agradecer, mas também para pedir que não falasse mais dela para os diretores. Quais seriam as razões de tão estranha atitude? Alguns alegavam que se tratava de um orgulho incomensurável, outros clamavam à modéstia divina. Não se é assim tão modesto quando se está no teatro; na verdade, não sei se não deveria simplesmente escrever esta palavra: temor. Sim, acredito que Christine Daaé tinha então medo do que lhe tinha acontecido e estava tão estupefata quanto todos à sua volta. Estupefata? Seria possível! Tenho aqui uma carta de Christine (da coleção do Persa) que se refere aos eventos da época. Pois bem, depois de a ter relido, não escreverei que Christine estava estupefata ou assustada com seu triunfo, mas, sim, apavorada. Sim, sim, apavorada! "Não me reconheço mais quando canto!", ela disse.

A pobre, a pura, a doce criança! Ela não aparecia em lugar nenhum, e o visconde de Chagny tentou em vão cruzar seu caminho. Escreveu para ela pedindo permissão para ir até sua casa, e já estava desesperado à espera de uma resposta quando, em uma manhã, ela lhe enviou o seguinte bilhete:

Senhor, não me esqueci do garotinho que foi buscar minha echarpe no mar. Não posso deixar de lhe escrever hoje, quando parto para Perros, guiada por um dever sagrado. Amanhã é aniversário da morte de meu pobre pai, que o senhor conheceu e de quem ele gostava muito. Ele está enterrado lá, com seu violino, no cemitério que rodeia a pequena igreja, no sopé da colina onde, pequeninos, nós tanto brincamos; na beira da estrada onde, um pouco maiores, dissemo-nos adeus pela última vez.

Quando recebeu o bilhete de Christine Daaé, o visconde de Chagny imediatamente verificou os horários da estrada de ferro, vestiu-se apressado, escreveu algumas linhas que seu criado devia entregar a seu irmão e adentrou em um carro que, aliás, chegou tarde demais à estação Montparnasse para permitir que pegasse o trem da manhã, com o qual estava contando.

Raoul teve um péssimo dia e só retomou o gosto pela vida à noite, ao se instalar em seu vagão. Durante toda a viagem, ele releu o bilhete de Christine e sentiu seu perfume, reconstruindo em sua memória a doce imagem de sua juventude. Passou a terrível noite da viagem em meio a um sonho febril que começava e terminava com Christine Daaé. O dia amanhecia quando desembarcou em Lannion. Correu para a diligência de Perros-Guirec. Ele era o único passageiro. Interrogou o cocheiro. Soube que, na noite anterior, uma jovem com ar parisiense havia seguido na direção de Perros e descido na hospedaria do Soleil-Couchant. Só podia ser Christine. Tinha vindo sozinha. Raoul deixou escapar um profundo suspiro. Finalmente falaria a sós com Christine, em meio à solidão. Ele a amava com toda sua alma. Esse rapaz, que havia dado a volta ao mundo, era puro como uma virgem que jamais deixara a casa de sua mãe.

À medida que se aproximava dela, ele se lembrava devotamente da história da pequena cantora sueca. Muitos detalhes ainda são ignorados pela multidão.

Houve uma vez, em uma pequena cidade perto de Upsal, um camponês que lá vivia com sua família, cultivando a terra durante a semana e cantando no púlpito aos domingos. Esse camponês tinha uma filha a quem ensinou a decifrar o alfabeto musical muito antes de ela aprender a ler. O pai Daaé era, sem se dar conta disso, um grande músico. Ele tocava violino e era considerado o melhor violinista de toda a Escandinávia. Sua reputação se estendia pelo mundo todo e ele era sempre convidado para tocar em casamentos e festas, quando os casais deviam dançar. A mãe Daaé, inválida, morreu quando Christine estava prestes a fazer seis anos. Então, o pai, que só amava sua filha e sua música, vendeu seu lote de terra e partiu para Upsal em busca de glória, mas só encontrou a miséria.

Assim, voltou para o campo, arranhando suas melodias escandinavas de feira em feira, enquanto sua filha, que nunca o deixava, ouvia-o, extasiada, ou o acompanhava cantando. Um dia, na feira de Limby, o professor Valérius ouviu os dois e levou-os a Gotemburgo. Ele afirmava que o pai era o primeiro violinista do mundo e que sua filha tinha as qualidades de uma grande artista. Cuidaram da educação e da instrução da menina. Por onde ia, ela encantava a todos com sua beleza, sua graça e sua sede de se expressar bem e corretamente. Seus progressos foram rápidos. Nesse período, o professor Valérius e sua esposa tiveram de se mudar para a França, levando consigo Daaé e Christine. A senhora Valérius tratava Christine como se fosse sua filha. Já o bom homem começava a se deprimir, sofrendo de saudades de casa. Jamais saía em Paris. Vivia em uma espécie de sonho que tinha com seu violino. Trancava-se durante horas com a filha no quarto, e era possível ouvi-lo tocar violino e cantar suavemente, bem suavemente. Às vezes, a senhora Valérius vinha ouvi-los atrás da porta, suspirava alto, limpava uma lágrima que escorria do rosto e partia na ponta dos pés. Ela também sentia uma nostalgia do céu escandinavo.

Parecia que o senhor Daaé só recuperava suas forças no verão, quando toda a família ia para Perros-Guirec, em uma parte da Bretanha que era, à época, quase desconhecida pelos parisienses. Ele adorava o mar daquele país, que dizia ter a mesma cor que a de sua terra e, muitas vezes, tocava suas árias mais dolentes e afirmava que o mar silenciava para ouvi-las. Suplicou tanto para a senhora Valérius, que ela cedeu a um novo capricho do violinista.

Na época das festas populares da Bretanha, ele partia como fazia antes, com seu violino, levando também sua filha, durante oito dias. As pessoas não se cansavam de ouvi-los. Durante todo o ano, eles derramavam sua harmonia por onde passavam, e à noite, recusavam os leitos das hospedarias para dormir nas granjas, cerrando-se um contra o outro sobre a palha, como nos tempos em que eram pobres na Suécia. Contudo, vestiam-se de forma conveniente, recusavam o dinheiro que lhes ofereciam, não mendigavam, e as pessoas em torno deles não compreendiam nada a respeito da conduta daquele violinista, que percorria as estradas com aquela bela criança que cantava tão bem que parecia que ouviam um anjo do paraíso. Seguiam-nos de vilarejo em vilarejo.

Um dia, um jovem garoto de um vilarejo, que estava com sua governanta, obrigou-a a percorrer um longo caminho, pois havia decidido não abandonar a garota cuja voz tão doce e tão pura parecia tê-lo enfeitiçado. Chegaram assim a uma enseada que ainda hoje é conhecida como Trestraou. Naquela época, havia nesse lugar apenas o céu, o mar e a costa dourada. E, acima de tudo, havia um vento intenso, que levou a echarpe de Christine para o mar. Ela gritou e estendeu seus braços, mas o lenço já estava longe sobre as ondas. Foi quando ouviu uma voz que lhe disse:

– Não se preocupe, senhorita, eu vou buscar sua echarpe no mar.

Ela viu um garoto que corria, corria, apesar dos gritos e protestos indignados de uma senhora toda de preto. O garoto entrou de roupa no mar e trouxe de volta sua echarpe. Ambos, o garoto e a echarpe, estavam em um estado lamentável! A mulher de preto não conseguia se acalmar, mas Christine ria alegremente e beijou o garoto. Era o visconde Raoul de Chagny. Na época, ele vivia em Lannion com sua tia. Durante a temporada, eles se reviram quase todos os dias e brincaram juntos. A pedido da tia e por intermédio do professor Valérius, o senhor Daaé consentiu em dar aulas de violino ao jovem visconde. Assim, Raoul aprendeu a amar as mesmas árias que encantaram a infância de Christine.

Eles tinham quase a mesma pequena alma tranquila e sonhadora. Só gostavam das narrativas, os velhos contos bretões, e sua principal brincadeira era tocar nas casas para pedir que lhes contassem histórias, como mendigos.

"Senhora ou meu caro senhor, os senhores teriam uma pequena história a nos contar, por favor?" Era raro não receberem o que pediam. Que velha avó bretã nunca tinha visto, pelo menos uma vez na vida, os *korrigans*[12] dançarem, sobre a charneca, à luz do luar?

12 Criatura lendária da Bretanha, semelhante a um gnomo, que pode ser bom ou mau. (N.T.)

Mas sua grande festa era quando, no crepúsculo, na grande paz da noite, depois que o sol se punha no mar, o pai de Daaé vinha se sentar ao lado deles na beira da estrada e lhes contava baixinho, como se temesse assustar os fantasmas que evocava, as belas, doces ou terríveis lendas nórdicas. Ora eram belas como os contos de Andersen, ora eram tristes como os cantos do grande poeta Runeberg. Quando ele terminava, as duas crianças pediam "Mais!".

Havia uma história que começava assim:

Um rei tinha sentado em um barquinho, sobre as águas tranquilas e profundas que se abrem como um olho brilhante no meio das montanhas norueguesas...

E uma outra:

A pequena Lotte pensava em tudo e não pensava em nada. Pássaro de verão, planava nos raios dourados do sol, levando em seus cachos loiros uma coroa primaveril. Sua alma era tão clara e azul quanto seu olhar. Ela agradava sua mãe, era fiel à sua boneca, cuidava muito bem de seu vestido, de seus sapatos vermelhos e de seu violino, mas amava, acima de todas as coisas, ouvir o Anjo da Música ao adormecer.

Enquanto o bom homem contava essas coisas, Raoul observava os olhos azuis e os cabelos dourados de Christine. E Christine pensava que a pequena Lotte era abençoada por ouvir o Anjo da Música enquanto adormecia. Não havia quase nenhuma história do senhor Daaé em que o Anjo da Música não interviesse, e as crianças pediam intermináveis explicações sobre esse Anjo. O senhor Daaé dizia que todos os grandes músicos, todos os grandes artistas recebem, ao menos uma vez na vida, a visita do Anjo da Música. Esse Anjo, algumas vezes, debruçou-se sobre seus berços, como acontecera à pequena Lotte, e é por isso que há pequenos prodígios que tocam violino com seis anos melhor do que homens de cinquenta, o que, vocês devem admitir, é absolutamente extraordinário. Às vezes, o Anjo aparece bem mais tarde, porque as crianças não se comportam, não querem aprender o método e negligenciam as escalas. Outras vezes, o Anjo nunca vem, porque não temos o coração puro e a consciência tranquila. O anjo nunca é visto, mas é ouvido pelas almas predestinadas. Muitas vezes, surge quando menos esperam, quando estão tristes e desanimadas. Então, os ouvidos percebem de repente as harmonias celestiais, uma voz divina, e se lembram dela pelo resto da vida. As pessoas que recebem a visita do Anjo mantêm uma chama acesa. Elas vibram com um *frisson* que o resto dos mortais desconhece. E têm esse privilégio de não poder mais tocar um instrumento ou abrir a boca para cantar sem emitir sons que envergonham, por sua beleza, todos os outros sons humanos. Aqueles que não sabem que o Anjo visitou essas pessoas dizem que elas são talentosas.

A pequena Christine perguntou a seu pai se ele ouvira o Anjo, mas o pai balançou tristemente a cabeça. Em seguida, seu olhar brilhou ao olhar para a filha e ele disse:

– Você, minha pequena, irá ouvi-lo um dia! Quando estiver no céu, eu o enviarei para você, prometo!

Nessa época, o senhor Daaé havia começado a ter tosses. O outono chegou e separou Raoul e Christine.

Eles só se encontraram três anos mais tarde, quando já eram jovens. Isso aconteceu em Perros novamente, e Raoul guardou uma tal impressão desse encontro que ela o perseguiu por toda sua vida. O professor Valérius tinha morrido, mas a senhora Valérius tinha permanecido na França por razões de ordem material. O senhor Daaé também ficou, junto com sua filha, e continuavam cantando e tocando violino, carregando em seu sonho harmonioso sua querida protetora, que parecia continuar viva apenas por causa da música. O jovem Raoul tinha vindo por acaso a Perros, e também foi por acaso que os encontrou na casa habitada outrora por sua jovem amiga. Ele viu primeiro o senhor Daaé, que se levantou de sua poltrona com lágrimas nos olhos e o abraçou dizendo que tinham guardado uma ótima lembrança dele. De fato, não havia passado um só dia sem que Christine falasse de Raoul. O velho senhor ainda falava quando a porta se abriu e, encantadora e apressada, a jovem entrou trazendo o chá fumegante sobre a bandeja. Ela reconheceu Raoul e colocou a bandeja sobre a mesa. Um leve brilho iluminou seu charmoso rosto. Mas ela permaneceu hesitante, calada. O pai os observava. Raoul se aproximou da jovem e a beijou sem que ela se esquivasse. Ela lhe fez algumas perguntas, cumpriu seus deveres de anfitriã, pegou a bandeja e deixou a sala. Depois, foi se refugiar em um banco, na solidão do jardim. Experimentava, pela primeira vez, sentimentos que se agitavam dentro de seu coração adolescente. Raoul veio se juntar a ela e os dois conversaram até o anoitecer, bastante acanhados. Eles tinham mudado muito, não reconheciam mais seus personagens, que pareciam ter adquirido uma importância considerável. Eram cuidadosos como diplomatas e contavam coisas que não tinham nada a ver com os sentimentos que despontavam. Quando se separaram, na beira da estrada, Raoul disse a Christine, beijando delicadamente sua mão trêmula:

– Senhorita, eu jamais a esquecerei!

E partiu se arrependendo dessa fala ousada, pois sabia que Christine Daaé não poderia ser a esposa do visconde de Chagny.

Quanto a Christine, foi ter com seu pai e lhe disse:

– O senhor não acha que Raoul não é mais tão gentil como antes? Não gosto mais dele!

Procurou não pensar mais nele, mas tinha dificuldade para esquecê-lo e mergulhou de corpo e alma em sua arte. Ela progredia maravilhosamente. Aqueles que a ouviam diziam que ela seria a primeira artista do mundo. Mas seu pai morreu nessa época, e ela parecia ter perdido com ele sua voz, sua alma e seu talento. Restou-lhe apenas o suficiente para que pudesse ingressar no Conservatório, mas apenas o suficiente. Ela não se distinguia de forma alguma, acompanhava as aulas sem entusiasmo e ganhou um prêmio para agradar a senhora Valérius, com quem continuou a viver. A primeira vez que Raoul viu Christine na Ópera, ficou encantado com a beleza da jovem e com as lembranças evocadas do passado, mas ficou ainda mais surpreso com um certo ar negativo de sua arte. Ela parecia desconectada de tudo. Voltou algumas vezes para ouvi-la. Ele a seguia pelos bastidores, esperava por ela atrás de uma viga, tentava chamar sua atenção. Mais de uma vez, ele a acompanhou até a porta do seu camarim, mas ela não o viu. Aliás, ela parecia não ver ninguém. Era a imagem da indiferença. Raoul sofreu, pois ela estava linda; ele era tímido e não ousava admitir para si mesmo que a amava. Depois, aconteceu toda aquela tempestade da noite de gala: os céus dilacerados, uma voz de anjo sendo ouvida na Terra, para o arrebatamento dos homens e o aniquilamento de seu coração. E depois, essa voz masculina atrás da porta: "Você tem que me amar!" e ninguém no camarim...

Por que ela riu quando ele disse, no momento que ela abria os olhos: "Eu sou o menino que foi buscar sua echarpe no mar"? Por que ela não o reconheceu? E por que ela lhe escreveu?

Oh! Essa costa é longa... longa... aqui está o crucifixo dos três caminhos. Aqui, a charneca deserta, a urze congelada, a paisagem imóvel sob o céu branco. As janelas batiam, arrebentavam seus vidros nos tímpanos. A diligência é barulhenta e avança muito lentamente! Ele reconheceu as cabanas, os currais, os rochedos, as árvores do caminho. Esse é o último desvio da estrada, e depois nós vamos descer e encontraremos o mar, a grande baía de Perros.

Então, ela desceu na hospedaria do Soleil-Couchant. Santo Deus! E não há outra. Além disso, é um lugar agradável. Ele se lembra que, naquela época, ouviam ali belas histórias!

Seu coração estava acelerado! O que ela iria dizer ao vê-lo?

A primeira pessoa que ele avistou ao entrar na velha sala enfumaçada da hospedaria foi a senhora Tricard. Ela o reconheceu. Cumprimentou-o. Perguntou o que o trazia ali. Ele corou. Disse que estava indo a Lannion tratar de negócios e que decidiu esticar até lá para dizer um "olá". Ela quis lhe servir o almoço, mas ele disse "Mais tarde". Parecia estar à espera de alguma coisa ou de alguém. A porta se abriu. Ele estava em pé. Não estava enganado: era ela! Quis dizer algo, mas se sentou. Ela permaneceu na frente dele, sorridente, e nem um pouco surpresa. Tinha a aparência fresca e rosada de um morango à sombra. Sem dúvidas, a jovem estava agitada, caminhava apressadamente. Seu peito, que carregava um coração puro e sincero, estufou-se delicadamente. Seus olhos, espelhos claros de um azul pálido, da cor dos lagos que sonham, imóveis, lá em cima, ao norte do globo, davam a ela o reflexo tranquilo de sua alma cândida. O casaco de pele estava entreaberto sobre uma cintura fina, enfatizando as linhas harmoniosas de seu corpo jovem e gracioso. Raoul e Christine se entreolharam por um bom tempo. A senhora Tricard sorriu discretamente e se retirou. Enfim, Christine disse:

– O senhor veio, e isso não me surpreende. Eu pressentia que o encontraria aqui, nesta hospedaria, quando voltasse da missa. Alguém me disse isso. Sim, anunciaram sua chegada.

– Mas quem? – perguntou Raoul, segurando entre as suas mãos a pequena mão de Christine, que ela não retirou.

– O meu pobre pai, que está morto.

Um silêncio tomou conta dos dois jovens. Depois, Raoul retomou:

– O seu pai também disse que eu a amo, Christine, e que não posso viver sem você?

Christine, completamente ruborizada, esquivou seu olhar. E disse, com a voz trêmula:

– A mim? O senhor é completamente louco.

E pôs-se a rir para, como dizem, disfarçar seu constrangimento.

– Não ria, Christine, falo muito sério.

E ela respondeu, séria:

– Não o fiz vir para que me dissesse tais coisas.

– Você me “fez vir”, Christine; você adivinhou que sua carta não me deixaria indiferente e que eu partiria para Perros. Como você poderia pensar isso se não pensasse que eu a amo?

– Pensei que você se lembraria das brincadeiras da nossa infância, às quais meu pai costumava se juntar. No fundo, não sei exatamente em que pensei. Talvez tenha sido um erro lhe escrever. Sua súbita aparição em meu camarim naquela noite me fez viajar para longe, muito longe no passado, e eu escrevi como a garotinha que então eu era, e que ficaria feliz em rever, em um momento de tristeza e solidão, aquele garotinho ao lado dela.

Durante um instante, eles conservaram o silêncio. Havia, na atitude de Christine, algo que Raoul não considerava natural, ao mesmo tempo que não conseguia interpretar suas ideias. Mas não sentia hostilidade alguma da parte dela, longe disso. A triste doçura de seus olhos dizia a ele o suficiente. Mas por que essa doçura triste? Talvez seja isso que falte saber, e que começa a irritar o jovem...

– Quando me viu em seu camarim, era a primeira vez que notava minha presença, Christine?

Ela não sabia mentir. Disse:

– Não! Eu já o tinha visto diversas vezes no camarote de seu irmão. E também no palco.

– Eu sabia! – disse Raoul, mordendo os lábios. – Mas então, por que, quando me viu em seu camarim, ajoelhado e fazendo despertar a lembrança de que eu havia recuperado a sua echarpe no mar, por que você respondeu como se não me conhecesse e começou a rir?

O tom empregado naquelas perguntas era tão rude que Christine olhou para Raoul, surpresa, sem nada responder. O próprio jovem ficou perplexo com aquela discussão repentina, que surgiu exatamente no momento que havia prometido a si mesmo que declararia a Christine sua doçura, seu amor e sua submissão. Um marido ou um amante, que tem todo o direito de fazê-lo, não falaria diferente com sua esposa ou amante se quisesse ofendê-la. Mas irritou-se com seus próprios erros e, julgando-se estúpido, não encontrou outra saída para essa situação ridícula a não ser a decisão torta de se mostrar odioso.

– Por que não me responde?! – questionou, raivoso e infeliz. – Pois bem, eu respondo por você! Havia alguém no camarim que a incomodava, Christine! Alguém a quem você não queria mostrar que podia se interessar por uma outra pessoa que não ele!

– Se alguém de fato me incomodava, meu amigo! – interrompeu Christine com um tom frio. – Se alguém me incomodava naquela noite, deveria ser você, pois coloquei-o para fora!

– Sim! Para ficar com o outro!

– O que está dizendo, senhor? – reagiu a jovem, ofegante. – De que outro se trata?

– Daquele a quem você disse: "Eu canto unicamente para você! Esta noite eu lhe dei minha alma, e estou morta!".

Christine agarrou o braço de Raoul e o apertou com uma força inimaginável para um ser tão frágil.

– O senhor estava ouvindo atrás da porta?

– Sim! Porque a amo. E ouvi tudo...

– O que você ouviu? – a jovem, acalmando-se subitamente, soltou o braço de Raoul.

– Ele lhe disse: "Você tem que me amar!".

Ao ouvir essas palavras, uma palidez cadavérica tomou conta do rosto de Christine, seus olhos se reviraram. Ela estava tremendo, ia desmaiar. Raoul se precipitou em sua direção a tempo de sustentá-la, mas Christine superou a fraqueza temporária, e, em voz baixa, quase sussurrando:

– Fale! Fale mais! Fale tudo o que você ouviu!

Raoul a olhava hesitante, não compreendia o que estava acontecendo.

– Fale alguma coisa! Não vê que está me matando!

– Eu consegui ouvir a resposta dele, quando você disse a ele que havia lhe dado sua alma: "Tua alma é bela, minha criança, e eu lhe agradeço. Não há imperador que tenha recebido tamanho presente! Os anjos choraram esta noite".

Christine levou as mãos ao coração. Olhava para Raoul com uma emoção indescritível. Seu olhar estava tão afiado, tão fixo, que parecia o de um louco. Raoul estava apavorado. Mas eis que os olhos de Christine ficaram úmidos e suas pérolas escorreram por suas bochechas de marfim: duas grandes lágrimas.

– Christine!

– Raoul!

O jovem rapaz tentou abraçá-la, mas ela escapou por entre seus dedos e fugiu em meio a uma grande desordem.

Enquanto Christine permanecia trancada em seu quarto, Raoul censurava sua brutalidade, ao mesmo tempo que o ciúme voltava com força total em suas veias fumegantes. Para que a jovem deixasse transparecer tamanha emoção ao saber que seu segredo tinha sido descoberto, é porque ele era muito importante! Apesar do que ouvira, Raoul não duvidava da pureza de Christine. Ele sabia que ela tinha a reputação de ser muito recatada, e ele não era tão ingênuo a ponto de não compreender a necessidade que uma artista tem de, às vezes, ouvir declarações de amor. Ela tinha respondido afirmando que havia dado sua alma, mas é claro que aquilo tudo dizia respeito ao canto e à música. É claro? Mas então, por que toda aquela comoção de há pouco? Meu Deus, como Raoul estava infeliz! E se tivesse encontrado o homem, a voz do homem, teria lhe pedido explicações precisas.

Por que Christine fugiu? Por que não descia?

Ele recusou o almoço. Estava muito aflito, sua dor era enorme de ver as horas, que ele imaginava tão doces, passarem longe da jovem sueca. Será que não viria percorrer com ele o país onde tinham tantas lembranças em comum? E por que, se parecia que ela não tinha mais nada a fazer em Perros (e de fato ela já não fazia nada), ela não retomava o caminho para Paris? Ele soube que, pela manhã, ela havia encomendado uma missa para o repouso de seu pai e que passara longas horas em oração na pequena igreja, sobre a tumba do violinista.

Triste, desanimado, Raoul partiu na direção do cemitério que contornava a igreja. Empurrou a porta. Errou, solitário, pelas tumbas, decifrando as inscrições, mas, ao chegar atrás da abside, foi imediatamente atraído pela deslumbrante nota das flores que repousavam sobre o granito da tumba e que transbordavam sobre a terra branca. Elas perfumavam todo aquele recanto gelado do inverno bretão. Eram extraordinárias rosas vermelhas que pareciam ter desabrochado naquela manhã, sobre a neve. As flores traziam um pouco de vida à moradia dos mortos, pois a morte estava por toda parte naquele lugar. Ela também brotava da terra que expelia seu excedente de cadáveres. Centenas de esqueletos e crânios estavam empilhados perto do muro da igreja, sustentados apenas por fios finos de arame, que deixavam exposta aquela macabra composição. Crânios empilhados, alinhados como tijolos, sustentados por ossos esbranquiçados, pareciam formar a base sobre a qual foram erguidas as paredes da sacristia. A porta da sacristia se abria no meio desse ossário, como se vê muito nas velhas igrejas bretãs.

Raoul rezou por Daaé, depois, lamentavelmente impressionado com os sorrisos eternos que têm as bocas dos crânios, saiu do cemitério, subiu a encosta e sentou-se na beira da charneca junto ao mar. O vento soprava impiedosamente sobre os cascalhos, uivando contra a pobre e tímida claridade do dia. A claridade cedeu, fugiu e restou apenas um raio lívido no horizonte. O vento então se calou. Era noite. Raoul estava cercado de sombras glaciais, mas não sentia frio. Seu pensamento vagava pela mata deserta e desolada, repleto de lembranças. Era lá, naquele lugar, que ele vinha com frequência, ao entardecer, com a pequena Christine, para ver os *korrigans* dançarem, no momento exato em que a lua aparecia. Sozinho, nunca os tinha visto, ainda que tivesse bons olhos. Christine, por sua vez, que era um pouco míope, afirmou ter visto muitos. Ele sorriu com essa ideia e, de repente, começou a tremer. Uma forma precisa, mas que tinha chegado até lá sem ele saber como, sem o menor aviso sonoro, uma forma em pé ao seu lado, dizia:

– Acredita que os *korrigans* virão esta noite?

Era Christine. Ele quis falar. Ela fechou-lhe a boca com as mãos vestidas com luvas.

– Escute-me, Raoul, estou determinada a lhe contar algo sério, algo muito sério!

Sua voz tremia. Ele esperou. Ela prosseguiu, tensa.

– Você se lembra, Raoul, da lenda do Anjo da Música?

– Se me lembro! – ele exclamou. – Acho que foi aqui que o seu pai nos contou essa história pela primeira vez.

– Foi também aqui que ele me disse: "Quando eu estiver no céu, minha filha, o enviarei para você". Pois bem, Raoul, meu pai está no céu e eu recebi a visita do Anjo da Música.

– Eu não duvido – respondeu o jovem seriamente, pois acreditava ter compreendido que, em um pensamento místico, sua amiga associava à memória de seu pai o brilhantismo de seu último triunfo.

Christine parecia surpresa com o sangue frio com que o visconde de Chagny recebia a notícia de que o Anjo da Música a visitara.

– O que você entendeu, Raoul? – perguntou, aproximando tanto seu rosto pálido do rosto do jovem que este pensou que Christine iria dar-lhe um beijo, mas ela só queria ler bem seus olhos, apesar da escuridão.

– Eu entendo, respondeu ele, que uma criatura humana não canta, como você fez na outra noite, sem que aconteça um milagre, sem que o céu não tenha relação com isso. Não há nenhum professor na Terra capaz de ensinar-lhe tais interpretações. Você ouviu o Anjo da Música, Christine.

– Sim – ela disse solenemente –, no meu camarim. É lá que ele vem me dar aulas diariamente.

O tom com que ela disse isso foi tão penetrante e tão singular que Raoul a olhou preocupado, como se olha para uma pessoa que diz uma insanidade ou afirma alguma visão insana em que acredita com toda a força de seu pobre cérebro doente. Mas ela tinha recuado e, imóvel, já não era nada além de um pouco de sombra na noite.

– No seu camarim? – ele repetiu, como um eco estúpido.

– Sim, foi lá que eu o ouvi, e não fui a única a ouvi-lo.

– Quem mais o ouviu, Christine?

– Você, meu amigo.

– Eu? Eu ouvi o Anjo da Música?

– Sim, naquela noite, era ele quem falava quando você ouvia atrás da porta do meu camarim. Foi ele quem disse: "Você tem que me amar". Mas eu pensava que era a única que conseguia ouvir essa voz. Por isso, imagine meu espanto quando soube, esta manhã, que você também podia ouvi-lo.

Raoul começou a rir, e imediatamente a noite se dissipou pela floresta deserta e os primeiros raios da lua vieram envolver os jovens. Christine tinha se voltado para Raoul de forma hostil. Seus olhos, normalmente tão doces, faiscavam.

– Por que o senhor está rindo? Pensa ter ouvido a voz de um homem?

– Ora! – respondeu o jovem, cujas ideias estavam começando a ficar confusas diante da atitude ríspida de Christine.

– É você, Raoul! Você quem está me dizendo isso! Um velho companheiro meu! Um amigo do meu pai! Já não o reconheço. O que você está pensando? Sou uma mulher honesta, senhor visconde de Chagny, e não me tranco com vozes de homem no meu camarim. Se tivesse aberto a porta, teria visto que não havia ninguém!

– É verdade! Quando você saiu, abri a porta e não encontrei ninguém no camarim.

– Está vendo só... e então?

O conde apelou para toda a sua coragem.

– Então, Christine, acho que estão zombando de você!

Ela deu um grito e partiu. Ele correu atrás dela, mas ela o rejeitou, com uma irritação feroz:

– Deixe-me em paz! Deixe-me em paz!

E desapareceu. Raoul voltou para a hospedaria muito cansado, muito desanimado e muito triste. Soube que Christine tinha acabado de subir ao seu quarto e que avisara que não desceria para jantar. O jovem perguntou se ela não estava doente. A honesta senhora respondeu de maneira ambígua que, se ela estivesse sofrendo, devia ser de um mal que não era muito grave, e, como acreditava que aquilo era um desentendimento entre os dois apaixonados, retirou-se dando de ombros, fingindo piedade dos jovens que desperdiçavam em vãs querelas as horas que Deus lhes permitia passar sobre a Terra. Raoul jantou sozinho, no canto da lareira e, como você deve imaginar, caro leitor, bastante entristecido. Mais tarde, em seu quarto, tentou ler, depois, na cama, tentou dormir. Não se ouvia qualquer barulho no apartamento ao lado. O que fazia Christine? Será que dormia? E se não dormia, em que pensava? E ele, em que pensava? Seria capaz de dizer? A estranha conversa que teve com Christine perturbou-o bastante!

Ele pensava menos em Christine do que no que havia em torno de Christine, e esse "em torno" era tão difuso, tão nebuloso e tão indefinível que ele sentia um curioso e angustiante mal-estar.

Assim, as horas se passaram muito devagar; devia ser perto de onze horas da noite quando ele ouviu distintamente passos no quarto ao lado do seu. Eram passadas leves, furtivas. Christine não tinha se deitado? Sem raciocinar, o jovem vestiu-se apressado, cuidando para não fazer qualquer barulho. E, pronto para tudo, ele aguardava. Pronto para quê?

Ele sabia? Seu coração disparou quando ouviu a porta de Christine mexer lentamente as dobradiças. Aonde ela iria naquela altura da noite, em que tudo repousava em Perros? Ele abriu a porta aos poucos e pôde ver, sob um raio da Lua, a forma branca de Christine que deslizava cuidadosamente pelo corredor. Ela chegou até a escada, desceu, e ele, acima dela, inclinou-se no parapeito. De repente, ele ouviu duas vozes que falavam rapidamente. Decifrou a frase: "Não perca a chave". Era a voz da recepcionista. Lá embaixo, abriram a porta que dava para a enseada. Fecharam-na. E tudo ficou calmo de novo. Raoul voltou imediatamente para o quarto e correu para abrir a janela. A forma branca de Christine se desenhava no cais deserto.

O primeiro andar da hospedaria Soleil-Couchant não era muito alto, e uma árvore de espaldeiras, que estendia seus ramos pelos braços impacientes de Raoul, permitiu-lhe ficar do lado de fora sem que a recepcionista pudesse suspeitar de sua ausência. Na manhã seguinte, qual não foi a estupefação dessa senhora quando lhe trouxeram o jovem, quase congelado, mais morto do que vivo, e contaram que ele tinha sido encontrado deitado sobre os degraus do altar-mor da pequena igreja de Perros. Ela se apressou em contar a Christine, que desceu rapidamente e, com a ajuda da recepcionista, cuidou do jovem, que logo abriu os olhos e voltou à vida, percebendo, acima dele, o rosto charmoso de sua amiga.

O que havia então acontecido? O comissário Mifroid teve a oportunidade, algumas semanas mais tarde, quando o drama da Ópera desencadeou a ação do ministério público, de interrogar o visconde de Chagny sobre os acontecimentos da noite de Perros, e eis como eles foram transcritos nas folhas do dossiê de investigação (Livro 150).

Pergunta. – A senhorita Daaé não o viu descer do seu quarto pelo caminho singular que escolheu?

Resposta. – Não, senhor, não, não. No entanto, eu caminhava atrás dela sem procurar abafar o barulho dos meus passos. Eu só desejava uma coisa, que ela se virasse, me visse e me reconhecesse. Eu dizia a mim mesmo que minha perseguição era completamente incorreta e que a forma como eu a espionava era indigna. Mas ela não parecia me ouvir e agia como se eu não estivesse lá. Ela deixou o cais discretamente e, de repente, retomou o caminho apressada. O relógio da igreja acabava de soar quinze para a meia-noite, e pareceu-me que o som da hora tinha determinado a velocidade de sua caminhada, pois ela começou a quase correr. Então, ela chegou à porta do cemitério.

P. – A porta do cemitério estava aberta?

R. – Sim, senhor, e isso me surpreendeu, mas não pareceu surpreender a senhorita Daaé.

P. – Não havia ninguém no cemitério?

R. – Eu não vi ninguém. Se houvesse alguém, eu teria visto. O luar estava deslumbrante e a neve que cobria a Terra, enviando de volta os seus raios, tornava a noite ainda mais clara.

P. – Não era possível se esconder atrás dos túmulos?

R. – Não, senhor. Eram pobres lápides que desapareciam sob a neve e tinha as cruzes alinhadas rente ao chão. As únicas sombras eram as das cruzes e as nossas. A igreja brilhava com tamanha claridade. Nunca vi uma luz noturna como aquela. Era muito bonito, muito transparente e muito frio. Eu nunca tinha estado em cemitérios à noite, e não sabia que poderia haver uma luz como aquela, "uma luz que não pesa nada".

P. – O senhor é supersticioso?

R. – Não, senhor, eu creio em Deus.

P. – Em que estado de espírito o senhor se encontrava?

R. – Muito saudável e muito tranquilo, eu garanto. Claro, eu estava profundamente perturbado no início pela saída incomum da senhorita Daaé; mas, assim que vi a jovem entrar no cemitério, pensei que ela tinha ido fazer algum voto no túmulo de seu pai e achei aquilo tão natural que recuperei minha calma. Só estava surpreso por ela ainda não ter me ouvido andar atrás dela, pois a neve estalava sob meus pés. Mas, sem dúvida, ela estava absorvida em seus pensamentos piedosos. Resolvi não a incomodar, e quando ela chegou ao túmulo do pai, fiquei alguns passos atrás dela. Christine se ajoelhou sobre a neve, fez o sinal da cruz e começou a rezar. O relógio apontava meia-noite. A décima segunda badalada ainda ecoava em meu ouvido, quando de repente vi a jovem levantar a cabeça; seu olhar se fixou na abóbada celeste e seus braços se estenderam na direção dos astros noturnos; ela me parecia em êxtase e eu ainda me perguntava qual era a razão súbita e determinante para aquele êxtase quando eu mesmo levantei minha cabeça e olhei à minha volta com um olhar perturbado e todo o meu ser se estendeu na direção do invisível, o invisível que tocava música para nós. E que música! Já a conhecíamos! Christine e eu já havíamos escutado aquela música na juventude. Mas, no violino do senhor Daaé, ela nunca tinha sido expressada na forma de uma arte tão divina. Nesse momento, só conseguia me lembrar de tudo o que Christine havia me dito há pouco sobre o Anjo da Música, e fiquei sem saber o que pensar daqueles sons inesquecíveis que, se não desciam do céu, deixavam oculta sua origem terrestre. Não havia nenhum instrumento ou mão para conduzir o arco. Ah! Lembrava-me da admirável melodia. Era a "Ressurreição de Lázaro", que o senhor Daaé tocava para nós nos momentos de tristeza e fé. Ainda que o Anjo de Christine existisse, ele não teria tocado melhor naquela noite com o violino do falecido violinista. A invocação de Jesus nos elevava, e, confesso, cheguei a imaginar que veria a tumba do pai de Christine sair do chão. Ocorreu-me também que Daaé tinha sido enterrado com o seu violino, e, na verdade, não sei até que ponto, naquele glorioso minuto fúnebre, no fundo daquele pequeno cemitério provincial, ao lado daqueles crânios que sorriam para nós com suas mandíbulas imóveis, não sei até onde foi a minha imaginação, nem onde parou. Mas a música silenciou e recobrei meus sentidos. Pensei ter ouvido um barulho vindo da direção dos crânios do ossário.

P. – Ah! Ah! O senhor ouviu um barulho vindo do ossário?

R. – Sim, parecia-me que os crânios estavam debochando e fiquei arrepiado.

P. – O senhor não pensou imediatamente que, por trás do ossário, poderia se esconder o músico celestial que tanto o encantava?

R. – Pensei tanto que só pensava nisso, senhor comissário, e até esqueci-me de seguir a jovem Daaé, que tinha acabado de se levantar e transpunha tranquilamente as portas do cemitério. Quanto a ela, estava tão absorta que não é surpreendente que não me tenha visto. Eu não me movia, com meus olhos fixos no ossário, determinado a ir até o fim daquela incrível aventura e descobrir toda a verdade.

P. – E o que aconteceu para que o senhor tenha sido encontrado na manhã seguinte, deitado, quase morto, sobre os degraus do altar-mor?

R. – Oh! Foi tudo muito rápido. Um crânio rolou aos meus pés... depois outro... depois outro... parecia que eu era o alvo daquele jogo funerário. E eu imaginei que um movimento em falso havia destruído a harmonia do andaime atrás do qual nosso músico se escondia. Essa hipótese pareceu-me ainda mais razoável quando, de repente, uma sombra escorregou pela parede iluminada da sacristia. Corri em sua direção. A sombra já tinha empurrado a porta e penetrado na igreja. Era como se eu tivesse asas e a sombra vestisse um casaco. Fui rápido o suficiente para agarrar uma ponta do casaco da sombra. Estávamos, então, a sombra e eu, bem na frente do altar-mor, e os raios da lua, através do grande vitral da abside, caiam bem diante de nós. Como eu não soltava o casaco, a sombra virou e, como o casaco que vestia estava entreaberto, eu vi, senhor juiz, como o vejo agora, um temível crânio, que me fulminava com o olhar dentro do qual queimavam fogos do inferno. Pensei que estava lidando com o próprio Satanás e, diante dessa aparição do além, meu coração, apesar de toda a sua coragem, falhou, e não me lembro de mais nada até acordar no meu pequeno quarto, na hospedaria Soleil-Couchant.

Uma visita ao camarote nº 5

Nós nos separamos dos senhores Firmin Richard e Armand Moncharmin no momento que eles decidiram fazer uma pequena visita ao camarote nº 5.

Os diretores deixaram para trás a larga escadaria que liga o vestíbulo da administração ao palco e suas adjacências, atravessaram o palco, entraram no teatro pela entrada dos assinantes e chegaram à sala pegando o primeiro corredor à esquerda. Eles então deslizaram entre as primeiras fileiras de assentos da orquestra e observaram o camarote nº 5. Tinham uma visão limitada, porque o camarote estava na penumbra e imensas capas tinham sido colocadas sobre o veludo vermelho do parapeito.

Estavam praticamente sozinhos naquela imensa e tenebrosa nave, cercados por um grande silêncio. Era aquela hora calma, quando os maquinistas saem para beber.

A equipe tinha momentaneamente esvaziado o palco, deixando o cenário montado pela metade; alguns raios de luz (uma luz pálida, sinistra, que parecia ter sido roubada de um astro moribundo) se insinuavam por uma abertura desconhecia e atingiam uma velha torre de papelão, desenhando suas frestas no palco; naquela noite fictícia, ou melhor, naquele dia mentiroso, as coisas ganhavam formas estranhas. Sobre as poltronas da orquestra, a tela que as cobria tinha a aparência de um mar furioso cujas ondas sinistras tinham sido instantaneamente imobilizadas pela ordem secreta do gigante das tempestades, que, como todos sabem, tem o nome de Adamastor. Os senhores Moncharmin e Richard eram os náufragos daquela agitação imóvel de um mar de telas pintadas. Eles avançavam na direção dos camarotes da esquerda a grandes braçadas, como marinheiros que abandonaram seu barco e estão tentando chegar à costa. As oito grandes colunas de pedra polida se erguiam na sombra como prodigiosas estacas destinadas a suportar o penhasco ameaçador, velho e barrigudo, cujas bases eram representadas por linhas circulares, paralelas e flexionadas dos balcões dos primeiros, segundos e terceiros camarotes. No alto, no topo do penhasco, perdido no céu de cobre do senhor Lenepveu, figuras faziam careta, riam, zombavam e gozavam da inquietude dos senhores Moncharmin e Richard. No entanto, normalmente, aquelas eram figuras muito sérias. Elas se chamavam: Ísis, Anfitrite, Hebe, Flora, Pandora, Psiquê, Tétis, Pomona, Dafne, Clítia, Galateia e Aretusa. Sim, Aretusa e Pandora, que todos conhecem por causa de sua caixa, observavam os dois novos diretores da Ópera agarrados a alguns destroços, e que, dali, contemplavam silenciosamente o camarote n° 5. Eu disse que eles estavam inquietos. Pelo menos, assim o presumo. Em todo o caso, o senhor Moncharmin admite que ficou impressionado, pois disse textualmente:

Esse joguete (que estilo!) do Fantasma da Ópera, no qual os senhores Poligny e Debienne nos fizeram gentilmente embarcar desde que os sucedemos, tinha acabado por perturbar o equilíbrio das minhas faculdades imaginativas, ou, ao menos, visuais, pois (será que foi o cenário excepcional em que nos movíamos, no centro de um inacreditável silêncio, que nos impressionou tanto? Ou fomos vítimas de uma espécie de alucinação, possível graças à escuridão da sala e à penumbra que pairava no camarote n° 5?), pois eu vi, e Richard também viu, no mesmo momento, uma forma no camarote nº 5. Richard não disse nada, e eu também não, aliás. Mas nos demos as mãos ao mesmo tempo. Então, esperamos alguns minutos assim, sem nos movermos, os olhos fixados sempre no mesmo ponto, mas a forma desapareceu. Então saímos e, no corredor, compartilhamos nossas impressões e conversamos sobre a forma que tínhamos visto. O infortúnio é que as formas que avistamos não coincidiam. Eu tinha visto algo como um crânio que estava na borda do camarote, enquanto Richard tinha visto uma forma de mulher velha semelhante à de dona Giry. Parecia evidente que tínhamos sido vítimas de uma ilusão e corremos sem mais delongas, e rindo como loucos, para o camarote nº 5, no qual entramos e não encontramos forma alguma.

E agora aqui estamos, no camarote nº 5.

É um camarote como qualquer outro da primeira fila. Na verdade, nada distingue esse camarote dos seus vizinhos.

Os senhores Moncharmin e Richard, divertindo-se ostensivamente e rindo um do outro, reviraram a mobília do camarote, levantaram as capas e as poltronas e examinaram em particular aquela em que a voz costumava se sentar. Mas constataram que era uma poltrona comum, que não tinha nada de mágico. Em suma, o camarote era o mais comum dos camarotes, com a sua tapeçaria vermelha, suas poltronas, seu tapete e seu parapeito de veludo vermelho. Depois de terem tateado minuciosamente o tapete e, deste lado como dos outros, não terem descoberto nada de especial, desceram na frisa inferior, que correspondia ao camarote nº 5. Na frisa nº 5, que fica na esquina da primeira saída dos assentos da orquestra, à esquerda, eles também não encontraram nada que valesse a pena apontar.

– Toda essa gente está zombando de nós – disse Firmin Richard. – No sábado, teremos a apresentação de *Fausto*, vamos ambos assistir ao espetáculo no camarote nº 5!

Em que os senhores Firmin Richard e Armand Moncharmin têm a audácia de representar *Fausto* em uma sala "amaldiçoada" e o terrível acontecimento em que essa escolha resultou

Mas no sábado de manhã, ao chegar ao escritório, os diretores encontraram uma dupla carta do F. da Ó. que dizia:

Meus caros diretores,

Então é guerra que vocês querem?

Se ainda preferirem a paz, aqui está o meu ultimato. As quatro condições são as seguintes:

1º Devolver meu camarote: e quero que ele esteja à minha disposição imediatamente;

2º O papel de "Marguerite" será interpretado esta noite por Christine Daaé. Não se preocupem com Carlotta, ela estará doente;

3º Eu exijo os bons e leais serviços da senhora Giry, minha serviçal, que os senhores devem reintegrar imediatamente em suas funções;

4º Informem, por meio de uma carta entregue à senhora Giry, que a entregará para mim, que os senhores aceitam, assim como seus antecessores, as condições do caderno de encargos, relativas à minha renda mensal. Em breve, informarei como deverão fazer para me pagar. Do contrário, Fausto *será representada esta noite em um teatro amaldiçoado.*

A bom entendedor, meus cumprimentos!

F. da Ó.

– Ora essa, ele me irrita! Ele me irrita! – esbravejou Richard, erguendo seus punhos em sinal de vingança e depois os batendo com força sobre a mesa.

Nesse momento, Mercier, o administrador, entrou.

– Lachenal gostaria de falar com um dos cavalheiros – disse. – Parece que o assunto é urgente, e o homem parece muito perturbado.

– Quem é Lachenal? – perguntou Richard.

– Ele é o seu escudeiro-chefe.

– Como?! Meu escudeiro-chefe?

– Sim, meu senhor – explicou Mercier –, há vários escudeiros na Ópera, e o senhor Lachenal é o chefe deles.

– E o que faz esse escudeiro?

– Ele dirige a cavalariça.

– Que cavalariça?

– Ora, a sua, senhor, a cavalariça da Ópera!

– Há uma cavalariça na Ópera? Por Deus, eu não fazia a menor ideia! E onde fica?

– Na parte de baixo, ao lado da rotunda. É um serviço muito importante, temos doze cavalos.

– Doze cavalos! E para quê, santo Deus?

– Ora, para os desfiles de *A judia, O profeta,* etc., precisamos de cavalos adestrados e que "conheçam o palco". Os escudeiros são encarregados de ensiná-los. O senhor Lachenal é muito hábil, é o antigo diretor das cavalariças de Franconi.

– Certo. Mas o que é que ele quer de mim?

– Não sei. Nunca o vi assim.

– Mande-o entrar!

O senhor Lachenal entrou. Trazia um chicote na mão, que ele batia nervosamente em uma das botas.

– Bom dia, senhor Lachenal – disse Richard surpreso. – A que devemos a honra da sua visita?

– Senhor diretor, vim pedir-lhe para mandar toda a cavalariça embora daqui.

– Como! O senhor quer expulsar os nossos cavalos?

– Não os cavalos, mas os cavalariços.

– Quantos cavalariços temos, senhor Lachenal?

– Seis!

– Seis cavalariços! Há pelo menos dois sobrando!

– São "cargos" – interrompeu Mercier – que foram criados e impostos a nós pela subsecretaria de Belas Artes. Eles são ocupados por protegidos do governo e, se me permite...

– Não quero saber do governo! – disse Richard energeticamente. – Não precisamos de mais de quatro cavalariços para doze cavalos.

– Onze! – corrigiu o escudeiro-chefe.

– Doze! – repetiu Richard.

– Onze! – insistiu Lachenal.

– Ah! Foi o senhor administrador quem disse que o senhor tinha doze cavalos!

– Eu tinha doze antes, mas, desde que nos roubaram César, agora só tenho onze!

E o senhor Lachenal bateu forte com o chicote em sua bota.

– César foi roubado! – exclamou o administrador. – César, o cavalo branco do Profeta?

– Não há dois Césares! – disse em tom seco o escudeiro-chefe. – Estive durante dez anos com Franconi e vi muitos cavalos! Posso afirmar, não há dois Césares! E ele foi roubado.

– Como assim?

– Ora! Eu não sei! Ninguém sabe! É por isso que vim pedir ao senhor que coloque toda a cavalariça no olho da rua.

– O que dizem os cavalariços?

– Besteiras! Alguns acusam os figurantes, outros afirmam que foi o chefe da administração.

– O chefe da administração? Ponho minha mão no fogo por ele! – protestou Mercier.

– Mas, enfim, senhor escudeiro-chefe – vociferou Richard –, o senhor deve ter alguma ideia de quem seja!

– Bem, de fato eu tenho! Eu tenho! – disse subitamente o senhor Lachenal. – E vou lhes dizer. Para mim, não há dúvida.

O escudeiro-chefe se aproximou dos diretores e sussurrou-lhes:

– Foi o Fantasma quem fez isso!

Richard sobressaltou.

– Ah! O senhor também! O senhor também!

– Como? Eu também? É a coisa mais natural.

– Mas que raios, senhor Lachenal! Mas como, senhor escudeiro--chefe!

– Estou dizendo o que penso, depois de ver o que vi.

– E o que viu, senhor Lachenal?

– Eu vi, como os vejo, uma sombra negra montando um cavalo branco que era igualzinho a César!

– E o senhor não perseguiu esse cavalo branco e essa sombra negra?

– Corri e chamei, senhor diretor, mas eles fugiram com uma rapidez desconcertante e desapareceram na escuridão da galeria.

O senhor Richard se levantou:

– Está bem, senhor Lachenal. Pode se retirar. Nós registraremos uma queixa contra o Fantasma.

– E o senhor ponha a cavalariça no olho da rua!

– Está combinado! Adeus, senhores! – o senhor Lachenal saudou e saiu.

Richard espumava de raiva.

– Acerte as contas desse imbecil!

– Mas ele é amigo do comissário do governo! – atreveu-se a dizer Mercier.

– E costuma comer seu aperitivo no Tortoni, acompanhado por Lagréné, Scholl e Pertuiset, o matador de leões – acrescentou

Moncharmin. – Vamos colocar toda a imprensa contra nós! Ele vai contar a história do Fantasma e todos vão se divertir às nossas custas! Se nos ridicularizarem, estamos mortos!

– Está bem, não falemos mais sobre isso – recuou Richard, que já estava pensando em outra coisa.

Nesse momento, a porta foi aberta e, sem dúvida, não estava sendo vigiada por seu Cérbero costumeiro, pois dona Giry entrou às pressas, com uma carta na mão, dizendo:

– Perdão, desculpem, cavalheiros, mas recebi uma carta esta manhã do Fantasma da Ópera. Ele pediu que os procurasse, pois os senhores teriam algo a me...

Ela não terminou a frase. Viu a expressão de Firmin Richard, que era terrível. O ilustre diretor da Ópera estava prestes a explodir. A fúria que tomava conta dele se refletia em seu exterior pela cor escarlate de seu rosto furioso e pelo relampejar de seus olhos. Ele não disse nada, não era capaz de falar. Mas, de repente, um gesto aconteceu. Primeiro o braço esquerdo agarrou a insignificante dona Giry fazendo-a dar uma meia-volta inesperada, uma pirueta tão rápida que ela soltou um clamor desesperado; em seguida, foi o pé direito, o pé direito do mesmo honroso diretor que cravou sua sola no tafetá preto de uma saia que, certamente, jamais havia sofrido tamanho ultraje.

Aquilo se deu de forma tão precipitada, que dona Giry foi parar no corredor, ainda atordoada, sem entender o que aconteceu. Mas, quando ela de repente entendeu, a Ópera reverberou seus gritos indignados, seus protestos ferozes e suas ameaças de morte. Foram necessários três rapazes para levá-la até o pátio da administração e dois agentes para colocá-la na rua.

Mais ou menos no mesmo horário, Carlotta, que vivia em um pequeno hotel no *faubourg* Saint-Honoré, ordenava a sua camareira que lhe trouxesse a correspondência na cama. No meio da correspondência, encontrou uma carta anônima que dizia:

Se cantar esta noite, um grande infortúnio cairá sobre a senhora no momento em que der a primeira nota. Um infortúnio pior que a própria morte.

A ameaça estava escrita com tinta vermelha, com uma grafia hesitante e em formato de bastão.

Depois de ler a carta, Carlotta perdeu o apetite e não almoçou. Ela afastou a bandeja sobre a qual a camareira havia trazido o chocolate quente. Sentou-se na cama e refletiu profundamente. Não era a primeira carta do tipo que ela recebia, mas nunca tinha lido uma tão ameaçadora antes.

Naquela época, ela acreditava ser vítima de todas as maldades geradas pelo ciúme, e dizia a todos que tinha um inimigo secreto que havia jurado destruí-la. Estava certa de que tramavam contra ela um complô implacável, alguma conspiração que logo explodiria; mas sempre dizia que não era uma mulher que se deixasse intimidar.

A verdade é que, se havia uma conspiração, ela era liderada pela própria Carlotta contra a pobre Christine, que nem o suspeitava. Carlotta não perdoara Christine por seu triunfo ao substituí-la.

Ao ser informada do extraordinário acolhimento que tinha sido dado à sua substituta, Carlotta sentiu-se imediatamente curada do início da bronquite e de um acesso de implicância contra a administração, e não demonstrara mais a menor inclinação para deixar o emprego. Desde então, trabalhou duro para "abafar" sua rival, fazendo amigos poderosos intervirem junto dos diretores para que eles não dessem a Christine a oportunidade de outro triunfo. Alguns jornais, que começavam a alardear sobre o talento de Christine, voltaram a falar exclusivamente da glória de Carlotta. E, no próprio teatro, a célebre diva falava coisas ultrajantes sobre Christine e tentava causar-lhe mil pequenos inconvenientes.

Carlotta não tinha coração nem alma, não passava de um mero instrumento! Sem dúvida, um maravilhoso instrumento. Seu repertório incluía tudo o que pode tentar a ambição de uma grande artista, incluindo os mestres alemães, os italianos e os franceses. Nunca, até aquele dia, Carlotta havia errado uma nota ou perdido o volume de voz necessário para traduzir qualquer passagem de seu imenso repertório. Em suma, ela tinha um instrumento vocal extenso, poderoso e de uma precisão admirável. Mas ninguém poderia dizer a Carlotta o que Rossini disse a Krauss, depois de ela ter cantado "Florestas sombrias?..." em alemão: "Você canta com a alma, minha filha, e sua alma é bela!".

Onde estava sua alma, ó Carlotta, quando você dançava nas noites de Barcelona? Onde é que ela estava, quando mais tarde, em Paris, você cantou sobre os tristes palcos os versos cínicos de bacante de *music-hall*? Onde estava sua alma, quando, diante dos grandes mestres reunidos na casa de um de seus amantes, você fazia ressoar esse instrumento dócil, cujo dom maravilhoso estava em cantar com a mesma indiferente perfeição o amor sublime e a mais vil orgia? Ó, Carlotta, se algum dia você tivesse tido uma alma e a tivesse perdido, você a teria reencontrado quando se tornou Julieta, quando foi Elvira, Ofélia e Marguerite! Pois outras ascenderam de origens mais baixas que a sua e a arte, somada ao amor, as purificou!

Na verdade, quando eu penso em toda a pequenez e nas vilanias a que Christine Daaé foi submetida, naquela época, por culpa de Carlotta, não posso conter minha ira, e não me surpreende que minha indignação se traduza em percepções vastas sobre a arte em geral, e sobre o canto em particular, de onde os admiradores da Carlotta certamente não tirarão proveito.

Quando Carlotta parou de refletir sobre a ameaça da estranha carta que tinha acabado de receber, levantou-se.

– Veremos – ela disse, e fez alguns juramentos em espanhol, com um ar muito determinado.

A primeira coisa que viu quando pôs o nariz na janela foi um carro fúnebre. O carro fúnebre e a carta convenceram-na de que ela corria graves perigos naquela noite. Ela reuniu em sua casa todos os seus amigos para lhes contar que estava sendo ameaçada na performance daquela noite, por uma conspiração organizada por Christine Daaé, e que, por isso, precisava de seus admiradores para pregar uma peça naquela jovenzinha. E tinha muitos, não é? Ela contava com eles para estarem prontos para qualquer eventualidade e para silenciar os desordeiros, se, como ela temia, fizessem algum escândalo.

O secretário particular do senhor Richard viera ter notícias sobre a saúde da diva e retornou com a garantia de que ela estava muito bem e que, "mesmo em agonia", cantaria no papel de Marguerite naquela noite. Uma vez que o secretário a aconselhou fortemente, em nome de seu chefe, a não cometer qualquer imprudência, a não sair de casa, e a se proteger das correntes de ar, Carlotta não pôde abster-se, após sua partida, de relacionar essas recomendações excepcionais e inesperadas com as ameaças escritas na carta.

Eram cinco horas quando ela recebeu por correio uma nova carta anônima com a mesma letra que a primeira. A carta era breve, dizia apenas: "Você está constipada; se fosse prudente, entenderia que é loucura querer cantar esta noite.".

Carlotta riu, ergueu os ombros (que eram magníficos) e cantou duas ou três notas que a tranquilizaram.

Seus amigos foram fiéis à promessa. Compareceram em peso à Ópera aquela noite, mas foi em vão que procuraram pelos conspiradores ferozes que eles tinham a missão de combater. Para além de alguns profanos e de alguns burgueses honestos cuja figura plácida só refletia o propósito de voltar a ouvir uma música que, há muito tempo, já havia conquistado seus sufrágios, só estavam presentes os frequentadores habituais, cujas maneiras elegantes, pacíficas e corretas excluíam qualquer ideia de manifestação. A única coisa que parecia anormal era a presença dos senhores Richard e Moncharmin no camarote nº 5. Os amigos de Carlotta pensaram que, talvez, os diretores tivessem tomado conhecimento do escândalo planejado e que haviam decidido em ir ao teatro para impedi-lo assim que viesse à tona, mas esta era uma hipótese injustificada, como você, leitor, bem sabe; os senhores Richard e Moncharmin só pensavam em seu fantasma.

Nada?...
Em vão interrogo, em uma ardente vigília
A Natureza e o Criador.
Nem uma voz sussurra em meu ouvido
Um nome consolador!...

O célebre barítono Carolus Fonta acabava de pronunciar o primeiro apelo do doutor Fausto às forças do inferno, quando o senhor Firmin Richard, que estava sentado na cadeira do Fantasma, a cadeira à direita, na primeira fila, inclinou-se muito bem-humorado e disse ao seu companheiro:

– E você, alguma voz já sussurrou nome consolador em seu ouvido?

– Aguardemos! Não tenhamos pressa – respondeu com o mesmo tom jocoso o senhor Armand Moncharmin. – O espetáculo está apenas começando e você sabe bem que o Fantasma geralmente só chega perto da metade do primeiro ato.

O primeiro ato aconteceu sem incidentes, o que não surpreendeu os amigos de Carlotta, uma vez que Marguerite não cantava nesse ato. Por sua vez, os diretores, enquanto as cortinas baixavam, entreolharam-se sorrindo:

– O primeiro já acabou! – disse Moncharmin.

– Sim, o Fantasma está atrasado – respondeu Firmin Richard.

Moncharmin, sempre em tom de brincadeira. – A plateia não está muito malcomportada esta noite, para uma sala amaldiçoada.

Richard dignou-se a apenas sorrir. Ele apontou para seu colaborador uma senhora gorda, bastante vulgar, vestida de preto, que estava sentada em uma poltrona no meio da sala, acompanhada de dois homens de aparência grosseira em seus trajes de tecido simples.

– Que gente é essa? – perguntou Moncharmin.

– Essa gente, meu caro, é minha *concierge*, seu irmão e seu marido.

– Você lhes deu convites?

– Bem, sim. Ela nunca tinha ido à Ópera, é a primeira vez. E como agora virá aqui todas as noites, eu queria que ocupasse um bom lugar antes de passar o tempo a indicar aos outros seus respectivos lugares.

Moncharmin pediu explicações e Richard lhe disse que havia decidido, por algum tempo, ter sua *concierge*, na qual ele tinha a maior confiança, no lugar de dona Giry.

– Sobre Giry – disse Moncharmin –, você sabe que ela vai apresentar queixa contra você.

– Apresentar a queixa para quem? Para o Fantasma?

O Fantasma! Moncharmin quase o havia esquecido. Aliás o personagem misterioso não fez nada para voltar à lembrança dos diretores.

De repente, a porta do camarote deles se abriu bruscamente diante do maestro assustado.

– O que está acontecendo? – perguntaram os dois, estupefatos em verem o maestro ali, naquele momento.

– Está acontecendo – respondeu o regente – uma conspiração armada pelos amigos de Christine Daaé contra Carlotta. E ela está furiosa!

– Que história é essa agora? – interrogou Richard, franzindo a testa.

Mas a cortina subiu para o quadro da Quermesse e o diretor sinalizou para que o regente se retirasse.

Quando o regente saiu, Moncharmin inclinou-se e disse ao ouvido de Richard:

– Então Daaé tem amigos? – perguntou.

– Sim – disse Richard –, ela tem.

– Quem?

Richard apontou com os olhos para o primeiro camarote onde havia apenas dois homens.

– O conde de Chagny?

– Sim, ele a recomendou. E de uma maneira tão calorosa, que, se eu não soubesse que ele é amante de Sorelli...

– Ah! Ora! – murmurou Moncharmin. – E quem é o jovem tão pálido sentado ao lado dele?

– É o irmão dele, o visconde.

– Ele deveria ir para a casa dormir. Parece doente.

A cena ecoava canções alegres. A embriaguez em forma de música. O triunfo da taça.

Cerveja ou vinho,
Vinho ou cerveja,
Que meu copo
Sempre cheio esteja!

Estudantes, burgueses, soldados, senhoritas e matronas, com o coração alegre, rodopiavam em frente ao cabaré sob o letreiro do deus Baco. Siebel entrou em cena.

Christine Daaé era uma travesti encantadora. Seu frescor juvenil e sua graça melancólica seduziam à primeira vista. Os apoiadores de Carlotta imaginavam que ela seria recebida com uma ovação de pé que iria ajudá-los a identificar as más intenções de seus amigos. Essa ovação indiscreta teria sido, aliás, inábil. Mas nada aconteceu.

Pelo contrário, quando Marguerite atravessou o palco e cantou os dois únicos versos de seu papel naquele segundo ato:

Não, cavalheiros, não sou donzela nem bela,
E, aviso, de sua ajuda, não preciso!

Gritos de "bravo" retumbantes saudaram Carlotta. Aquilo foi tão inesperado e tão inútil que os que não sabiam de nada se entreolharam e se perguntaram o que estava acontecendo, e mais um ato terminou sem nenhum incidente. Todos pensavam: "A coisa vai se dar no próximo ato, obviamente". Alguns, que aparentemente estavam mais bem informados do que os outros, afirmaram que a "algazarra" começaria na "Taça do rei de Tule", e correram para a entrada dos assinantes a fim de advertir Carlotta.

Os diretores deixaram o camarote durante o intervalo para se informar sobre a história de conspiração de que o regente falava, mas logo voltaram para seus lugares, encolhendo os ombros e tratando tudo como uma idiotice. A primeira coisa que viram quando entraram foi uma caixa de balas inglesas sobre a mesinha do parapeito. Quem a teria deixado ali? Interrogaram as funcionárias, mas ninguém soube responder. Voltaram-se novamente na direção do parapeito e viram, desta vez, ao lado da caixa de balas inglesas, um binóculo. Olharam-se. Não tinham mais vontade de rir. Tudo o que a dona Giry lhes dissera voltava às suas memórias. Além disso, parecia-lhes que havia uma estranha corrente de ar à sua volta. Sentaram-se em silêncio, realmente impressionados.

A cena representava o jardim de Marguerite.

Diga a ela sobre meus juramentos,
Entregue meus sentimentos...

Enquanto cantava esses dois primeiros versos, com seu buquê de rosas e lilases nas mãos, Christine levantou a cabeça e viu no camarote o visconde de Chagny, e a partir de então todos perceberam que sua voz estava menos segura, menos pura e menos cristalina que o habitual. Algo fora do comum ensurdecia, tornava seu canto pesado, havia nele tremor e medo.

– Garota estranha – comentou quase em voz alta um amigo de Carlotta sentado perto orquestra. – Na outra noite, ela estava divina, e hoje, parece gaguejar. Sem experiência, sem método!

É em você que eu acredito,
Fale por mim.

O visconde levou as mãos à cabeça e chorou. O conde, atrás dele, mordia violentamente a ponta do bigode, encolhia os ombros e franzia a testa. Para traduzir seus sentimentos íntimos em tantos sinais externos, o conde, geralmente tão correto e tão frio, devia estar furioso. E estava. Ele tinha visto seu irmão retornar de uma viagem rápida e misteriosa em um estado alarmante de saúde. As explicações que se seguiram não tinham, sem dúvida, a virtude de tranquilizar o conde, que, desejoso de saber o que fazer, tinha marcado um encontro com Christine Daaé. Mas ela teve a audácia de lhe dizer que não poderia recebê-lo, nem ele nem seu irmão. Ele acreditou que se tratava de um plano abominável e não perdoava Christine por fazer Raoul sofrer, mas acima de tudo, não perdoava Raoul por sofrer por Christine. Ah! Ele estava errado em se interessar por aquela garota cujo triunfo de uma noite era incompreensível para todos.

Que a flor de sua boca
Saiba ao menos segredar
O doce desejo de beijar.

– Pequena libertina! – repreendeu o conde. E se perguntava o que ela queria, o que esperava. Ela era pura, dizia-se que não tinha amigos, nem qualquer tipo de protetor. Aquele Anjo do Norte devia ser muito esperto!

Raoul, por sua vez, escondido entre as mãos, atrás de uma cortina que velava suas lágrimas de menino, só pensava na carta que tinha recebido, assim que retornara a Paris, onde Christine tinha chegado antes dele, tendo fugido de Perros como um ladrão:

Meu querido antigo namorado, você deve ter a coragem de não me procurar novamente, de não falar mais comigo. Se me ama ao menos um pouco, faça isso por mim, por mim que nunca o esquecerei, meu querido Raoul. Sobretudo, nunca mais entre em meu camarim. A minha vida está em jogo. E a sua também. Da sua pequena Christine.

Uma grande salva de palmas. Carlotta entrava em cena. O ato do jardim prosseguia com suas peripécias habituais.

Quando Marguerite tinha acabado de cantar a ária do rei de Tule, ela foi aclamada, e depois novamente, quando terminou a melodia das joias:

Ah! Tanta beleza me faz sorrir
Ao ver minha imagem este espelho refletir...

Então, segura de si, confiante com a presença de seus amigos na sala, confiante de sua voz e de seu sucesso, não temendo mais nada, Carlotta se entregou completamente, com ardor, com entusiasmo, com embriaguez. Sua atuação já não tinha contenção nem modéstia. Já não era Marguerite, era Carmen. Ela foi ainda mais ovacionada, e seu duo com Fausto parecia prepará-la para mais um sucesso, quando de repente... algo terrível aconteceu.

Fausto estava ajoelhado:

Deixe-me, deixe-me contemplar seu rosto
Sob a luz singela
Em que o astro da noite, como em uma bruma,
Acaricia a sua aparência tão bela.

E Marguerite respondia:

Ó, silêncio! Ó, feliz amor!
Inefável mistério!
Inebriante langor!
Eu reconheço!... E eu ouço essa voz solitária
Que canta em meu coração sonhador!

Então, nesse momento, nesse exato momento, algo aconteceu. Eu quero dizer, algo terrível!

A sala toda se levantou em um único movimento. Em seu camarote, os dois diretores não puderam conter uma exclamação de horror. Os espectadores olhavam uns para os outros como se pedissem explicação sobre um fenômeno tão inesperado. O rosto de Carlotta expressava a mais profunda dor, seus olhos pareciam assombrados pela loucura. A pobre mulher se recompôs, com a boca ainda entreaberta, tendo terminado de deixar passar "aquela voz solitária que cantava em seu coração sonhador". Mas a boca já não cantava, ela já não ousava pronunciar uma só palavra, nem mais um som...

Pois aquela boca criada para a harmonia, aquele instrumento ágil que nunca tinha falhado, órgão magnífico, gerador das mais belas sonoridades, dos acordes mais difíceis, das modulações mais suaves, dos ritmos mais ardentes, da mecânica humana sublime a que faltava, para ser divina, apenas o fogo do céu que, por si só, transmite a emoção e eleva as almas, aquela boca tinha deixado passar...

Daquela boca escapou...

... *Um sapo*!

Ah! Um pavoroso, hediondo, escamoso, venenoso, escumoso, espumante, estridente sapo!

Por onde é que ele tinha entrado? Como se escondeu sob a língua? Com as patas traseiras dobradas, para saltar cada vez mais alto e mais longe, sorrateiramente, ele saiu da laringe, e... *croac*! *Croac*! *Croac*!... Ah! Que terrível *croac*!

Por que você acha que só devemos falar de sapos figurativamente? Ninguém o via, mas, com mil diabos! Todos o ouviam. *Croac*!

A sala parecia estar enlameada. Jamais algum batráquio, na beira dos mares ressoantes, havia abalado uma noite com seu mais terrível *croac*.

E, claro, aquilo surpreendeu a todos. Carlotta ainda não acreditava em sua própria garganta nem em seus ouvidos. Um raio que caísse aos seus pés a espantaria menos do que aquele sapo desleixado que tinha acabado de sair da sua boca. E ela não se rebaixou, embora se saiba que um sapo enrolado na língua desonra qualquer cantora. Algumas chegaram a cair mortas.

Meu Deus! Quem poderia acreditar naquilo? Ela cantava tão tranquilamente: "E eu ouço essa voz solitária, que canta em meu coração sonhador!". Cantava sem esforço, como sempre, com a mesma facilidade com que você diz: "Olá, senhora, como tem passado?".

Não se pode negar que há cantoras presunçosas, que cometem o grande erro de não medir suas forças, e que, em seu orgulho, querem alcançar, com a pequena voz com que o céu as agraciou, efeitos excepcionais e lançar notas que lhes eram impossíveis desde que vieram ao mundo. É então que o Céu, para castigá-las, envia-lhes, sem que o saibam, em suas bocas, um sapo, um sapo que faz *croac*! Todo mundo sabe disso. Mas ninguém podia admitir que a Carlotta, que tinha pelo menos duas oitavas na voz, ainda tivesse um sapo em sua boca.

Não se podia esquecer seus estridentes fás, seus inauditos *staccati* na *Flauta Mágica*. Lembrávamos de *Don Juan*, onde ela representou Elvira e atingiu o triunfo mais retumbante, certa noite, fazendo o si bemol que sua colega, que representava Ana, não era capaz de alcançar. Então, realmente, o que significava aquele *croac* no final daquela tranquila, serena, mínima "voz solitária que cantava em seu coração sonhador"?

Não era natural. Havia um sortilégio por trás daquilo. Aquele sapo cheirava mal. Pobre, miserável, desesperada, aniquilada Carlotta!

Na sala, o rumor crescia. Não fosse Carlotta que estivesse passando por semelhante desventura, estaria sendo vaiada! Mas com ela, cujo instrumento perfeito era conhecido, não houve demonstração de raiva, mas de consternação e medo. Os homens sofriam o mesmo tipo de horror que teriam sofrido se tivessem testemunhado a catástrofe que partiu os braços da Vênus de Milo! No entanto, ali, puderam ver o golpe que a atingiu, e entender...

Mas e nesta situação? Aquele sapo era incompreensível!

Tanto que, depois de alguns segundos se perguntando se ela tinha realmente ouvido sair da própria boca, aquela nota (afinal, aquele som era uma nota? Era possível chamar aquilo de som! Um som ainda é música), ela queria se convencer de que aquele ruído infernal não tinha acontecido; que havia sido, por um momento, uma ilusão do seu ouvido, e não uma traição criminosa do órgão vocal.

Ela olhou ao redor como se procurasse refúgio, proteção, ou melhor, a confirmação espontânea da inocência de sua voz. Seus dedos inquietos agarraram sua garganta em um gesto de defesa e protesto! Não! Não! Aquele *croac* não vinha dela! E parecia que Carolus Fonta tinha a mesma opinião, pois a olhava com uma expressão inenarrável de estupefação infantil e gigantesca. Afinal, ele estava bem perto dela e não se afastou. Talvez ele pudesse dizer como tal coisa aconteceu! Não, ele não podia! Seus olhos estavam estupidamente arregalados observando a boca de Carlotta, tal como os olhos das crianças hipnotizadas pela inesgotável cartola de um mágico. Como uma boca tão pequena podia conter tão grande *croac*?

Tudo isso, sapo, *croac*, emoção, terror, rumores na sala, confusão no palco e nos bastidores (alguns colegas mostravam suas cabeças assustadas atrás das cortinas), tudo isso que descrevo em detalhes durou apenas alguns segundos. Alguns segundos pavorosos que pareciam especialmente intermináveis para os dois diretores lá em cima no camarote nº 5. Moncharmin e Richard estavam muito pálidos. Esse episódio incrível e inexplicável os preenchia com uma angústia ainda mais misteriosa porque eles sentiam que estavam, há alguns instantes, sob a influência direta do Fantasma.

Tinham sentido a respiração dele. Alguns cabelos de Moncharmin ficaram de pé com essa respiração, e Richard havia passado o lenço na testa suada. Sim, ele estava lá, em volta deles, atrás deles, ao lado deles, sentiam-no sem o ver! Eles ouviam sua respiração, e tão perto deles, tão perto deles! Sabemos quando alguém está presente. Pois bem, eles sabiam agora, tinham certeza de que eram três no camarote, eles tremiam. Pensaram em fugir, mas não se atreveram, não se atreviam a fazer um movimento, trocar uma palavra que poderia denunciar ao Fantasma que eles sabiam que ele estava lá. O que ia acontecer? O que se passaria? O que aconteceu foi o *croac*! Acima de todos os ruídos da sala, ouviu-se a dupla exclamação de horror dos diretores que se sentiam sob o poder do Fantasma. Debruçados no parapeito do camarote, olhavam Carlotta, como se já não a reconhecessem. Aquela senhorita do inferno devia ter dado o sinal de uma catástrofe com seu *croac*. Ah! A catástrofe era esperada! O Fantasma havia prometido! A sala tinha sido amaldiçoada! O peito dos dirigentes já ofegava sob o peso da catástrofe. Ouviu-se a voz engasgada de Richard gritando com Carlotta: "Muito bem! Continue!".

Não! Carlotta não continuou. Ela recomeçou corajosamente, heroicamente, o verso fatal no final do qual apareceu o sapo.

Um silêncio assustador tomou o lugar da balbúrdia. A voz de Carlotta preencheu novamente a nave sonora.

– Eu reconheço! E eu ouço – a sala também ouvia – essa voz solitária (*croac*!) *Croac*! que canta em meu... *croac*!

O sapo também recomeçou.

A sala explodiu em um enorme tumulto. Desabando em seus assentos, os dois diretores nem sequer se atreveram a se mexer; não tinham forças para fazê-lo. O Fantasma ria colado à nuca deles! E finalmente ouviram distintamente no ouvido direito sua voz, a voz impossível, a voz sem boca, a voz que disse:

– Ela canta esta noite como se fosse derrubar o lustre!

Ambos ergueram a cabeça ao mesmo tempo para o teto e soltaram um grito terrível. O lustre, a imensa massa do lustre, deslizava na direção deles, como se respondesse ao chamado daquela voz satânica. Solto, o lustre caiu do alto da sala e estourou no meio da orquestra, entre mil clamores. Foi um horror, um salve-se-quem-puder generalizado. Não é minha intenção reviver esse fato histórico aqui. Os curiosos só têm que abrir os jornais da época. Havia muitos feridos e uma morta.

O lustre tinha caído sobre a cabeça da infeliz mulher que tinha vindo à Ópera naquela noite pela primeira vez em sua vida; sobre a mulher que o senhor Richard havia designado para substituir em seus afazeres a senhora Giry, a serviçal do Fantasma. Ela morreu instantaneamente e, no dia seguinte, um jornal apareceu com esta manchete: "Duzentos mil quilos sobre a cabeça de uma *concierge*". Foi uma completa oração fúnebre.

O misterioso cupê

Aquela noite trágica foi péssima para todo mundo. Carlotta adoeceu e Christine Daaé desapareceu após a apresentação. Quinze dias se passaram sem que ela fosse vista novamente na Ópera e sem que ela se mostrasse fora do teatro.

Não podemos confundir esse primeiro desaparecimento, que se deu sem escândalo, com o famoso rapto que, pouco tempo depois, aconteceria em condições tão inexplicáveis e trágicas.

Naturalmente, Raoul foi o primeiro a não entender a ausência da diva. Ele escreveu para ela no endereço da senhora Valérius, mas não recebeu resposta. Em um primeiro momento, aquilo não lhe causou surpresa, pois conhecia o temperamento de Christine e sua decisão de cortar todas as relações com ele sem que, por sua vez, ele fosse capaz de compreender o motivo.

Sua dor só aumentava e ele estava preocupado por não ver o nome da cantora em nenhum programa da Ópera. Encenaram *Fausto* sem ela. Uma tarde, por volta das cinco horas, ele foi à direção inquirir sobre as causas do desaparecimento de Christine Daaé e se deparou com os diretores muito preocupados, nem os amigos os reconheciam mais: tinham perdido toda a alegria e o entusiasmo. Eles eram vistos atravessando o teatro cabisbaixos, com a testa franzida e as bochechas pálidas, como se estivessem sendo perseguidos por algum pensamento abominável, ou como presas de alguma maldade que o destino cola ao corpo e da qual é impossível se livrar.

A queda do lustre tinha trazido muitos transtornos, mas era difícil conseguir que os diretores explicassem algo a respeito do ocorrido.

A investigação concluiu que fora um acidente causado pelo desgaste da suspensão, mas teria sido dever dos antigos gestores e dos novos averiguar esse desgaste e corrigi-lo antes que resultasse na catástrofe.

Devo dizer que os senhores Richard e Moncharmin surgiram tão mudados, tão distantes, tão misteriosos, tão incompreensíveis, que muitos assinantes imaginavam que algum acontecimento ainda mais terrível do que a queda do lustre tinha alterado o estado de espírito dos senhores diretores.

Eles se mostravam bastante impacientes em suas relações cotidianas, exceto com dona Giry, que tinha sido reintegrada ao quadro de funcionários. Suspeitou-se também da forma como receberam o visconde de Chagny quando ele veio pedir notícias de Christine. Eles se limitaram a responder que ela estava de licença. Raoul perguntou quanto tempo duraria a licença e a resposta, bastante seca, foi de que a licença era por tempo indeterminado, e que Christine Daaé a havia solicitado por razões de saúde.

– Então ela está doente! – exclamou Raoul. – O que ela tem exatamente?

– Não sabemos de nada!

– Ora, vocês não mandaram o médico do teatro examiná-la?

– Não! Ela não solicitou e, como confiamos nela, acreditamos em sua palavra.

O caso não parecia natural para Raoul, que deixou a Ópera tomado por pensamentos sombrios. Ele resolveu, a qualquer custo, pedir notícias dela à senhora Valérius. É claro que se lembrava dos termos enérgicos da carta de Christine, que o proibiam de qualquer tentativa de vê-la, mas o que ele viu em Perros, o que ele ouviu atrás da porta do camarim e a conversa que teve com Christine na beira da charneca, tudo aquilo fez que ele pressentisse alguma conspiração que, ainda que fosse diabólica, não era, por isso, menos humana. A imaginação exaltada da jovem, a sua alma doce e crédula, a educação primitiva que cercara seus jovens anos de lendas, o pensamento contínuo em seu pai morto, e, acima de tudo, o estado de sublime êxtase em que a música a mergulhava sempre que essa arte se manifestava nela em condições excepcionais (ele mesmo não havia presenciado isso no cemitério?), tudo isso reconstituía em sua mente um campo moral propício às más intenções de algum personagem misterioso e sem escrúpulos. De quem Christine Daaé era vítima? Eis a pergunta sensata que Raoul fazia a si mesmo enquanto seguia apressadamente na direção da casa da senhora Valérius.

O visconde era um jovem muito sensato. Sem dúvida, ele era poeta e amava a música no que ela tinha de mais etéreo, era um grande amante dos antigos contos bretões nos quais os *korrigans* dançavam, e, acima de tudo, estava apaixonado por aquela pequena fada do Norte que era Christine Daaé; no entanto, ele só acreditava no sobrenatural em matéria de religião, e, mesmo a mais fantástica história do mundo, não era capaz de fazê-lo esquecer de que dois e dois são quatro.

O que descobriria na casa da senhora Valérius? Ele tremia quando bateu à porta de um pequeno apartamento na rua Notre-Dame-des-Victoires.

A serviçal que, naquela noite, ele vira sair do camarim de Christine, veio abrir a porta. Ele perguntou se a senhora Valérius estava disponível. Ela respondeu que a senhora Valérius estava doente, acamada, e impossibilitada de "receber".

– Entregue meu cartão a ela – ele solicitou.

Não esperou por muito tempo. A serviçal voltou e conduziu-o a uma pequena sala bastante escura e sumariamente mobiliada, onde dois retratos, do professor Valérius e do pai Daaé, estavam pendurados um de frente para o outro.

– A senhora pede desculpas ao visconde – disse a serviçal –, pois só pode recebê-lo em seu quarto, já que suas pobres pernas não a sustentam mais.

Cinco minutos depois, Raoul foi levado a um quarto quase obscuro, onde imediatamente distinguiu, na penumbra de uma alcova, a boa figura da benfeitora de Christine. Agora, os cabelos da senhora Valérius estavam completamente brancos, mas seus olhos não tinham envelhecido; pelo contrário, o seu olhar nunca tinha sido tão claro, nem tão puro, nem tão infantil.

– Senhor de Chagny! – ela disse alegremente, estendendo as duas mãos ao visitante. – Ah! Foi o céu que o enviou para que possamos falar sobre ela!

Esta última frase soou nos ouvidos do jovem muito tristemente. Ele logo perguntou:

– Minha senhora, onde está Christine?

E a velha senhora lhe respondeu calmamente:

– Bem, ela está com seu "bom gênio"!

– Que bom gênio? – questionou o pobre Raoul.

– Ora, o Anjo da Música!

O visconde de Chagny, consternado, desabou sobre uma cadeira. Então Christine estava mesmo com o Anjo da Música! A senhora Valérius, em sua cama, sorriu-lhe colocando um dedo em sua boca, para recomendar silêncio. E acrescentou:

– Não conte isso a ninguém!

– A senhora pode confiar em mim! – Raoul respondeu sem saber direito o que estava dizendo, porque suas ideias sobre Christine, já muito perturbadas, estavam se tornando cada vez mais confusas e parecia que tudo estava girando à sua volta, em torno da sala, em torno daquela extraordinária senhora de cabelos brancos e olhos de céu azul pálido, olhos de céu vazio. – A senhora pode confiar em mim.

– Eu sei! Eu sei! – disse ela esboçando um sorriso feliz. – Por favor, aproxime-se de mim, como quando era pequeno. Dê-me suas mãos como quando me contava a história da pequena Lotte que o senhor Daaé havia lhe contado. Eu gosto muito de você, Raoul. E Christine também gosta muito de você!

– Ela gosta de mim… – suspirou o rapaz, que tinha dificuldade em reunir seus pensamentos em torno do gênio da senhora Valérius, do

Anjo de quem Christine tinha falado com tanta estranheza, do crânio que ele havia conhecido em uma espécie de pesadelo sobre os degraus do altar-mor de Perros, e também do Fantasma da Ópera, cuja fama havia chegado aos seus ouvidos em uma noite em que ele tinha permanecido no palco, a dois passos de um grupo de maquinistas que lembravam da descrição cadavérica feita por Joseph Buquet pouco antes de sua misteriosa morte por enforcamento.

Ele perguntou em voz baixa:

– O que a faz pensar que Christine gosta de mim, senhora?

– Ela fala do senhor todos os dias!

– É verdade? E o que ela diz?

– Ela me contou que o senhor se declarou para ela!

E a boa velha se pôs a rir em voz alta, mostrando todos os dentes que ela tinha ciosamente preservado. Raoul se levantou, com o rosto corado, sofrendo terrivelmente.

– Mas, aonde o senhor vai? Por favor, sente-se! O senhor pensa que vai me abandonar assim? Ficou zangado porque eu ri, peço desculpas. No fim das contas, não foi culpa sua o que aconteceu. O senhor não sabia, ainda é jovem e pensava que Christine estivesse livre...

– Christine está comprometida? – perguntou o infeliz Raoul com a voz engasgada.

– É claro que não! Ora, não! O senhor sabe que Christine não pode se casar, ainda que assim o deseje!

– O quê?! Mas eu não sei de nada! E por que Christine não pode se casar?

– Ora, por causa do gênio da música!

– Ainda ele...

– Sim, ele a proibiu!

– Proibiu?! O gênio da música a proibiu de se casar! – Raoul então inclinou-se sobre a senhora Valérius com a mandíbula entreaberta, como se fosse mordê-la. Se quisesse devorá-la, não a teria olhado com olhos mais ferozes. Há momentos em que a grande inocência parece tão monstruosa que se torna odiosa. Raoul achava a senhora Valérius demasiado inocente.

Ela não percebeu o olhar pavoroso que a fixava e prosseguiu com naturalidade:

– Ah! Ele a proíbe sem proibir. Ele simplesmente diz a ela que, se ela se casar, nunca mais irá ouvi-lo! É isso! E que ele irá embora para sempre! Então, o senhor compreende, ela não quer deixar o gênio da música partir. É natural.

– Sim, sim – fez Raoul, conformado, com um suspiro –, é natural.

– Além disso, pensei que Christine lhe havia contado toda essa história quando o encontrou em Perros, aonde foi com o seu "bom gênio".

– Ah! Ah! Ela foi a Perros com o "bom gênio"?

– Na verdade, ele marcou um encontro com ela no cemitério de Perros, sobre a tumba do senhor Daaé! Ele prometeu tocar a "Ressurreição de Lázaro" no violino de seu pai!

Raoul de Chagny levantou-se e proferiu estas palavras finais com grande autoridade:

– Senhora, por favor, diga-me onde vive esse gênio!

A velha senhora não parecia surpresa com a pergunta indiscreta. Ela olhou para cima e disse:

– No céu!

Tanta franqueza o desconcertou. Uma fé tão simples e perfeita em um gênio que todas as noites, desce do céu para frequentar os camarins dos artistas na Ópera deixou-o pasmo.

Agora ele se dava conta do estado emocional em que uma jovem poderia se encontrar tendo sido criada por um violinista supersticioso e por uma boa senhora "iluminada", e estremeceu ao pensar nas consequências de tudo isso.

– Christine ainda é casta? – ele não pôde deixar de perguntar.

– Pelo meu lugar no céu, juro que sim! – exclamou a senhora que, desta vez, parecia chocada. – E se duvida disso, senhor, não sei o que veio fazer aqui!

Raoul tirou suas luvas.

– Há quanto tempo ela conhece esse "gênio"?

– Há cerca de três meses! Sim, faz três meses que ele começou a lhe dar aulas!

O visconde abriu os braços em um gesto desesperado e deixou-os cair com grande arrebatamento.

– O gênio lhe dá aulas! Onde?

– Agora que ela partiu com ele, não sei dizer, mas há duas semanas, as aulas aconteciam no camarim de Christine. Aqui, neste pequeno apartamento, seria impossível. Toda a casa os ouviria. Já na Ópera, às oito da manhã, não há ninguém. Ninguém os incomoda! O senhor entende?

– Eu entendo! Eu entendo! – exclamou o visconde, e apressadamente se despediu da velha senhora, que se perguntava se ele não estaria um pouco louco.

Ao atravessar a sala, Raoul viu-se de frente com a serviçal e, por um momento, considerou interrogá-la, mas pensou ter surpreendido em seus lábios um ligeiro sorriso e que ela estava gozando dele, e partiu. Afinal, ele já não sabia o suficiente? O que mais poderia querer saber?

Raoul voltou para a casa do irmão a pé, em um estado lamentável. Desejou se autoflagelar, bater a cabeça contra a parede! Acreditar em tanta inocência, em tanta pureza! Havia tentado, por um momento, explicar tudo com a ingenuidade, com a simplicidade da mente, com uma imaculada candura! O gênio da música! Ele o conhecia agora! Era capaz de vê-lo! Já não havia dúvidas de que era um sofrível tenor, um garoto bonito, que cantava cheio de trejeitos! Raoul se sentia ridículo e infeliz! "Ah! o miserável, pequeno, insignificante e tolo jovem visconde de Chagny!", pensou furioso. E ela, que criatura ousada e satanicamente hipócrita!

Ainda assim, aquela caminhada pelas ruas lhe fez bem, pois refrescou um pouco o fervor do seu cérebro. Quando entrou no quarto, só conseguia pensar em atirar-se na cama para sufocar os soluços. Mas seu irmão estava lá e Raoul deixou-se cair em seus braços, como um bebê. O conde, paternalmente, consolou-o sem pedir qualquer explicação; além disso, Raoul teria hesitado em lhe contar a história do gênio da música.

Se há coisas de que não nos gabamos, há outras cuja humilhação é demasiado grande para nos queixarmos.

O conde levou seu irmão para jantar no cabaré. Com o desespero tão fresco, é provável que Raoul tivesse declinado qualquer convite se, para convencê-lo, o conde não lhe tivesse contado que, na noite anterior, em um caminho do bosque, a senhora de seus pensamentos tinha sido vista em galante companhia. No início, o visconde não quis acreditar, mas lhe foram dados detalhes tão precisos que ele não mais protestou. Então, não se tratava de uma aventura banal? Ela foi vista em um cupê com a janela aberta. Parecia aspirar profundamente o ar frio da linda noite de luar. Christine fora perfeitamente reconhecida. Quanto a seu companheiro, apenas uma vaga silhueta tinha sido percebida nas sombras. O carro seguia "no ritmo" por uma alameda deserta, atrás das tribunas de Longchamp.

Raoul se vestiu freneticamente, pronto para esquecer sua angústia e se lançar, como dizem, no "turbilhão do prazer". Lamentavelmente, ele foi um triste conviva naquela noite, e tendo deixado o conde mais cedo, viu-se, perto das dez horas da noite, em um carro de aluguel, atrás das tribunas de Longchamp.

Fazia muito frio. A estrada estava deserta e bastante iluminada sob a lua. Ele ordenou ao cocheiro que aguardasse pacientemente no canto de um pequeno caminho adjacente e, escondendo-se tanto quanto possível, esperou, aflito.

Não tinha nem meia hora que ele estava envolvido naquela empreitada quando um carro, vindo de Paris, virou a esquina e seguiu adiante calmamente, no ritmo de seu cavalo.

Ele logo pensou: "É ela!" e o seu coração começou a bater disparado, com batidas que já tinha ouvido no peito quando identificou a voz de um homem atrás da porta do camarim. Meu Deus, como ele a amava!

O carro seguiu seu caminho. Já Raoul não se movia, apenas esperava! Se fosse ela de fato, estava determinado a saltar sobre a cabeça dos cavalos! A todo custo, ele queria uma explicação sobre o Anjo da Música!

Mais alguns passos e o cupê estaria ao seu lado. Não tinha dúvidas de que era ela. Uma mulher encostou a cabeça à janela.

E de repente a lua a iluminou com uma auréola pálida. "Christine!"

O nome sagrado do seu amor brotou dos seus lábios e do seu coração. Ele não aguentou! Tentou se conter, pois aquele nome lançado na calada da noite tinha sido o sinal esperado pelo cocheiro, que passou diante dele sem que Raoul tivesse tempo para executar seu plano de saltar sobre os cavalos. O vidro da portinhola foi levantado. A figura da jovem tinha desaparecido e o cupê, atrás do qual ele corria, já não era mais que um ponto negro sobre a estrada branca.

Ele chamou outra vez: "Christine!", mas ninguém respondeu. Ao seu redor, só havia silêncio. Lançou um olhar desesperado para o céu, para as estrelas; bateu com força em seu peito em chamas; ele amava e não era amado!

Com o olhar triste, olhou para a estrada desolada e fria, para a noite pálida e morta. Nada era mais frio, nada mais morto do que o seu coração: ele tinha amado um anjo e agora desprezava uma mulher!

Raoul, como ela enganou você, a pequena fada do Norte! Não é verdade, não é verdade que é inútil ter uma face tão fresca, uma expressão tão tímida e sempre pronta para se cobrir com o véu rosa do pudor, para passear na noite solitária, no fundo de um cupê de luxo, na companhia de um amante misterioso? Não é verdade que deveriam existir limites sagrados à hipocrisia e à mentira? E que não se deveria ter os olhos claros da infância quando se tem a alma das cortesãs?

Ela passou sem responder ao seu chamado. Aliás, por que ele tinha vindo por aquele caminho? Que direito tinha ele de se impor diante dela, que só lhe pedia para esquecê-lo, criticando sua presença?

"Vá embora! Desapareça! Você não significa nada!"

Ele pensava em morrer e tinha apenas vinte anos! Seu criado o surpreendeu, de manhã, sentado em sua cama. Ele não tinha se despido e o criado teve medo de que algum infortúnio tivesse acontecido quando o viu, de tanto que sua aparência era desastrosa. Raoul arrancou de suas mãos a correspondência que ele trazia. Ele reconheceu uma carta, um pedaço de papel, uma letra. Christine dizia:

Meu amigo, depois de amanhã, esteja no baile de máscaras da Ópera, à meia-noite, no pequeno salão atrás da chaminé do grand foyer. *Fique junto à porta que leva à rotunda. Não conte a ninguém sobre esse encontro. Vista-se de dominó branco, bem disfarçado. Pela minha vida, que ninguém o reconheça.*

Christine.

O baile de máscaras

O envelope, cheio de lama, não tinha selo. "Para o visconde Raoul de Chagny, em mãos" e o endereço fora escrito a lápis. O bilhete tinha certamente sido jogado na esperança de que um transeunte o encontrasse e entregasse ao destinatário; o que de fato aconteceu. O bilhete foi encontrado em uma calçada na praça da Ópera. Raoul o releu febrilmente.

Não era preciso mais do que isso para que sua esperança renascesse. A imagem sombria que acabara de fazer sobre uma Christine negligente consigo mesma dava lugar à primeira imaginação que ele tinha de uma infeliz criança inocente, vítima da imprudência de sua grande sensibilidade. Até que ponto, a essa altura, ela ainda era de fato uma vítima? De quem era ela prisioneira? Em que abismo ela estava sendo arrastada? Raoul se fazia essas perguntas com uma angústia cruel; mas essa dor lhe parecia suportável se comparada ao delírio que o dominava ao imaginar uma Christine hipócrita e mentirosa! O que teria acontecido? Quem a influenciava? Que monstro a hipnotizava, e com que armas?

Com quais outras armas se não as da música? Sim, sim, quanto mais ele pensava nisso, mais ele se convencia de que era por esse caminho que descobriria a verdade. Teria então esquecido do tom em que, em Perros, ela lhe disse que tinha recebido a visita do enviado celestial? E a própria história de Christine, nos últimos tempos, não deveria ajudá-lo a clarear a escuridão em que se debatia? Teria ele ignorado o desespero que tomou conta dela após a morte de seu pai e o desgosto que ela tivera por todas as coisas da vida, até mesmo por sua arte? Ela tinha passado pelo Conservatório como uma pobre máquina cantante, sem alma. E de repente acordou, como se recebesse o sopro de uma intervenção divina. O Anjo da Música tinha vindo! Ela cantou Marguerite, de *Fausto*, e triunfou! O Anjo da Música! Quem, então, se fazia passar por esse gênio maravilhoso? Quem, tendo sido informado sobre a lenda tão querida do velho Daaé, usava-a a ponto de fazer da jovem não mais do que um instrumento inofensivo em suas mãos, que ele fazia ressoar a seu bel prazer?

Raoul pensava que tal aventura não era assim tão excepcional. Lembrou-se do que tinha acontecido à princesa Belmonte, que, ao perder o marido, foi tomada por tamanho desespero que caiu em um estado de estupor. Durante um mês, a princesa não conseguia falar nem chorar. Essa inércia física e moral se agravava a cada dia e o enfraquecimento da razão a levou a aniquilar sua vida. A mulher doente era levada todas as noites para os seus jardins; mas parecia nem entender onde estava. Raff, o maior cantor da Alemanha, que passava por Nápoles, quis visitar esses jardins, conhecidos por sua beleza. Uma das governantas da princesa pediu ao grande artista que cantasse, sem se mostrar, perto do bosque onde ela estava deitada. Raff consentiu e cantou uma ária simples que a princesa tinha ouvido na boca de seu marido na noite de núpcias. Aquela ária era expressiva e comovente. A melodia, as palavras, a voz admirável do artista, tudo se combinava para agitar profundamente a alma da princesa. As lágrimas jorraram de seus olhos. Ela chorou, foi salva e se convenceu de que seu marido, naquela noite, tinha descido do céu para lhe cantar a ária de antigamente!

"Sim, aquela noite! Uma noite", pensou Raoul, "uma única noite. Mas essa bela imaginação não se sustentaria diante de uma experiência repetida..."

Ela teria descoberto Raff, atrás de seu bosque, a princesa ideal e dolente de Belmonte, se tivesse retornado lá todas as noites, durante três meses.

O Anjo da Música, durante três meses, havia dado aulas a Christine. Ah! Ele era um professor pontual! E agora, ele a levava para passear no bosque!

Os dedos agitados de Raoul deslizaram pelo peito, onde batia um coração enciumado, e rasgaram sua pele. Inexperiente, ele agora se perguntava, aterrorizado, para que novo jogo a jovem o convidava durante o baile de máscaras? E até que ponto uma garota da Ópera podia gozar de um jovem bom e inexperiente em matéria de amor? Que infelicidade!

O pensamento de Raoul ia aos extremos. Ele já não sabia se devia ter pena de Christine ou amaldiçoá-la e, alternadamente, sofria por ela e a amaldiçoava. Mas, na dúvida, providenciou uma fantasia de dominó branco.

Finalmente, a hora do encontro chegou. Com o rosto escondido sob uma máscara coberta com uma renda comprida e grossa, todo vestido de branco e emperiquitado, o visconde se sentia ridículo por ter que usar aquele traje de mascaradas românticas. Um homem da alta sociedade não se fantasiava para ir ao baile da Ópera. Era hilário. Um pensamento consolou o visconde: era certo que não o reconheceriam! Além disso, o traje e a máscara tinham outra vantagem: Raoul poderia passear pelo salão "como se estivesse em casa", sozinho, acompanhado apenas do desânimo de sua alma e da tristeza de seu coração. Ele não precisaria fingir; seria inútil ter de criar uma máscara para o seu rosto: ele a tinha!

O baile era uma festa excepcional, oferecida antes do carnaval, em honra do aniversário de um ilustre caricaturista dos velhos tempos, de um ás de Gavarni cujo lápis imortalizou os foliões e a descida festiva da Courtille[13]. Tinha um ar muito mais alegre, barulhento e boêmio do que os outros bailes de máscaras. Muitos artistas se encontravam lá, acompanhados por uma clientela de modelos e jovens pintores que, por volta da meia-noite, começavam a fazer um grande alarido.

Raoul subiu a grande escadaria às onze horas e cinquenta e cinco minutos, e não parou para admirar em torno de si o espetáculo de trajes

13 Festa carnavalesca do século XIX que acontecia fora dos grandes salões, nos arrabaldes de Paris, e que contava com a presença da camada mais popular da sociedade da época. (N.T.)

multicoloridos que tomava todos os degraus de mármore de um dos mais suntuosos cenários do mundo, nem se deixou seduzir por qualquer máscara jocosa, não respondeu a qualquer brincadeira, e ignorou a familiaridade de vários casais que já estavam muito alegres. Tendo atravessado o grande *foyer* e escapado de uma farândola[14] que, por um momento, o tinha cercado, ele finalmente chegou ao salão que o bilhete de Christine indicava. Ali, naquele pequeno espaço, havia uma multidão, pois aquele era o cruzamento por onde passavam todos os que iam jantar na rotunda e os que voltavam com suas taças de champanhe. O tumulto era acalorado e alegre. Raoul pensou que Christine preferia, para aquele misterioso encontro, a multidão a algum lugar isolado: ali estariam mais bem escondidos sob as máscaras.

Ele encostou à porta e esperou. Não por muito tempo. Logo um dominó preto passou e lhe cerrou a mão com a ponta dos dedos. Ele compreendeu que era ela.

Seguiu-a.

– É você, Christine? – ele sussurrou.

O dominó virou-se e levou o dedo à altura dos lábios para recomendar que ele não repetisse mais seu nome. Raoul continuou a segui-la em silêncio.

Ele tinha medo de perdê-la depois de a reencontrar de uma forma tão estranha. Já não sentia ódio por ela nem duvidava mais que ela "não tinha nada para censurar", tão bizarra e inexplicável parecia sua conduta. Ele estava pronto a todas as indulgências, todos os perdões, todas as covardias. Amava-a. E, certamente, ela iria explicar muito em breve a razão de uma ausência tão singular.

De tempos em tempos, o dominó preto se virava para se assegurar de que ainda era seguido pelo dominó branco.

Como Raoul atravessava novamente o grande *foyer*, atrás de seu guia, não pôde deixar de notar, entre todas as multidões, uma multidão; entre todos os grupos fazendo as mais loucas extravagâncias, um grupo

14 Dança da Provença, no sul da França, na qual as pessoas, aos pares, de mãos dadas e enfileiradas, movimentam-se alegremente. (N.T.)

que se amontoava em torno de um personagem cuja fantasia, aparência original e aspecto macabro causavam um enorme *frisson*.

Esse personagem estava todo vestido de escarlate e usava um enorme chapéu de penas sobre uma caveira. Ah! Aquela era uma bela imitação de caveira! Os jovens pintores à sua volta faziam dele um grande sucesso, felicitavam-no, perguntavam que grande artista, de que ateliê frequentado por Plutão, tinha feito, desenhado e maquiado tão bela caveira! A própria Morte devia ter posado para aquela criação.

O homem com a caveira, o chapéu de penas e a veste escarlate portava um imenso casaco de veludo vermelho cuja cauda se estendia soberana pelo chão; e sobre o casaco, havia uma frase bordada em letras de ouro, que todos liam e repetiam em voz alta: "Não me toque! Eu sou a Morte Vermelha que passa!".

Alguém tentou tocá-lo, mas uma mão de esqueleto, saindo de uma manga púrpura, de repente agarrou o pulso do imprudente e este, tendo sentido o aperto dos ossos, o abraço furioso da Morte que parecia que nunca mais o deixaria, soltou um grito de dor e horror. Quando finalmente a Morte Vermelha o libertou, ele fugiu como um louco no meio da zombaria. Foi então que Raoul cruzou com o fúnebre personagem, que acabava de se virar em sua direção. E ele quase deixou escapar um grito: "A caveira de Perros-Guirec!". Ele a reconheceu! "Vou segui-la!"; e já ia se esquecendo de Christine, mas o dominó preto, que parecia também estar à mercê de uma estranha emoção, segurou-lhe pelo braço e o conduziu. Conduziu-o para longe do *foyer*, distante daquela multidão demoníaca por onde passava a Morte Vermelha.

O dominó preto se virava a todo instante, e pareceu que, por duas vezes, viu algo que o assustou, pois apressou seu passo e o de Raoul como se estivessem sendo perseguidos.

Subiram dois andares. Ali, as escadas e os corredores estavam praticamente desertos. O dominó preto empurrou a porta de um camarim e sinalizou para que o dominó branco entrasse atrás dele. Christine (porque era ela, ele pôde reconhecer sua voz) imediatamente fechou a porta do camarim, sussurrando que ele ficasse nos fundos do camarim e não se mostrasse. Raoul tirou a máscara. Christine permaneceu com a sua.

E quando o jovem ia pedir à cantora para se livrar da sua, ficou bastante surpreso ao vê-la colada contra a parede, ouvindo atentamente o que estava acontecendo no camarim ao lado. Em seguida, ela abriu a porta e olhou para o corredor, sussurrando:

– Ele deve ter subido no camarim dos Cegos. – De repente, ela gritou: – Ele está descendo!

Ela quis fechar a porta, mas Raoul a impediu, pois tinha visto no degrau mais alto das escadas, que dava para o andar superior, um pé vermelho, depois outro, e lentamente, majestosamente, descer toda a vestimenta escarlate da Morte Vermelha. E voltou a ver a caveira de Perros-Guirec.

– É ele! – exclamou. – Desta vez, ele não vai escapar!

Mas Christine fechou a porta no momento que Raoul ia sair. Ele tentou afastá-la do seu caminho.

– Quem, ele? – ela perguntou com uma voz completamente diferente. – Quem não vai escapar?

Raoul tentou, brutalmente, superar a resistência da jovem, mas ela o empurrou com uma força inesperada. Ele compreendeu, ou pensou que compreendia, e ficou imediatamente furioso.

– Quem seria? – ele perguntou com raiva. – Ora, ele! O homem que se esconde debaixo dessa horrível imagem fúnebre! O gênio do mal do cemitério de Perros! A Morte Vermelha! Enfim, o seu amigo, madame, o seu Anjo da Música! Mas arrancarei a máscara de seu rosto, como arranquei a minha, e nos olharemos cara a cara desta vez, sem véu e sem mentira, e finalmente conhecerei quem a ama e quem você ama!

Ele desabou a rir insensatamente, enquanto Christine, atrás de sua máscara, emitia um gemido doloroso.

Ela abriu tragicamente os dois braços, que fizeram uma barreira de carne branca sobre a porta.

– Em nome do nosso amor, Raoul, você não vai passar!

Ele parou. O que é que ela havia dito? Em nome do nosso amor? Mas nunca, nunca antes ela lhe tinha dito que o amava. No entanto, ela tivera muitas oportunidades! Ela já o tinha visto infeliz o suficiente, aos prantos diante dela, implorando uma boa palavra de esperança que nunca veio! Ela o viu doente, quase morto de terror e de frio depois da noite no cemitério Perros! Tinha ela ficado ao seu lado no momento que ele mais precisou dos seus cuidados? Não! Ela fugiu! E agora dizia que o amava! Ela falava "em nome do nosso amor". Ora, vamos! Ela não tinha outro propósito senão o atrasar por alguns segundos. Para dar tempo de a Morte Vermelha escapar. Nosso amor? Ela estava mentindo!

E ele disse isso a ela, num tom de ódio infantil.

– Você está mentindo, senhorita! Você não me ama e jamais me amou! Só um pobre e infeliz jovem como eu para se deixar enganar, para ser ludibriado como eu fui! Por que, então, por sua atitude, pela alegria do seu olhar, por seu silêncio até, permitiu-me criar toda aquela esperança no momento de nosso primeiro encontro em Perros? Todas aquelas honestas esperanças, madame, porque sou um homem honesto e pensei que fosse uma mulher honesta, quando tudo o que tinha em mente era gozar de mim! Que lamentável! Você tripudiou de todo mundo! Abusou vergonhosamente do coração sincero da sua própria benfeitora, que, no entanto, continua a acreditar na sua sinceridade enquanto você passeia pelo baile da Ópera com a Morte Vermelha! Eu a desprezo!

E começou a chorar. Ela deixou que ele a insultasse. Só conseguia pensar em segurá-lo.

– Um dia você vai me pedir perdão por todas essas terríveis palavras, Raoul, e eu o perdoarei!

Ele balançou a cabeça.

– Não! Não! Você me enlouqueceu! Quando eu penso que só tinha um objetivo na vida: dar o meu nome a uma garota da Ópera!

– Raoul! Seu infeliz!

– Eu morreria de vergonha!

– Então viva, meu amigo! – disse Christine, com a voz grave e alterada. – E adeus!

– Adeus, Christine!

– Adeus, Raoul!

O jovem avançou com um passo vacilante e se atreveu a pronunciar mais um sarcasmo:

– Ah! Por favor, permita-me vir aplaudi-la de vez em quando.

– Não cantarei mais, Raoul!

– Realmente – ele acrescentou com ainda mais ironia –, você conseguiu ter bastante tempo livre, meus parabéns! Mas nos veremos no bosque uma noite dessas!

– Nem no bosque, nem em qualquer outro lugar, Raoul, você não me verá mais.

– Pode-se ao menos saber a que escuridão você regressará? Para que inferno irá voltar, misteriosa dama? Ou para que paraíso?

– Vim aqui para lhe dizer isso, meu amigo, mas não posso dizer mais nada. Você não acreditaria em mim! Você perdeu a confiança em mim, Raoul, acabou!

Ela disse esse "acabou!" em um tom tão desesperado que o jovem estremeceu e começou a sentir remorso por sua crueldade.

– Mas enfim! – ele gritou. – Você vai dizer o que tudo isso significa? Você é livre, desimpedida. Você passeia pela cidade, veste-se de dominó para caminhar pelo baile. Por que não volta para casa? O que tem feito há quinze dias? Que história é essa do Anjo da Música que você contou à senhora Valérius? Alguém pode tê-la enganado, abusado da sua credulidade. Eu mesmo o testemunhei em Perros. Mas agora você já sabe em que acreditar! Você me parece muito sensata, Christine, sabe o que faz! No entanto, a senhora Valérius continua à sua espera, invocando o seu "bom gênio"! Explique-se, Christine, eu suplico! Outros podem ser enganados! Que comédia é essa?

Christine tirou a máscara e respondeu:

– Isso é uma tragédia, meu amigo!

Raoul então viu seu rosto e não conseguiu conter uma exclamação de surpresa e medo. As cores suaves do passado tinham desaparecido. Uma palidez mortal se espalhava por aqueles traços que ele lembrava serem tão charmosos e doces, reflexos de sua graça pacífica e de sua consciência incontestável. Como estavam atormentados agora! O sulco da dor os havia impiedosamente marcado, e os belos olhos claros de Christine, outrora límpidos como os lagos que eram a íris da pequena

Lotte, surgiam naquela noite com uma profundeza obscura, misteriosa e insondável, cercada por uma sombra assustadoramente triste.

– Minha amiga! Minha amiga! – gemeu estendendo os braços. – Você prometeu que me perdoaria!

– Talvez! Talvez um dia – ela disse enquanto vestia sua máscara, e foi embora proibindo-o de segui-la com um gesto de rejeição.

Raoul tentou ir atrás dela, mas ela se voltou e repetiu com autoridade soberana o seu gesto de adeus, e ele não se atreveu a dar um passo, apenas a observou se distanciar. Então, desceu em meio à multidão, sem saber exatamente o que estava fazendo, as têmporas latejando, o coração dilacerado, e perguntou às pessoas do salão que ele atravessava se alguém tinha visto a Morte Vermelha. Ao que as pessoas questionavam: "Quem é Morte Vermelha?". Ele respondia: "É um homem fantasiado com um crânio e um grande casaco vermelho". Todos respondiam que a Morte Vermelha tinha acabado de passar arrastando seu casaco real, mas ele não a encontrou em lugar nenhum. Por volta das duas horas da manhã, voltou para o corredor que, por trás do palco, o conduziria ao camarim de Christine Daaé.

Seus passos o levaram de volta àquele lugar onde havia começado seu sofrimento. Ele bateu à porta. Ninguém respondeu. Adentrou como tinha feito quando procurava a voz do homem por toda parte. O camarim estava deserto. Uma lamparina acesa oferecia uma luz mínima. Sobre uma escrivaninha, havia um papel de carta. Ele pensou em escrever para Christine, mas ouviu passos no corredor e só teve tempo de se esconder no vestiário que era separado do camarim por uma simples cortina. Uma mão empurrou a porta do camarim. Era Christine!

Ele susteve a respiração. Queria ver! Queria saber! Algo lhe dizia que ele iria testemunhar uma parte do mistério e que talvez começaria a compreender alguma coisa.

Christine entrou, tirou a máscara em um gesto fatigado e atirou-a sobre a mesa. Ela suspirou e deixou cair sua linda cabeça entre as mãos. Em que pensava? Em Raoul? Não! Pois Raoul a ouviu murmurar: "Pobre Erik!".

Primeiro, pensou que tinha ouvido mal. Estava convencido de que se ela tinha pena de alguém, era dele, Raoul. O que poderia ser mais natural, depois do que aconteceu entre eles, do que ela dizer com um suspiro: "Pobre Raoul!". Mas ela abanou a cabeça e repetiu: "Pobre Erik!". O que esse Erik fazia nos suspiros de Christine e por que a pequena fada do Norte tinha pena de Erik quando Raoul estava tão infeliz?

Christine começou a escrever calma, tranquila e tão pacificamente que Raoul, que ainda tremia com o drama que os separava, ficou singular e irritantemente impressionado. "Que sangue frio!", pensou. Ela escreveu, preenchendo duas, três, quatro folhas. De repente, levantou a cabeça e escondeu as folhas em seu corpete. Ela parecia ouvir. Raoul também ouviu. De onde vinha aquele som estranho, aquele ritmo distante? Um canto surdo que parecia sair das paredes. Sim, parecia que as paredes estavam cantando! A canção tornou-se mais clara, a letra soava mais inteligível, era possível distinguir uma voz, uma voz muito bonita, doce e cativante. Mas tanta doçura ainda era muito grave e assim era possível julgar que aquela voz não pertencia a uma mulher. A voz continuava se aproximando, ultrapassou a parede, chegou e agora estava na sala, de frente para Christine. Christine se levantou e falou com a voz como se falasse com alguém ao seu lado.

– Aqui estou, Erik – disse ela –, estou pronta. Você que está atrasado, meu amigo.

Raoul, que observava prudentemente atrás da cortina, não podia acreditar em seus olhos, que não lhe mostravam nada.

A fisionomia de Christine se iluminou. Um belo sorriso veio repousar em seus lábios pálidos, um sorriso como os convalescentes têm quando começam a acreditar que o mal que os atingiu não os levará.

A voz sem corpo voltou a cantar e, certamente, Raoul ainda não tinha ouvido nada semelhante no mundo: uma voz que unia, ao mesmo tempo, com o mesmo fôlego, as notas extremas, a mais ampla e heroicamente suave, a mais vitoriosamente insidiosa, a mais delicada na força e mais forte na delicadeza, enfim, a mais irresistivelmente triunfante voz. Havia nela trinados definitivos que cantavam soberanos e que certamente, em virtude da sua audição, davam origem a trinados elevados demais para os mortais que sentem, amam e traduzem a música. Havia uma calma e pura fonte de harmonia na qual os fiéis podiam beber devotamente, certos de que bebiam nela a graça musical. E sua arte, de repente, tendo tocado o divino, foi transfigurada. Raoul ouvia aquela voz com entusiasmo e começava a entender como Christine Daaé havia aparecido naquela noite diante do público estupefato, com trinados de uma beleza desconhecida, de exaltação sobre-humana, sem dúvida sob a influência do mestre misterioso e invisível! E compreendia mais ainda aquele prodígio ao escutar a voz excepcional que não cantava nada de excepcional: ela transformava barro em ouro. A banalidade e simplicidade do verso e a quase vulgaridade popular da melodia pareciam transformadas em beleza por um sopro que as elevava e transportava para o céu sobre as asas da paixão, pois aquela voz angelical glorificava um hino pagão.

A voz cantava "A noite do himeneu", de *Romeu e Julieta*.

Raoul viu Christine estender os braços na direção da voz, como fizera no cemitério de Perros na direção do violino invisível que tocava a "Ressurreição de Lázaro".

Nada poderia descrever a paixão com que a voz disse:

– O destino une você a mim, sem volta!

Raoul sentiu o coração ser transpassado e, lutando contra o encanto que parecia lhe tirar qualquer vontade e energia, e quase toda a lucidez no momento que mais precisava dela, conseguiu puxar a cortina que o escondia e caminhou em direção a Christine. Ela, que estava virada para a parte de trás do camarim, quase toda ocupada por um grande espelho que refletia sua imagem, não podia vê-lo, pois ele estava exatamente atrás dela, completamente encoberto por seu corpo.

– O destino une você a mim, sem volta!

Christine caminhava em direção a sua imagem, que por sua vez avançava na direção dela. As duas Christines, o corpo e a imagem, acabaram por se tocar, fundindo-se, e Raoul estendeu o braço para alcançá-las. Mas, por uma espécie de milagre deslumbrante que o fez tropeçar, Raoul foi de repente jogado para trás enquanto um vento gelado lhe atingia o rosto; ele viu não mais duas, mas quatro, oito, vinte

Christines que rodavam em torno dele com leveza, zombavam, e que tão rapidamente fugiam que sua mão não pôde tocar nenhuma delas. Depois, tudo voltou a ficar imóvel e ele viu a si mesmo no espelho. Mas Christine tinha desaparecido.

Ele se precipitou sobre o espelho. Chocou-se com a parede. Ninguém! No entanto, o camarim ainda ressoava um ritmo distante, apaixonado:

– O destino une você a mim, sem volta!

Suas mãos pressionaram a testa suada, apalparam a carne acordada, tatearam a penumbra, aumentaram ao máximo a chama da lamparina. Ele tinha certeza de que não estava sonhando. Encontrava-se no meio de um jogo formidável, físico e moral, do qual ele não tinha chave e que talvez o esmagasse. Sentia-se como um príncipe aventureiro que atravessava o limite proibido de um conto de fadas e que não devia mais se surpreender por ser a presa dos fenômenos mágicos que, insensatamente, enfrentava e encolerizava por amor.

Para que lado? Para onde Christine havia partido? Por onde voltaria? Voltaria? Ai de mim! Ela não lhe disse que estava tudo acabado? E a parede não repetiu: o destino une você a mim sem volta? A mim? A quem?

Então, exausto, derrotado, com o pensamento confuso, ele se sentou no mesmo lugar que Christine ocupava há pouco. Como ela, ele deixou a cabeça cair entre as mãos. Quando a levantou, lágrimas abundantes escorriam por seu rosto jovem, lágrimas verdadeiras e pesadas como as das crianças ciumentas, lágrimas que choravam sobre um infortúnio nada fantástico, mas comum a todos os amantes da Terra. E ele então perguntou em voz alta:

– Quem é esse Erik?

É preciso esquecer o nome da "voz do homem"

No dia seguinte ao desaparecimento de Christine diante de seus olhos, em uma espécie de deslumbramento que ainda o fazia duvidar de seus sentidos, o senhor visconde de Chagny foi buscar por notícias na casa da senhora Valérius e se deparou com uma cena das mais tocantes.

Na cabeceira da velha senhora, que estava sentada na cama a tricotar, Christine tecia uma renda. Nunca o ovalado de um rosto tinha sido tão encantador, nunca um rosto mais puro e um olhar mais doce havia se debruçado sobre uma moça virgem. Cores frescas tinham voltado para as bochechas da jovem. As olheiras azuladas sob seus olhos claros tinham desaparecido. Raoul já não reconhecia o rosto trágico da véspera. Se o véu da melancolia espalhado por aqueles adoráveis traços não fosse visível ao jovem como o último vestígio do drama inaudito em que se debatia a misteriosa jovem, poderia pensar que Christine não era a incompreensível heroína.

Ela se levantou diante de sua presença, sem deixar transparecer qualquer emoção, e estendeu-lhe a mão. Mas o espanto de Raoul foi tal que ficou petrificado, aniquilado, sem um gesto, sem uma palavra.

– Ora, senhor de Chagny – exclamou a senhora Valérius –, não conhece mais a nossa Christine!? O seu "bom gênio" a devolveu para nós!

– Mamãe! – interrompeu a jovem em um tom breve, enquanto uma vermelhidão lhe subia até os olhos. – Eu pensei que nunca mais seria necessário falar sobre isso de novo! A senhora sabe muito bem que não há nenhum gênio da música!

– Mas, minha filha, ele lhe deu aulas durante três meses!

– Mãe, prometi que vou explicar tudo um dia, assim espero. Mas, até esse dia, a senhora me prometeu silêncio e nunca mais me interrogar!

– Se você prometesse nunca mais me deixar! Mas acaso me prometeu isso, Christine?

– Mamãe, acho que o senhor de Chagny não está interessado nisso.

– Está enganada, senhorita – interrompeu o jovem com uma voz que queria tornar firme e corajosa, mas que apenas tremia –, tudo o que lhe diz respeito me interessa a tal ponto que a senhorita um dia compreenderá. Não vou esconder que o meu espanto é proporcional à minha alegria em encontrá-la ao lado de sua mãe adotiva, e que o que aconteceu ontem entre nós, o que foi capaz de me dizer, o que pude adivinhar, nada me faria prever um regresso tão rápido. Eu seria o primeiro a festejar se você não insistisse em guardar tudo isso em segredo, o que pode lhe ser fatal. E sou seu amigo há demasiado tempo para não me preocupar, juntamente com a senhora Valérius, com uma funesta aventura que continuará sendo perigosa enquanto não desvendarmos o enredo em que você acabará por ser a vítima, Christine.

Ao ouvir essas palavras, a senhora Valérius se agitou em sua cama.

– O que o senhor está querendo dizer? Christine está em perigo?

– Sim, senhora – declarou Raoul corajosamente, apesar dos sinais de Christine.

– Meu Deus! – exclamou, ofegante, a boa e a ingênua senhora. – Você tem que me contar tudo, Christine! Por que você estava me tranquilizando? E de que tipo de perigo se trata, senhor de Chagny?

– Um impostor está abusando de sua boa-fé!

– O Anjo da Música é um impostor?

– Ela própria lhe disse que não há nenhum Anjo da Música!

– Ora! Mas o que está acontecendo então, pelo amor de Deus? – implorou a senhora indefesa. – Vocês vão me matar!

– Há, minha senhora, à nossa volta, à sua volta, à volta de Christine, um mistério terrestre muito mais temeroso do que todos os fantasmas e todos os gênios!

A senhora Valérius olhou para Christine com uma expressão de pavor, mas esta se precipitou sobre sua mãe adotiva e a abraçou:

– Não acredite nele, minha querida mãe! Não acredite nele! – ela repetia e tentava confortar sua mãe com carícias, pois a velha senhora dava suspiros de cortar o coração.

– Então diga que nunca mais vai me deixar! – implorou a viúva do professor.

Christine se calou e Raoul continuou:

– Você tem que prometer isso, Christine! É a única coisa que poderá nos tranquilizar, a sua mãe e eu! Nós nos comprometemos a não lhe fazer uma única pergunta sobre o passado, se você prometer ficar sob os nossos cuidados de agora em diante.

– Esse é um compromisso que não posso exigir de vocês, e essa é uma promessa que não farei! – pronunciou, orgulhosa, a jovem. – Sou livre para escolher minhas ações, senhor de Chagny; o senhor não tem o direito de controlá-las e peço que não se atreva a fazê-lo. Quanto ao que fiz durante as duas últimas semanas, apenas um homem no mundo teria o direito de exigir que eu lhe contasse: meu marido! Mas não tenho marido, e jamais me casarei!

Dizendo isso com enorme convicção, ela estendeu a mão para Raoul, como se para tornar suas palavras mais solenes, e Raoul ficou pálido, não só por causa das palavras que acabava de ouvir, mas porque vira um anel de ouro no dedo de Christine.

– Você não tem marido, e ainda assim usa uma aliança – ele quis segurar-lhe a mão, mas Christine tirou-a rapidamente.

– É um presente! – ela respondeu, ficando mais corada e esforçando-se em vão para esconder seu embaraço.

– Christine! Se você não tem um marido, esse anel só lhe pode ter sido dado por aquele que espera sê-lo! Por que nos enganar ainda mais?

Por que me tortura tanto? Esse anel é uma promessa e essa promessa foi aceita!

– Foi o que eu lhe disse! – exclamou a velha senhora.

– E o que ela lhe respondeu, minha senhora?

– O que eu quis – disse Christine, exasperada. – Não acha, senhor, que esse interrogatório já dura muito tempo? Quanto a mim…

Raoul, muito emocionado, temia deixá-la pronunciar as palavras de uma ruptura definitiva. Interrompeu-a:

– Desculpe por lhe falar assim, senhorita. Você conhece o sentimento honesto que me faz, neste momento, intrometer-me em coisas que sem dúvida não são da minha conta! Mas permita-me contar o que vi, e vi mais do que imagina, Christine, ou o que eu pensei ter visto, porque, na verdade, em aventuras desse tipo, devemos duvidar até do que os nossos olhos testemunham.

– O que o senhor viu, ou pensa ter visto então?

– Vi seu êxtase ao ouvir aquela voz, Christine! A voz que saía da parede, ou de um camarim, ou de um quarto ao lado. Sim, o seu êxtase! E é isso que me assusta em relação a você! Você está enfeitiçada pelos mais perigosos encantos, e parece, no entanto, que percebeu a fraude, já que disse hoje que não há nenhum gênio da música. Mas então, Christine, por que você o seguiu mais uma vez? Por que se levantou, com um olhar radiante, como se realmente ouvisse os anjos? Ah! Essa voz é muito perigosa, Christine! Eu mesmo, enquanto a ouvia, fiquei tão emocionado que você desapareceu diante dos meus olhos sem que eu pudesse saber para onde tinha ido! Christine! Christine! Em nome do Céu, em nome do seu pai que está no Céu e que a amou tanto, e que me amou, Christine, diga-nos, à sua benfeitora e a mim, a quem pertence essa voz! E, ainda que contra sua vontade, nós a salvaremos! Vamos! Como se chama esse homem, Christine? O homem que teve a audácia de colocar um anel de ouro em seu dedo!

– Senhor de Chagny – declarou friamente a jovem –, o senhor nunca saberá!

A voz amarga da senhora Valérius, que de repente tomou o lado de Christine, foi ouvida, e seus olhos se encheram de hostilidade ao se dirigir ao visconde.

– Se ela ama esse homem, senhor visconde, isso não é da sua conta!

– É lamentável, senhora! – exclamou Raoul humildemente, e não conseguiu conter suas lágrimas. – Ai de mim! Acredito, de fato, que Christine o ama, tudo me prova isso, mas não é só isso que me desespera. O que não tenho certeza, senhora, é se aquele que é amado por Christine é digno de seu amor!

– Isso cabe a mim julgar, meu senhor! – respondeu Christine olhando dentro dos olhos de Raoul e demonstrando sua irritação soberana.

– Quando se usam meios tão excessivamente românticos para seduzir uma jovem – retomou Raoul, que sentiu sua força lhe abandonar –, é preciso que o homem seja miserável, ou que a jovem seja muito tola, não é mesmo?

– Raoul, por que você condena assim um homem que nunca viu, que ninguém conhece e sobre quem você mesmo não sabe nada?

– Sim, Christine. Sim. Eu sei ao menos o nome que você deseja esconder de mim para sempre. O seu Anjo da Música, senhorita, chama-se Erik!

O rosto de Christine imediatamente a denunciou. Desta vez, ficou branco como uma tolha de altar. Ela balbuciou:

– Quem lhe disse isso?

– Você!

– Como assim?

– Quando se lamentava, na outra noite, na noite do baile de máscaras. Quando chegou em seu camarim, não se lembra de dizer: "Pobre Erik!"? Pois é, Christine, havia ali, em algum lugar, um pobre Raoul que lhe ouviu.

– Já é a segunda vez que o senhor ouve atrás das portas, senhor de Chagny!

– Eu não estava atrás da porta! Eu estava no camarim, dentro do seu vestiário, senhorita!

– Infeliz! – balbuciou a jovem, que mostrava todas as marcas de um medo indescritível. – Infeliz! Então quer que o matem?

– Talvez!

Raoul pronunciou esse "talvez" com tanto amor e desespero que Christine não pôde conter um soluço.

Ela então pegou suas mãos e olhou para ele com a mais pura ternura do mundo, e, sob esse olhar, o jovem sentiu que sua dor já estava apaziguada.

– Raoul – disse ela –, você deve esquecer a voz do homem e nem sequer lembrar o seu nome... e nunca mais tentar penetrar no mistério dessa voz.

– O mistério é tão terrível assim?

– Não há nada mais assustador sobre a Terra!

Um silêncio tomou conta dos jovens. Raoul estava arrasado.

– Jure que não fará nada para saber – insistiu ela. – Jure que não voltará ao meu camarim se eu não o convidar.

– Você promete me convidar para vê-la, Christine?

– Prometo.

– Quando?

– Amanhã.

– Então, eu juro!

Essas foram as suas últimas palavras naquele dia.

Ele beijou as mãos de Christine e foi embora amaldiçoando Erik e prometendo ser paciente.

Por cima dos alçapões

No dia seguinte, Raoul voltou a ver Christine na Ópera. Ela ainda usava o anel de ouro no dedo e foi gentil e atenciosa. Perguntou-lhe sobre seus projetos, seu futuro, sua carreira.

Ele contou que a partida da expedição polar tinha sido adiantada e que, em três semanas, ou no máximo um mês, ele deixaria a França.

Ela se esforçou para demonstrar otimismo em relação a essa viagem, dizendo-lhe que era um estágio para sua glória futura. Como ele lhe respondeu que a glória sem amor não tinha a menor graça aos seus olhos, ela o tratou como uma criança cujas tristezas devem ser fugazes.

Ele disse:

– Como você pode, Christine, falar tão levianamente sobre coisas tão sérias? Talvez nunca mais nos vejamos! Posso morrer nessa expedição!

– Eu também – ela respondeu.

Não sorria mais, nem brincava. Parecia que ela estava pensando em algo novo que lhe vinha à cabeça pela primeira vez. Seus olhos brilhavam.

– Em que está pensando, Christine?

– Que não nos veremos mais.

– E é isso que a deixa assim radiante?

– Que, dentro de um mês, teremos de nos despedir… para sempre!

– A menos, Christine, que jurássemos esperar um ao outro para sempre.

Ela tapou a boca dele:

– Cale-se, Raoul! Não se trata disso, você sabe! E nunca nos casaremos! Está combinado!

Ela parecia lutar para conter uma súbita alegria transbordante. Bateu palmas com uma alegria quase infantil. Raoul a olhava inquieto, sem nada compreender.

– Mas, mas… – ela fez novamente, estendendo as duas mãos para o jovem, ou melhor, dando-as a ele, como se de repente tivesse decidido presenteá-lo. – Mas se não podemos casar, podemos… podemos ficar noivos! Ninguém além de nós saberá, Raoul! Outros casamentos secretos já existiram! Deve haver noivados secretos também! Estamos noivos, meu amigo, durante um mês! Dentro de um mês, você vai partir, e eu poderei ser feliz, com a lembrança desse mês, pelo resto da minha vida!

Ela estava radiante com sua ideia. E de repente voltou a ficar séria.

– Essa – disse ela – é uma felicidade que não fará mal a ninguém.

Raoul havia compreendido. Entregou-se imediatamente a essa mesma inspiração. Quis torná-la logo uma realidade. Curvou-se diante de Christine com uma humildade sem precedentes e disse:

– Senhorita, tenho a honra de pedir sua mão!

– Mas o senhor já tem as duas, meu querido noivo! Oh! Raoul, como seremos felizes! Vamos poder brincar de futuro marido e futura esposa!

Raoul pensou: “Deixa estar! Um mês é tempo suficiente para fazê-la esquecer, ou para desvendar e destruir ‘o mistério da voz de homem’, e daqui a um mês, Christine concordará em ser minha mulher. Enquanto isso, brinquemos!”.

Era a brincadeira mais bonita do mundo, e os dois a levaram adiante como duas crianças. Ah! Que coisas maravilhosas eles disseram um ao outro! E quantos juramentos eternos trocaram! A ideia de que não haveria ninguém para quem fazer aqueles juramentos dentro de um mês deixava-os em um transtorno que eles saboreavam com terrível prazer, entre risos e lágrimas. Eles brincavam com o coração como os outros brincam com uma bola; só que, como eram de fato seus dois corações que eles jogavam um para o outro, era necessário que ambos fossem muito, muito hábeis, para recebê-los sem os machucar. Um dia, o oitavo do jogo, o coração de Raoul doeu e o jovem parou o jogo com estas palavras extravagantes: "Não vou mais para o Polo Norte".

Christine, que, em sua inocência, não tinha pensado nessa possibilidade, de repente descobriu o perigo do jogo e se culpou amargamente por isso. Ela não disse uma só palavra a Raoul e foi para casa. Isso aconteceu à tarde, no camarim da cantora, onde ela marcava todos os encontros com ele e onde os dois se divertiam com jantares inventados ao redor de três biscoitos, dois copos de vinho do porto e um buquê de violetas.

À noite, ela não cantou e ele não recebeu a carta habitual, embora eles se tivessem dado permissão para escrever um ao outro durante todos os dias daquele mês. Na manhã seguinte, ele correu para a casa da senhora Valérius, que lhe disse que Christine estava fora por dois dias. Ela havia partido na noite anterior, às cinco horas, dizendo que não voltaria antes de dois dias. Raoul ficou transtornado. Odiava a senhora Valérius por ter lhe dado tal notícia com uma tranquilidade espantosa. Ele tentou "tirar alguma informação a mais", mas, obviamente, a boa senhora não sabia de nada. Ela respondia às perguntas frenéticas do jovem assim:

– É o segredo de Christine!

E erguia o dedo, dizendo isso com um fervor comovente que recomendava discrição e que, ao mesmo tempo, tinha a pretensão de tranquilizá-lo.

– Ah! Muito bem! – Raoul exclamava agressivamente, descendo as escadas como um louco. – Muito bem! As jovens estão bem servidas com essa senhora Valérius!

Onde estaria Christine? Dois dias! Dois dias a menos em sua já curta felicidade! E a culpa era dele! Não estava combinado que ele tinha que partir? E se sua firme intenção era não partir, por que havia falado tão cedo? Repreendeu-se e foi o mais infeliz dos homens durante quarenta e oito horas, quando Christine então reapareceu.

E reapareceu triunfante. Ela finalmente recuperou o sucesso sem precedentes da noite de gala. Desde a aventura do "sapo", Carlotta não teve mais coragem de se apresentar. O terror de um novo *croac* habitava seu coração e privava-a de qualquer ímpeto de coragem; o palco e as testemunhas da sua incompreensível derrota tornaram-se odiosos para ela que havia então encontrado uma forma de romper o contrato. Daaé foi convocada para ocupar momentaneamente o posto que ficara vago e foi recebida com um verdadeiro delírio em *A judia*.

O visconde, presente nessa noite, naturalmente, foi o único a sofrer ouvindo os mil ecos desse novo triunfo, pois viu que Christine ainda usava o seu anel de ouro. Uma voz distante sussurrou ao ouvido do jovem: "Esta noite ela ainda está usando o anel de ouro, e não foi você quem lhe deu. Esta noite, ela entregou sua alma mais uma vez, e não foi para você".

E voz continuava a persegui-lo: "Se ela não quer lhe dizer o que fez nos últimos dois dias, se ela esconde o lugar de seu retiro, vá perguntar a Erik!".

Ele correu para o palco e ficou no caminho de Christine. Ela logo o viu, porque seus olhos estavam à procura dele. Disse: "Rápido! Rápido! Venha!" e o arrastou para o camarim, sem se importar com os cortesãos de sua jovem glória que murmuravam diante de sua porta fechada: "Isso é um escândalo!".

Raoul caiu imediatamente aos seus pés. Jurou que iria embora e implorou a ela que não tirasse mais nenhuma hora da felicidade ideal que lhe tinha prometido. Lágrimas escorreram pelo rosto de Christine. Eles se abraçaram como um casal de irmãos desesperado que acabava de receber a notícia de um luto comum e que se encontrava para chorar a morte de alguém.

De repente, ela se desvencilhou do abraço gentil e tímido do jovem, parecia ouvir algo que ninguém mais ouvia e, em um gesto breve, pediu a Raoul que se retirasse, apontando para a porta.

Quando ele já estava no limiar, ela lhe disse, em um volume tão baixo que o visconde adivinhou suas palavras mais do que as ouviu:

– Amanhã, meu querido noivo! E seja feliz, Raoul. Foi para você que cantei esta noite!

Então ele voltou.

Mas que infelicidade! Os dois dias de ausência tinham quebrado o encanto daquela adorável mentira. Olhavam-se no camarim sem dizer nada, com os olhos tristes. Raoul se continha para não gritar: "Estou com ciúmes! Estou com ciúmes! Estou com ciúmes!". Mas, ainda assim, ela conseguia ouvi-lo. Disse-lhe:

– Vamos dar um passeio, meu amigo, o ar livre vai nos fazer bem.

Raoul pensou que ela estivesse propondo um passeio pelo campo, longe daquele edifício que ele odiava como se fosse uma prisão e cujo carcereiro ele ouvia andar por trás das paredes: carcereiro Erik. Mas ela o levou até o palco e o fez sentar-se na borda de madeira de uma fonte, na paz e no frescor duvidosos de um primeiro cenário montado para o próximo espetáculo; outro dia, ela havia caminhado com ele, segurando-lhe a mão, pelas aleias desertas de um jardim cujas trepadeiras tinham sido habilmente podadas pelas mãos de um cenógrafo, como se o verdadeiro céu, as verdadeiras flores, a verdadeira terra tivessem sido para sempre proibidos para ela, e como se ela tivesse sido condenada a nunca mais respirar outro ar que não fosse o daquele teatro! O jovem hesitou em fazer qualquer pergunta, pois, como parecia que ela não seria capaz de responder, ele temia fazê-la sofrer desnecessariamente. De vez em quando, um bombeiro passava e os observava de longe, por alguns instantes, naquele idílio melancólico. Às vezes, ela tentava corajosamente enganar a si mesma e a Raoul sobre a falsa beleza daquele lugar inventado para iludir os homens. Sua imaginação vívida o enfeitava com as mais brilhantes cores, incomparáveis às que a natureza podia oferecer. Ela estava eufórica, enquanto Raoul apenas apertava lentamente sua mão febril. Christine dizia:

– Veja, Raoul, esses muros, esses bosques, esses arcos, essas telas pintadas, tudo isso testemunhou os amores mais sublimes, pois aqui eles foram inventados por poetas que se agigantam diante do tamanho dos homens. Diga que o nosso amor também vive aqui, meu Raoul, pois ele também foi inventado, e que ele também é, infelizmente, apenas uma ilusão!

Desolado, ele não respondeu. Então ela prosseguiu:

– Nosso amor é muito triste sobre a Terra, vamos desfrutar dele no céu! Vê como é fácil aqui!

Ela o levou acima das nuvens, na magnífica desordem da claraboia, e se divertia em provocar a vertigem nele, correndo diante dele sobre as frágeis passarelas da abóbada, entre as milhares de cordas presas às polias, aos ganchos, aos cilindros, no meio de uma verdadeira floresta suspensa de vergas e mastros. Quando ele hesitava, ela lhe dizia em um adorável muxoxo:

– Você, um marinheiro!

Então eles voltavam para terra firme, ou seja, para algum corredor bastante sólido que os levava a risadas, a danças, àquela juventude repreendida por uma voz severa: "Suavidade, senhoritas! Atenção com as suas pontas!". Era a aula das meninas, daquelas que tinham acabado de completar seis anos ou que logo teriam nove ou dez, e elas já usavam corpetes decotados, tutu leve, collants brancos e meias cor-de-rosa, e trabalhavam, trabalhavam com seus pequenos pés doloridos na esperança de se tornarem pupilas do corpo de baile, corifeus, fazer pequenas participações em cena, até chegarem a primeiras bailarinas, envoltas em muitos diamantes. Enquanto isso, Christine as presenteava com doces.

Outro dia, ela o levou a uma grande sala de seu palácio, cheio de brilhos, trajes de cavaleiros, lanças, escudos e plumas, e vistoriava todos os fantasmas de guerreiros imóveis e cobertos de pó. Ela lhes dizia palavras amáveis, prometia que voltariam a ver as noites deslumbrantes e os desfiles de música retumbantes iluminados por ribaltas.

Assim, ela levou Raoul a percorrer todo seu império, que era fictício, mas imenso, estendendo-se em dezessete andares desde o térreo até o saguão, habitado por um exército de súditos. Ela passou no meio deles como uma rainha popular, encorajando trabalhos, sentando-se nos ateliês, dando conselhos sábios para costureiras cujas mãos hesitavam em cortar os ricos tecidos que vestiriam os heróis. Os habitantes daquele país exerciam todas as profissões. Havia sapateiros e ourives. Todos tinham aprendido a amá-la, porque ela se interessava pelas dores e pequenas manias de cada um. Ela sabia dos lugares desconhecidos onde antigos casais se encontravam em segredo.

Batia à porta deles e apresentava Raoul como um príncipe encantado que tinha pedido a sua mão, e ambos se sentavam sobre algum móvel carcomido para ouvir as lendas da Ópera como faziam na infância, para ouvir os velhos contos bretões. Aqueles velhos só se lembravam da Ópera, pois viviam ali durante incontáveis anos. As antigas administrações tinham-nos esquecido lá; as revoluções do palácio tinham-nos ignorado; lá fora, a história da França tinha passado despercebida, e ninguém se lembrava deles.

Assim, os dias preciosos estavam passando e Raoul e Christine, pelo interesse excessivo que pareciam ter pelas coisas externas, esforçavam-se inabilmente em esconder um do outro o único pensamento de seu coração. O fato é que Christine, que até então tinha se mostrado a mais forte, de repente ficou com os nervos aflorados. Durante suas expedições, ela se punha a correr sem razão aparente ou parava abruptamente, e sua mão, repentinamente congelada, segurava o jovem pelo braço. Os seus olhos às vezes pareciam perseguir sombras imaginárias. Ela gritava: "Por aqui", em seguida, "por aqui", depois, "por ali", rindo com um riso ofegante que, muitas vezes, se transformava em lágrimas. Raoul queria falar, questionar, apesar de suas promessas, de seus compromissos. Mas, antes que ele pudesse formular uma pergunta, ela respondia febrilmente: "Nada! Juro que não está acontecendo nada".

Uma vez, quando, no palco, eles passaram em frente a um alçapão aberto, Raoul inclinou-se sobre o abismo escuro e disse:

– Você me ofereceu uma incrível turnê pelos cumes do seu império, Christine, mas contam histórias estranhas sobre estes porões. Gostaria de descer comigo até lá?

Ao ouvir isso, ela o envolveu em seus braços, como se temesse vê-lo desaparecer no buraco negro, e sussurrou ao seu ouvido, tremendo:

– Nunca! Eu lhe proíbo de descer! Além disso, nada ali é meu! Tudo debaixo da Terra pertence a ele!

Raoul mergulhou seus olhos nos de Christine e disse-lhe com uma voz ríspida:

– Então ele vive lá embaixo?

– Eu não disse isso! Quem disse uma coisa dessas? Vamos! Venha! Há momentos, Raoul, em que me pergunto se você não está louco? Você sempre ouve coisas impossíveis! Venha! Venha!

E ela literalmente o arrastava, porque ele queria teimosamente permanecer perto do alçapão, aquele buraco o atraía.

Até que a porta do alçapão foi fechada de repente, num movimento tão rápido que eles não puderam sequer notar a mão que executou tal ação, deixando-os atordoados.

– Talvez seja ele que está lá? – Raoul acabou dizendo.

Ela encolheu os ombros, mas não parecia nem um pouco tranquila.

– Não! Não! Foram os "fechadores de alçapões". Os "fechadores de alçapões" precisam de alguma ocupação: abrem e fecham os alçapões sem motivo. É como os "fechadores de portas", eles têm de "fazer o tempo passar".

– E se for ele, Christine?

– É claro que não! É claro que não! Ele está trancafiado! Trabalhando.

– Ah! Ele trabalha de verdade?

– Sim, ele não consegue abrir e fechar os alçapões e trabalhar. Estamos tranquilos.

Dizendo isso, ela estremeceu.

– Em que é que ele trabalha?

– Ah! Em algo terrível! Por isso, estamos tranquilos! Quando trabalha nisso, não vê nada; não come, não bebe, nem respira durante dias e noites. Ele é um morto-vivo e não tem tempo para brincar com alçapões!

Ela estremeceu outra vez e se inclinou para ouvir do outro lado do alçapão. Raoul a deixava fazer e dizer. Ele estava em silêncio e agora temia que o som de sua voz de repente a fizesse refletir, interrompendo o ainda frágil curso de suas confidências.

Ela não o tinha deixado, continuava segurando seu braço, e suspirou:

– Se fosse ele!

Raoul, tímido, perguntou:

– Você tem medo dele?

Ao que ela respondeu:

– Não! É claro que não!

O jovem, involuntariamente, passou a ter pena dela, como um ser impressionável que ainda se refaz de um susto recente. Ele parecia dizer: "Sabe, estou aqui!". E seu gesto foi, quase inconscientemente, ameaçador; então, Christine olhou para ele com espanto diante daquele fenômeno de coragem e virtude. Ela parecia, em seu pensamento, medir o verdadeiro valor de tanto cavalheirismo inútil e audacioso. Abraçou o pobre Raoul como uma irmã que o recompensava, com um toque de ternura, por ter fechado seu punho fraternal para defendê-la contra os sempre possíveis perigos da vida.

Raoul compreendeu o gesto e corou de vergonha. Ele era tão frágil quanto ela. E pensava: "Ela diz não ter medo, mas nos mantém longe do alçapão e está tremendo". Era verdade. No dia seguinte e nos demais, foram alojar seus amores estranhos e castos quase no sótão, longe dos alçapões. A inquietação de Christine aumentava com o passar das horas. Uma tarde, ela chegou muito atrasada, tinha o rosto tão pálido e os olhos tão avermelhados por um certo desespero, que Raoul estava decidido a tomar atitudes extremas, como dizer logo que "só partiria para o Polo Norte quando ela lhe confiasse o segredo da voz de homem".

– Cale-se! Pelo amor de Deus, cale-se. Se ele ouvir, ah, pobre Raoul!

E os olhos atordoados da jovem faziam a vistoria de todo o espaço.

– Vou tirá-la do poder dele, Christine, juro! E nem sequer pensará mais nele.

– Isso é possível?

Ela se permitiu essa dúvida, que era também um encorajamento, e levou o jovem para o último andar do teatro, "nas alturas", onde estariam longe, muito longe dos alçapões.

– Vou escondê-la em um canto desconhecido do mundo, onde ele não virá procurá-la. Você estará a salvo, e depois vou-me embora já que jurou nunca se casar.

Christine atirou-se nos braços de Raoul e apertou-os com uma força incrível. Mas, preocupada novamente, desviou seu olhar.

– Mais alto! – foi só o que ela disse. – Vamos mais para o alto! – e ela o levou ao topo.

Ele teve dificuldade para acompanhá-la. Logo estavam debaixo do telhado, nos labirintos da estrutura do edifício. E correram entre os arcobotantes, entre as vigas, entre as pernas de apoio, entre os arcos, as vertentes e as divisórias; corriam de viga em viga, como se corressem de árvore em árvore em uma floresta, por troncos formidáveis.

Apesar do cuidado em olhar para trás a cada momento, não viu uma sombra que a seguia como se fosse sua própria sombra, que parava com ela, que seguia adiante quando ela prosseguia, e que não fazia nenhum barulho além do que uma sombra deve fazer. Raoul também não notou nada, pois, quando tinha Christine a sua frente, não se interessava pelo que acontecia atrás deles.

A lira de Apolo

E então eles chegaram ao telhado. Christine deslizava, leve e familiarizada com o lugar, como uma andorinha. Os olhares de ambos percorreram o espaço deserto entre as três cúpulas e o frontão triangular. A jovem respirou profundamente o ar acima de Paris, de onde se desvenda todo o vale em sua movimentação cotidiana. Ela olhou confiante para o Raoul. Chamou-o para perto dela e eles caminharam lado a lado, lá no alto, pelas ruas de zinco, pelas avenidas fundidas; observaram suas silhuetas duplicadas nos vastos reservatórios cheios de água parada, onde, nas estações propícias, os garotinhos dançarinos, cerca de vinte meninos, vinham mergulhar e aprender a nadar. A sombra atrás deles, sempre fiel aos seus passos, surgira se achatando sobre os telhados, estendendo-se com movimentos de asas negras pelos cruzamentos das ruelas de ferro, girando em torno dos reservatórios, contornando, em silêncio, as cúpulas. Os infelizes jovens não desconfiavam de sua presença e se sentaram, confiantes, sob a alta proteção de Apolo, que, com seu gesto de bronze, levantava sua prodigiosa lira contra o céu ardente.

Estavam cercados por um inflamado entardecer primaveril. As nuvens, que tinham acabado de receber do poente uma leve bruma de ouro e púrpura, passavam lentamente, derramando-a sobre os jovens. Christine disse a Raoul:

– Em breve, iremos mais longe e mais depressa do que as nuvens, até o fim do mundo, e depois você me abandonará, Raoul. Mas, se chegar o momento de me raptar, e eu já não concordar mais em segui-lo, então, Raoul, force-me a ir com você!

Com que força, que parecia dirigida contra si mesma, ela lhe disse isso enquanto se cerrava nervosamente no peito dele. O jovem se sentiu golpeado.

– Então, tem medo de mudar de ideia, Christine?

– Não sei – ela respondeu, abanando a cabeça estranhamente. – É um demônio! – e estremeceu. Ela se aconchegou em seus braços com um suspiro. – Agora tenho medo de voltar a viver com ele sob a terra!

– O que lhe obriga a voltar, Christine?

– Se eu não voltar para ele, podem acontecer grandes tragédias! Mas não posso mais! Não posso mais! Sei que devemos ter pena das pessoas que vivem debaixo da Terra, mas ele é demasiado horrível! No entanto, o momento está chegando, só me resta um dia! E se eu não for, ele virá me procurar com sua voz. Ele me levará consigo, para sua casa, debaixo da terra, depois se ajoelhará diante de mim, com o crânio à mostra! E dirá que me ama! E começará a chorar! Ah! Aquelas lágrimas, Raoul! Aquelas lágrimas que saem pelos dois buracos negros do crânio. Não posso mais ver aquelas lágrimas correrem!

Ela torceu as mãos horrivelmente, enquanto Raoul, também preso naquele desespero contagioso, a pressionava contra o seu coração:

– Não! Não! Você nunca mais terá que o ouvir dizer que a ama! Não verá mais suas lágrimas caírem! Fujamos! Agora, Christine, fujamos!

E ele quis levá-la consigo, mas ela o impediu.

– Não, não! – negou Christine, sacudindo dolorosamente a cabeça. – Não agora! Isso seria cruel demais. Deixe-o me ouvir cantar mais uma vez amanhã à noite, uma última vez, e depois nós poderemos partir. À meia-noite, você virá me buscar em meu camarim, exatamente à meia-noite. Nesse momento, ele estará à minha espera na sala de jantar do lago e nós estaremos livres para você poder me levar! Mesmo que eu recuse, você precisa jurar que o fará, Raoul, porque sinto que, desta vez, se eu for ao seu encontro, posso nunca mais voltar.

E acrescentou:

– Você não pode entender!

Ela suspirou, e pareceu-lhe que atrás dela outro suspiro tinha respondido.

– Você ouviu isso? – ela estava tensa.

– Não – respondeu Raoul –, eu não ouvi nada.

– É horrível – ela confessou – tremer o tempo todo assim! No entanto, aqui não estamos em perigo; estamos na nossa casa, em minha casa, no céu, ao ar livre, em plena luz do dia. O sol está ardendo e os pássaros noturnos não gostam de olhar para o sol! Nunca o vi à luz do dia. Deve ser horrível! – ela balbuciou, voltando-se para Raoul com o olhar perdido. – Ah! A primeira vez que o vi! Pensei que ele ia morrer!

– Por que ele faria isso? – perguntou Raoul, muito assustado com o tom que ganhava aquela estranha e formidável confidência. – Por que você pensou que ele ia morrer?

– Porque eu o vi!

Desta vez, Raoul e Christine voltaram-se ao mesmo tempo.

– Há alguém aqui que está sofrendo! – disse Raoul. – Talvez uma pessoa ferida. Você ouviu?

– Não saberia dizer – admitiu Christine –, mesmo quando ele não está aqui, os meus ouvidos estão cheios dos seus suspiros. No entanto, se você também ouviu...

Levantaram-se, olharam em volta, estavam realmente sozinhos sobre o imenso telhado de ferro. Sentaram-se outra vez. Raoul perguntou:

– Como o viu pela primeira vez?

– Havia três meses que eu o ouvia sem vê-lo. A primeira vez que ouvi, eu pensei, como você, que aquela voz adorável, que de repente começou a cantar ao meu lado, estava cantando em um camarim próximo. Saí e comecei a procurá-la por todo lado; mas meu camarim era muito isolado, Raoul, como você sabe, e era impossível encontrar a voz fora do camarim, ao mesmo tempo que ela permanecia fielmente lá dentro. E ela não só cantava, como falava comigo, respondia às minhas perguntas com a voz de um homem de verdade, com a diferença de que era bela como a voz de um anjo. Como explicar um fenômeno tão inacreditável? Eu nunca deixei de pensar no Anjo da Música que meu pobre pai tinha prometido me enviar quando morresse. Atrevo-me a lhe falar de tal infantilidade, Raoul, porque você conheceu meu pai, porque ele o amava, e porque você acreditou, tanto quanto eu, quando era pequeno, no Anjo da Música, e tenho certeza de que não vai rir ou zombar de mim. Eu tinha conservado, meu amigo, a alma terna e crédula da pequena Lotte, e a companhia da senhora Valérius não foi capaz de tirá-la de mim. Eu carregava aquela pequena alma branquinha entre minhas mãos inocentes e ingenuamente estendi-as e a ofereci à voz de homem, acreditando que a oferecia a um anjo. Certamente, um pouco dessa culpa é da minha mãe adotiva, de quem eu não escondi nada sobre esse fenômeno inexplicável. Ela foi a primeira a me dizer: "Deve ser o anjo; em todo caso, você pode perguntar a ele". Foi o que eu fiz, e a Voz de homem me respondeu que, de fato, era a voz do anjo que eu esperava e que meu pai me havia prometido quando morreu. A partir desse momento, uma grande intimidade foi estabelecida entre a voz e eu, e eu tinha absoluta confiança nela. Ela me disse que havia descido à Terra para me dar uma amostra das alegrias supremas da arte eterna, e pediu minha permissão para me dar aulas de música todos os dias. Consenti prontamente e não perdi nenhum dos encontros com ela, desde a primeira hora, no meu camarim, quando esse canto da Ópera ficava completamente deserto. Se eu lhe contar como eram maravilhosas aquelas aulas! Você, que ouviu a voz, não pode fazer ideia de como eram.

– Claro que não! Não faço ideia – disse o jovem. – Qual era o acompanhamento?

– Uma música que desconheço, que vinha de trás da parede e que era de uma justeza incomparável. Além disso, meu amigo, era possível dizer que a Voz sabia exatamente em que ponto de meus estudos meu pai tinha me deixado antes de morrer, e também os métodos simples que ele usava; e assim, lembrando-me ou, melhor, lembrando meu órgão de todas as lições do passado e beneficiando-me delas, além das lições do presente, fiz progressos tão prodigiosos que, em outras condições, teriam exigido anos! Considere que sou bastante delicada, meu amigo, e que minha voz, inicialmente, não tinha características muito marcantes; as cordas graves não eram naturalmente bem desenvolvidas; os tons agudos bastante duros e os médios velados. Foi contra todas essas falhas que meu pai lutou e triunfou por um período, e foram essas falhas que a Voz corrigiu definitivamente. Pouco a pouco, aumentei o volume dos sons em proporções a que a minha fraqueza do passado não me permitia aspirar: aprendi a tornar minha respiração muito mais resistente. Mas, acima de tudo, a Voz confidenciou-me o segredo para desenvolver os sons de peito em uma voz de soprano. Para concluir, ela remeteu tudo isso à energia sagrada da inspiração e despertou em mim uma vida ardente, devoradora, sublime. A Voz tinha a virtude, fazendo-se ouvir, de me elevar até seu nível. Ela me colocava em uníssono com seu voo soberbo. A alma da Voz habitava minha boca e insuflava harmonia!

"Depois de algumas semanas, eu não me reconhecia mais quando cantava! Cheguei a ficar assustada, tive medo de que houvesse algum feitiço por trás daquilo, mas a senhora Valérius me tranquilizou. Ela dizia que eu era uma jovem simples demais para interessar ao demônio.

"Por ordem da Voz, meus progressos permaneciam em segredo entre a Voz, a senhora Valérius e eu. Fora do camarim, eu cantava com minha voz de sempre, e ninguém desconfiou de nada. Eu fazia tudo o que a Voz queria. Ela dizia: 'Tenha paciência, você verá! Vamos surpreender Paris!'. E eu esperava. Vivia uma espécie de sonho extasiante sob o controle da Voz. Em meio a tudo isso, Raoul, eu o vi, uma noite, no salão. Minha felicidade era tamanha que nem pensei em escondê-la quando voltei ao camarim. Para nosso infortúnio, a Voz já estava lá e percebeu, por minhas ações, que havia algo diferente. Ela perguntou 'o que eu tinha' e não vi nenhum inconveniente em contar-lhe a nossa doce história, nem tentei dissimular o lugar que você ocupa no meu coração. Então, a Voz se calou: eu a chamei e ela não me respondeu; eu supliquei, mas foi em vão. Senti um medo terrível de que ela tivesse partido para sempre! Por Deus, meu amigo! Fui para casa desesperada naquela noite. Atirei-me ao pescoço da senhora Valérius e contei-lhe:

'A Voz desapareceu! Acho que nunca mais vai voltar!'. Ela ficou tão assustada como eu e pediu que contasse o que havia acontecido. Contei-lhe tudo. E ela respondeu: 'Mas é claro! A Voz está com ciúmes!' Essa consideração, meu amigo, fez-me compreender que eu o amava".

Ao dizer isso, Christine parou por um momento. Ela deitou a cabeça no peito de Raoul e eles permaneceram em silêncio por alguns segundos, nos braços um do outro. A emoção que os enlaçava era tal que não viram, ou melhor, não sentiram se mover, a poucos passos de distância, a sombra rastejante de duas grandes asas pretas que se aproximavam, rente aos telhados, tão perto, tão perto deles, que seriam capazes de sufocá-los.

– No dia seguinte – falou Christine com um suspiro profundo –, retornei ao camarim pensativa. A Voz estava lá. Ah, meu amigo! Ela falou comigo com uma enorme tristeza. Declarou-me claramente que, se meu coração pertencia à Terra, a ela, a Voz, só restava voltar ao céu. Disse isso com tamanha manifestação de dor humana que eu deveria, naquele dia mesmo, ter desconfiado e começado a entender que estava sendo vítima dos meus ingênuos sentidos. Mas a minha fé nessa aparição da Voz, à qual o pensamento do meu pai estava tão intimamente entrelaçado, permanecia intacta. A única coisa que eu temia era nunca mais ouvi-la; por outro lado, refleti sobre o sentimento que me levava até você e considerei que corria um perigo inútil, pois ignorava se você ao menos ainda se lembrava de mim. De qualquer forma, a sua situação no mundo me proibia para sempre de pensar em uma união honesta; então, eu jurei à Voz que você não era nada para mim além de um irmão e que nunca seria outra coisa e que meu coração estava vazio de qualquer amor terrestre. E essa é a razão, meu amigo, pela qual eu desviei meus olhos quando, no palco ou nos corredores, você procurava chamar minha atenção, a razão pela qual eu fingia que não o conhecia, que não o via! Enquanto isso, as horas de aula com a Voz eram de um delírio divino. Nunca a beleza dos sons havia me tocado tanto, e um dia a Voz me disse: "Vá agora, Christine Daaé, leve aos homens um pouco da música do céu!".

"Por que, naquela noite, que era a noite de gala, a Carlotta não apareceu no teatro? Por que me pediram para substituí-la? Não sei dizer, mas cantei, cantei com uma força desconhecida; eu me sentia leve, como se tivesse asas, por um momento, pensei que minha alma ardente tinha se separado de meu corpo!"

– Oh, Christine! – reagiu Raoul, cujos olhos estavam umedecidos pela lembrança. – Naquela noite, meu coração vibrou com cada nota da sua voz. Vi suas lágrimas escorrerem pelas bochechas pálidas e chorei com você. Como você conseguia cantar chorando?

– Minhas forças me abandonaram – disse Christine –, fechei os olhos. Quando voltei a abri-los, você estava ao meu lado! Mas a Voz também estava lá, Raoul! Tive medo por você, e mais uma vez fingi não reconhecê-lo e comecei a rir quando lembrou que tinha pego minha echarpe no mar! Lamentavelmente, é impossível enganar a Voz! Ela o reconheceu!

"E a Voz tem ciúmes de você! Nos dois dias que se passaram, ela fez cenas terríveis comigo. Ela me dizia: 'Você o ama! Se não o amasse, não fugiria dele! Seria apenas um velho amigo a quem cumprimenta com um aperto de mão, como a qualquer outro. Se não o amasse, não teria medo de se encontrar sozinha com ele em seu camarim, com ele e comigo! Se não o amasse, não o expulsaria!'."

"'Já chega!', eu disse à voz, bastante irritada; 'Amanhã devo ir a Perros, visitar o túmulo de meu pai; pedirei ao senhor Raoul de Chagny que me acompanhe'."

"'Como quiser', respondeu a Voz, 'mas saiba que eu também estarei em Perros, porque eu estou onde quer que você esteja, Christine, e se você ainda é digna de mim, se você não mentiu, eu tocarei para você, à meia-noite, sobre o túmulo de seu pai, a 'Ressurreição de Lázaro', com o violino do falecido.'"

"Por isso, meu amigo, fui levada a escrever a carta que o conduziu a Perros. Como pude ser tão enganada? Como é que, face a preocupações tão pessoais da Voz, não suspeitei que ela fosse uma impostora? Lamentavelmente, eu já não era mais dona de mim: eu pertencia a ela!

E os meios de que a Voz dispunha iludiam facilmente uma criança como eu!"

– Mas, Christine – exclamou Raoul quando ela parecia lastimar a perfeita inocência de uma mente muito imprudente –, ao menos você descobriu a verdade! Então, não é fato que você finalmente saiu desse pesadelo abominável?

– Descobrir a verdade! Raoul! Sair desse pesadelo! Mas eu só entrei nesse pesadelo no dia em que soube a verdade! Cale-se! Acalme-se! Eu não disse nada... E agora que vamos descer do céu à Terra, tenha pena de mim, Raoul! Tenha piedade de mim! Uma noite fatídica... bem... foi na noite em que tantos infortúnios aconteceram, na noite em que Carlotta se transformou em um sapo horrível e começou a coaxar como se tivesse vivido toda a sua vida na beira dos pântanos, a noite em que o teatro mergulhou subitamente na escuridão, sob o estrondo do lustre que explodiu no chão. Naquela noite, houve mortos e feridos e todo o teatro ressoou os mais tristes clamores.

"Meu primeiro pensamento, Raoul, com a explosão daquela catástrofe, foi ao mesmo tempo para você e para a Voz, pois vocês eram, naquela época, as duas metades do meu coração. Fiquei imediatamente aliviada em relação a você porque o tinha visto no camarote do seu irmão e sabia que não corria perigo. Quanto à Voz, ela me havia dito que assistiria à apresentação, e eu temi por ela; sim, tive medo de verdade, como se ela fosse uma pessoa comum que poderia morrer. E pensei: 'Meu Deus! O lustre pode ter esmagado a Voz'. Eu estava no palco, assustada a ponto de quase correr pela sala à procura da Voz entre os mortos e os feridos, quando me veio à ideia que, se nada lhe tivesse acontecido, ela deveria estar no meu camarim, ansiosa para me tranquilizar. Corri até lá, mas a Voz não estava. Fechei-me no camarim e com lágrimas nos olhos implorei para que ela se manifestasse se ainda estivesse viva. A Voz não me respondeu, mas, de repente, ouvi um gemido longo e admirável que eu conhecia bem. Era o lamento de Lázaro, que, sob a ordem de Jesus, começava a abrir as pálpebras e a ver a luz do dia novamente. Era o pranto do violino do meu pai. Reconheci os acordes do arco de Daaé, os mesmos, Raoul, que nos mantinham imóveis nos caminhos de Perros, os mesmos que tinham encantado a noite do cemitério. E mais uma vez, pelo instrumento invisível e triunfante, o grito de alegria da vida e da Voz se fizeram ouvir e começaram a cantar a frase dominante e soberana: 'Venha! E creia em mim! Aqueles que acreditam em mim renascerão! Vamos! Aqueles que acreditam em mim não morrerão!'. Não sou capaz de descrever a impressão que aquela música me causou, ela cantava a vida eterna no momento em que, ao nosso lado, aqueles pobres desgraçados, esmagados fatalmente pelo lustre, entregavam suas almas. Parecia que aquela música me ordenava a ir, a me levantar, caminhar em direção a ela. Ela se distanciava e eu a seguia. 'Venha! E creia em mim!' Eu acreditava nela, eu ia, eu ia, e, como um fato extraordinário, meu camarim parecia ficar mais e mais longe dos meus pés. É claro que tudo aquilo devia ser um efeito do reflexo do espelho, pois havia um espelho à minha frente. E, de repente, encontrei-me fora do meu camarim, sem saber como aquilo havia acontecido."

Raoul interrompeu abruptamente a jovem:

– Como! Sem saber como? Christine, Christine! Você precisa parar de sonhar!

– Ora, meu pobre amigo, eu não estava sonhando! Eu estava fora do camarim sem saber como! Você, que me viu desaparecer do meu camarim uma noite, meu amigo, talvez possa me explicar isso, porque eu não posso! Só posso dizer uma coisa: ao me encontrar à frente do espelho, de repente ele não estava mais ali diante de mim, procurei-o atrás, mas não havia mais espelho, nem camarim. Eu estava em um corredor escuro. Tive medo e comecei a gritar!

"Tudo estava preto ao meu redor; ao longe, um luar sutil e avermelhado iluminava um ângulo da parede, uma quina. Gritei. Minha voz preenchia sozinha o espaço, pois a cantoria e os violinos haviam cessado. De repente, na escuridão, uma mão se apoiou sobre a minha, ou melhor, algo ossudo e gelado apertou meu pulso e não soltou mais. Gritei. Um braço enlaçou minha cintura e me levantou. Por um momento, eu me debati de horror e medo; meus dedos escorregaram pelas pedras úmidas das paredes, mas não conseguiram agarrar nada. E depois não me mexi mais, pensei que ia morrer de tanto medo. Eu estava sendo levada na direção da pequena luz avermelhada; adentramos por aquele luar e, então, eu vi que estava entre as mãos de um homem encoberto por um grande casaco preto e que usava uma máscara que escondia todo o seu rosto. Tentei um esforço supremo: os meus membros se endureceram, minha boca se abriu para uivar de medo, mas uma mão a fechou, uma mão que apertava meus lábios, minha pele, e que tinha o cheiro da morte! Desmaiei."

"Quanto tempo fiquei inconsciente? Não saberia dizer. Quando abri os olhos novamente, o homem de preto e eu ainda estávamos no meio das trevas. Uma lanterna no chão iluminava as águas de uma pequena fonte. A água, sussurrante, que saída da parede, desaparecia quase imediatamente sob a terra em que eu estava deitada; minha cabeça repousava sobre o joelho do homem de casaco e máscara preta e meu companheiro silencioso refrescava cuidadosamente minha têmpora, com uma atenção e delicadeza que me pareciam mais horríveis de suportar do que a brutalidade do rapto de há pouco. Suas mãos, por mais delicadas que fossem, tinham o mesmo odor de morte. Eu as repelia, mas estava sem forças. Perguntei, quase suspirando:

'Quem é você? Onde está a Voz?' Um único suspiro foi a resposta. De repente, um sopro morno atingiu meu rosto e, vagamente, na escuridão, ao lado da silhueta negra do homem, distingui outra bem clara. A silhueta preta me levantou e me colocou sobre a forma clara, e imediatamente um relincho alegre chegou aos meus ouvidos espantados e eu murmurei: 'César!'. A besta se agitou. Meu amigo, eu estava semideitada sobre uma sela e reconheci o cavalo branco do Profeta, que eu tinha tantas vezes mimado com guloseimas. Uma noite, houve um rumor no teatro de que esse animal tinha desaparecido e quem o havia roubado era o Fantasma da Ópera. Eu acreditava na Voz, mas nunca tinha acreditado no Fantasma; eis que me peguei tremendo e me perguntando se não era prisioneira do Fantasma! Do fundo do meu coração, chamei a Voz em meu socorro, pois nunca imaginei que a Voz e o Fantasma fossem um só! Você já ouviu falar do Fantasma da Ópera, Raoul?"

– Sim – respondeu o jovem. – Mas diga-me, Christine, o que lhe aconteceu quando estava sobre o cavalo branco do Profeta?

– Não fiz nenhum movimento e deixei que me guiassem. Pouco a pouco, o estado de angústia e terror de quando me lancei nessa aventura infernal deu lugar a um estranho torpor. A forma preta me segurava e eu não tentava mais fugir. Uma paz singular havia tomado conta de mim e eu pensei que estava sob a influência beneficente de algum elixir. Todos os meus sentidos estavam despertos, meus olhos haviam se acostumado à escuridão que, aqui e ali, deixava entrever breves raios de luz. Pensei que estivéssemos em uma galeria circular estreita e imaginei que essa galeria contornava a Ópera, que tem um enorme subsolo. Uma vez, meu amigo, uma única vez, eu desci até aqueles incríveis subsolos, mas fui somente até o terceiro andar, não ousei ir mais longe. No entanto, mais dois andares, onde se poderia alojar uma cidade inteira, abriam-se debaixo dos meus pés. As figuras com que me deparei me fizeram fugir. Eram demônios sombrios à frente das caldeiras, eles agitavam pás, enxadas, alimentavam os braseiros, acendiam chamas, ameaçavam se você se aproximasse deles, abrindo de repente as bocas vermelhas das fornalhas! Enquanto César me carregava calmamente sobre seu lombo naquela noite de pesadelo, eu vi de repente, longe, muito longe, e pequenos, muito pequeninos, como se no fundo de um telescópio invertido, os demônios escuros diante das chamas vermelhas de seus braseiros. Eles apareciam, desapareciam e reapareciam ao estranho capricho da nossa caminhada. E, finalmente, desapareceram por completo. A forma de homem continuava me segurando, e César caminhava sem rumo e com passos firmes. Eu não saberia dizer, mesmo aproximadamente, quanto tempo essa viagem na madrugada durou; só sabia que estávamos girando! Girando! Que descíamos uma espiral inflexível até o coração das profundezas da Terra; será que não era minha cabeça que girava? Acho que não. Não! Eu estava incrivelmente lúcida. César, por um momento, levantou as narinas, sentiu a atmosfera e acelerou um pouco seus passos. Senti o ar úmido e logo depois César parou. A noite ficou clara. Estávamos embebidos de um luar azulado. Olhei ao redor.

Estávamos à beira de um lago cujas águas de chumbo se perdiam à distância, no escuro, mas a luz azul iluminava a costa e avistei um pequeno barco preso a um anel de ferro, atracado no cais!

"É verdade que eu já sabia que tudo isso existia, e a visão do lago e do barco sob a terra não tinha nada de sobrenatural. Mas imagine as circunstâncias extraordinárias em que encontrei a costa. As almas dos mortos não devem ter sentido desconforto maior ao se aproximarem do Estige. Caronte certamente não ficou mais lúgubre ou mudo do que a forma de homem que me carregava em seu barco. O efeito do elixir havia se esgotado? Ou o frescor daquele lugar era suficiente para me despertar por completo? Meu torpor desaparecia e fiz alguns movimentos que indicavam o início do meu terror. Meu sinistro companheiro deve ter percebido isso, pois, com um gesto rápido, dispensou César, que sumiu na escuridão da galeria. Ouvi quando suas quatro ferraduras bateram nos degraus de uma escada, e então o homem saltou para o barco, que ele libertou de seu anel de ferro. Depois, pegou os remos e remou com força e rapidez. Seus olhos, sob a máscara, não me deixavam; eu sentia o peso de suas pálpebras imóveis. A água à nossa volta não fazia nenhum barulho. Nós deslizávamos sob aquele luar azulado de que falei, depois ficamos novamente na escuridão, e atracamos. O barco bateu em um corpo duro e eu fui novamente tomada em seus braços. Tinha recuperado a força para gritar. Gritei. De repente, me calei, agredida pela forte claridade. Sim, uma luz ofuscante no meio da qual eu tinha sido deixada. Levantei-me em um sobressalto, tinha recuperado todas as minhas forças. No meio de uma sala que parecia ter sido inteiramente enfeitada, adornada e mobiliada com flores, flores magníficas e estúpidas por causa das fitas de seda que as prendiam em cestos, como são vendidas nas *boutiques* dos *boulevards* flores muito civilizadas, como as que eu costumava encontrar em meu camarim depois de cada estreia; no centro desse embalsamento muito parisiense, a forma de homem com a máscara estava em pé, com os braços cruzados, e falou: 'Fique tranquila, Christine, você não corre nenhum perigo.'"

"Era a Voz! Minha fúria igualou-se à minha estupefação. Saltei sobre a máscara e tentei arrancá-la para finalmente conhecer o rosto da Voz. A forma de homem disse: 'Você não corre nenhum perigo desde que não encoste nesta máscara!'. E segurando meus pulsos, fez com que eu me sentasse."

"Em seguida, ajoelhou-se diante de mim e não disse mais nada! A humildade desse gesto me fez recobrar um pouco de minha coragem; a luz, que delineava claramente tudo ao meu redor, levou-me de volta à realidade da vida. Por mais extraordinária que fosse, a aventura estava agora rodeada de coisas mortais que eu podia ver e tocar. As tapeçarias das paredes, o mobiliário, as tochas, os vasos e mesmo as flores, que eu poderia até dizer de onde vinham, em suas cestas douradas, e quanto haviam custado, inevitavelmente reduziam minha imaginação aos limites de uma sala tão banal quanto as muitas outras que havia e não estavam situadas nos subterrâneos da Ópera. Eu provavelmente estava diante do terrível excêntrico que, misteriosamente, vivia alojado no subsolo, como outros, por necessidade, e, com a cumplicidade silenciosa da administração, havia encontrado um abrigo definitivo no sótão daquela torre de Babel moderna, onde se fazia intrigas, cantava-se em todas as línguas, e amava-sem todo o dialetos."

"Era então a Voz, aquela Voz que reconheci sob a máscara, que não foi capaz de escondê-la, era ela quem estava de joelhos diante de mim: um homem!"

"Nem sequer pensei na horrível situação em que eu me encontrava, nem me perguntei o que ia me acontecer e qual era o plano sombrio e friamente tirânico que havia me conduzido até aquela sala como uma prisioneira, ou como um escravo em um harém. Não! Não! Não! Eu só pensava: 'A Voz é isso: um homem!', e comecei a chorar."

"O homem, ainda de joelhos, sem dúvida entendeu o significado das minhas lágrimas, pois disse: 'É verdade, Christine! Não sou nem anjo, nem gênio, nem fantasma. Eu sou Erik!'"

Mais uma vez, o relato de Christine foi interrompido. Parecia que o eco tinha se repetido atrás dos jovens: Erik! Que eco? Eles se viraram e viram que já havia anoitecido. Raoul fez um movimento para se levantar, mas Christine o reteve:

– Fique! Você precisa ouvir tudo aqui!

– Por que aqui, Christine? Não quero que você fique resfriada.

– Só devemos temer os alçapões e aqui estamos do outro lado do mundo em relação a eles. Não tenho o direito de vê-lo fora do teatro. Não é um bom momento para contrariá-lo. Não despertemos suspeitas.

– Christine! Christine! Algo me diz que estamos errados em esperar até amanhã à noite e que devemos fugir agora mesmo!

– Entenda, se ele não me ouvir cantar amanhã à noite, sofrerá uma dor infinita.

– É difícil não causar nenhuma dor em Erik ao abandoná-lo para sempre…

– Nisso você tem razão, Raoul, pois ele certamente morrerá com a minha partida.

A jovem acrescentou em um tom de sussurro:

– Mas estamos em uma situação de igualdade, porque corremos o risco de que ele nos mate.

– Então ele realmente a ama?

– A ponto de cometer um crime!

– Mas é possível encontrar seu esconderijo. Podemos procurá-lo. Uma vez que Erik não é um fantasma, podemos falar com ele e quem sabe até obrigá-lo a responder!

Christine balançou a cabeça:

– Não! Não! Não podemos fazer nada contra Erik! Só podemos fugir!

– E por que, sendo capaz de fugir, você voltou para ele?

– Porque era preciso. E você vai compreender quando descobrir como fugi da casa dele.

– Ah! Como eu o odeio! – vociferou Raoul. – E você, Christine? Diga. Preciso que diga isso para ouvir mais calmamente a continuação dessa extraordinária história de amor. E você, também o odeia?

– Não! – respondeu secamente Christine.

– Ora! Então por que toda essa história? Você certamente o ama! O medo, os terrores, tudo isso é amor, e dos mais prazerosos! Daqueles que não nos atrevemos a confessar – explicou Raoul amargamente –, daqueles que dão arrepios quando pensamos nele. Pense só, um homem que vive em um palácio debaixo da terra! – ele tripudiou.

– Então, você quer que eu volte! – interrompeu bruscamente a jovem. – Cuidado, Raoul, já disse que nunca mais voltarei!

Houve um silêncio assustador entre os três: os dois que falavam e a sombra que ouvia, atrás.

– Antes de responder – disse Raoul calmamente –, eu gostaria de saber o que você sente por ele, já que não o odeia.

– Horror! – ela exclamou. E pronunciou essa palavra com tanta força que elas cobriram os suspiros da noite. – É isso que é terrível – prosseguiu em uma agitação crescente. – Tenho horror a ele, mas não o odeio. Como posso odiá-lo, Raoul? Imagine Erik aos meus pés, na morada subterrânea do lago. Ele acusou a si mesmo, amaldiçoou-se, implorou pelo meu perdão!

"Ele confessou sua fraude. Ele me ama! Colocou aos meus pés um amor imenso e trágico! Ele me sequestrou por amor! Trancou-me com ele sob a terra, por amor. Mas ele me respeita, rasteja, geme, chora! E quando me levanto, Raoul, quando digo que só posso desprezá-lo se ele não me devolver imediatamente a liberdade que me roubou, é inacreditável, mas ele a devolve, posso partir quando quiser. Ele está pronto para me mostrar o caminho misterioso; apenas... ele apenas se levanta, e sou obrigada a lembrar que, se ele não é nem fantasma, nem anjo, nem gênio, ele continua sendo a Voz, pois ele canta!"

"E quando o ouço, eu fico!"

"Naquela noite, não trocamos mais nenhuma palavra. Ele havia empunhado uma harpa e começou a cantar para mim, ele, a voz de homem, a voz de anjo, cantava o romance de Desdêmona. A lembrança de quando eu mesma cantava aquela música me envergonhava. Meu amigo, há uma virtude na música que faz com que mais nada do mundo exterior exista além dos sons que chegam ao coração. Aquela extravagante aventura foi esquecida. Apenas a Voz existia e eu a segui embriagada por sua jornada harmoniosa; eu fazia parte do rebanho de Orfeu! Ela me levou à dor, à alegria, ao martírio, ao desespero, à euforia, à morte e aos triunfantes himeneus. Eu ouvia... ela cantava. Ela cantou canções desconhecidas e fez-me ouvir uma nova música que me causou uma estranha sensação de doçura, langor, repouso, uma música que, depois de ter roubado minha alma, gradualmente a acalmou, e a levou ao limiar do sonho. Adormeci."

"Quando acordei, estava sozinha, deitada em um divã, em um quarto pequeno e simples, mobiliado com uma cama de mogno, com as paredes forradas por uma estamparia de *toile de jouy*[15] e iluminado por uma lâmpada colocada sobre o mármore de uma antiga cômoda estilo Luís Felipe. O que era aquele novo cenário? Passei a mão na testa como se fosse afastar um pensamento ruim. Infelizmente, não demorei muito a perceber que não tinha sonhado! Eu era uma prisioneira e só podia sair do meu quarto para ir a um banheiro dos mais confortáveis; água quente e fria à vontade. Ao voltar para o quarto, encontrei sobre a cômoda um bilhete escrito com tinta vermelha que me disse tudo sobre a minha triste situação e que, como se ainda fosse necessário, esclarecia todas as minhas dúvidas quanto à realidade dos acontecimentos: 'Minha querida Christine', dizia o papel, 'Fique tranquila quanto ao seu destino. Você não tem no mundo melhor ou mais respeitoso amigo do que eu. Neste momento, está sozinha nessa casa que lhe pertence. Saí para visitar lojas e encontrar toda a roupa de que precisa.'"

"'Decididamente, caí nas mãos de um louco!', pensei. 'O que será de mim? E quanto tempo esse miserável pensa que vai me manter enclausurada nesta prisão subterrânea?'"

"Percorri o pequeno apartamento como uma louca à procura de uma saída que não consegui encontrar. Acusava-me amargamente pela minha superstição estúpida e tive um terrível prazer em zombar da inocência perfeita com que tinha acolhido, através das paredes, a Voz do gênio da música. Quando se é tão tolo, deve-se esperar pelas mais

15 Tipo de estamparia de parede. (N.T.)

inauditas catástrofes, e somos merecedores de todas elas! Tinha vontade de me agredir fisicamente, e pus-me a rir de mim e a chorar ao mesmo tempo. Foi nesse estado que Erik me encontrou."

"Depois de bater três vezes na parede com pequenos golpes secos, ele entrou calmamente através de uma porta que eu não tinha encontrado e que deixou aberta. Estava carregado de caixas e pacotes e colocou-os sobre minha cama sem pressa, enquanto eu derramava insultos e lhe dava ordens para que tirasse sua máscara, pois não havia motivos para dissimular o rosto se fosse realmente um homem honesto."

"Ele respondeu com grande serenidade: 'Você jamais verá o rosto de Erik.'. Repreendeu-me por ainda não ter tomado banho àquela hora do dia e dignou-se a informar que já eram duas da tarde. Deu-me meia hora para tomar banho e teve o cuidado de devolver meu relógio e acertar o horário. Depois disso, convidou-me para segui-lo até a sala de jantar, onde, segundo ele, um excelente almoço estava à nossa espera. Eu estava faminta, então fechei a porta na cara dele e entrei no banheiro. Tomei um banho depois de ter colocado perto de mim uma bela tesoura com a qual estava determinada a me matar se Erik, depois de ter se comportado como um louco, deixasse de se comportar como um homem honesto. O frescor da água me fez muito bem e, quando reapareci diante de Erik, eu tinha tomado a sábia resolução de não o machucar ou ofender, e de elogiá-lo, se necessário, para obter uma rápida liberdade. Ele contou seus planos em relação a mim e os detalhou, para me tranquilizar, segundo ele. Ele gostava demais da minha companhia para se privar dela de imediato, como havia consentido na véspera, diante da minha expressão indignada de medo. Eu tinha que entender que agora não havia nenhuma razão para ficar horrorizada ao vê-lo ao meu lado. Ele me amava, mas não me diria, a não ser quando eu permitisse, e o resto do tempo seria de música."

"'O que você entende por resto do tempo?', perguntei. Ele respondeu-me com firmeza: 'Cinco dias', 'E depois estarei livre?', 'Você estará livre, Christine, pois nesses cinco dias aprenderá a não ter medo de mim; e então, voltará para visitar, de vez em quando, o pobre Erik!'."

"O tom com que ele falou essas últimas palavras me comoveu profundamente. Pareceu-me encontrar ali um tão real e lastimável desespero que olhei enternecida para a máscara. Eu não podia ver os olhos por trás da máscara, mas isso não diminuía a estranha sensação de desconforto em questionar um misterioso pedaço de seda preta. Sob o pano, na extremidade da barba da máscara, surgiram uma, duas, três, quatro lágrimas. Silenciosamente, ele me indicou um lugar à sua frente, em uma pequena mesa que ocupava o centro da sala onde, na véspera, ele tinha tocado harpa. Sentei-me bastante perturbada. Comi com prazer alguns lagostins, uma asa de frango regada ao vinho licoroso de Tookaji, que ele havia trazido das caves de Konisberg, frequentadas antigamente por Falstaff. Ele mesmo não comia, não bebia. Perguntei sua nacionalidade e se seu nome, Erik, não era de origem escandinava. Ele respondeu que não tinha nome nem país, e que tinha escolhido o nome Erik ao acaso. Perguntei-lhe por que, se me amava, não tinha encontrado outra maneira de dizê-lo sem me sequestrar e me aprisionar sob a terra!"

"'É muito difícil', eu disse, 'conseguir amar em um túmulo.'"

"Ele respondeu, em um tom singular, que cada um tem o encontro que pode."

"Então ele se levantou e me estendeu a mão, porque queria ter a honra de me apresentar seu 'apartamento', ele disse, mas eu rapidamente retirei a mão dele e gritei. Aquele toque era úmido e ossudo, e lembrei-me que as mãos dele cheiravam a morte."

"'Ah! Desculpe', ele balbuciou."

"E abriu uma porta diante de mim."

"'Este é o meu quarto', disse. 'É um lugar curioso para visitar. Se quiser conhecê-lo...'"

"Não hesitei. Seus modos, suas palavras, tudo nele me inspirava confiança. Além disso, senti que não devia ter medo."

"Entrei. Parecia que estava entrando em uma câmara mortuária. As paredes eram todas cobertas de preto, mas, em vez dos adereços brancos que costumam complementar esse ornamento fúnebre, podia-se ver em uma enorme pauta musical as notas repetidas do *Dies irae*. No meio do quarto, havia um dossel de onde desciam cortinas de brocado vermelho. Debaixo desse dossel, um caixão aberto."

"Com essa visão, recuei."

"'É onde eu durmo', disse Erik. 'É preciso se acostumar com tudo na vida, inclusive com a eternidade.'"

"Desviei o olhar de tão sinistra que era a sensação daquele cenário. Meus olhos então encontraram o teclado de um órgão que ocupava uma parede inteira. Sobre o púlpito, um caderno cheio de anotações em vermelho. Pedi permissão para olhar e li na primeira página: *Don Juan triunfante.*"

"'Sim', ele disse, 'às vezes componho. Já se passaram vinte anos desde que comecei esse trabalho. Quando ele ficar pronto, vou levá-lo comigo neste caixão e nunca mais acordarei.'"

"'Procure trabalhar nele o mínimo possível', respondi."

"'Às vezes, me debruço sobre ele por quinze dias e quinze noites seguidas, durante os quais eu vivo apenas de música, e então descanso por anos.'"

"'Você tocaria algo do seu *Don Juan triunfante* para mim?', perguntei, acreditando que isso o agradaria e superando a repulsa que aquela câmara mortuária me causava."

"'Jamais me peça isso', ele respondeu com a voz sombria. 'Esse *Don Juan* não foi composto para o libreto de um Lorenzo Da Ponte, inspirado pelo vinho, por amores furtivos e por vícios finalmente castigados por Deus. Posso tocar Mozart se assim o desejar, o que fará lindas lágrimas escorrerem de seus olhos e lhe inspirarão francas reflexões. Mas o meu *Don Juan* queima, Christine, e não porque tenha sido atingido pelo fogo celeste!'"

"Ao dizer isso, retornamos à sala de onde havíamos acabado de sair. Reparei que naquele apartamento não havia espelhos. Eu ia fazer um comentário a esse respeito, mas Erik se sentou ao piano e disse:

'Sabe, Christine, há uma música tão terrível que consome todos os que se aproximam dela. Você ainda não chegou nela, e isso é bom, porque você perderia suas cores suaves e não a reconheceriam mais em seu retorno a Paris. Cantemos ópera, Christine Daaé.'"

"Ele disse 'Cantemos ópera, Christine Daaé', como se isso fosse um insulto."

"Mas não tive tempo de refletir sobre o tom com que ele tinha pronunciado aquelas palavras. Logo começamos o dueto de *Otelo* e a catástrofe já pesava sobre nós. Desta vez, ele me designou o papel de Desdêmona, que cantei com desespero e horror reais a que nunca tinha chegado até então. A proximidade do parceiro, em vez de me intimidar, inspirava-me um terror magnífico. Os acontecimentos de que era vítima me aproximavam singularmente do pensamento do poeta e alcancei notas que teriam deslumbrado até o próprio compositor. Quanto a ele, sua voz era surpreendente, sua alma vindicativa estava presente em cada nota e aumentava sua potência de maneira terrível. O amor, o ciúme, o ódio irrompiam à nossa volta em gritos dilacerantes. A máscara preta de Erik me fazia pensar na máscara natural do Mouro de Veneza. Ele era o próprio Otelo. Cheguei a pensar que ia me bater e que eu cairia sob seus golpes, mas, ainda assim, não fiz nenhum movimento para fugir dele, para evitar a sua fúria, como a tímida Desdêmona. Pelo contrário, aproximei-me dele, atraída, fascinada, encontrando encantos na morte decorrente de tal paixão; mas, antes de morrer, queria conhecer, para tirar a imagem sublime do meu último olhar, aqueles traços desconhecidos que o fogo da arte eterna teria transfigurado. Eu queria ver o rosto da Voz e, instintivamente, com um gesto incontrolável, pois eu já não respondia mais por mim, meus dedos rápidos arrancaram a máscara…"

"Ah! Horror! Horror! Horror!"

Christine parou diante da descrição dessa visão que ela parecia ainda ver, tinha as mãos trêmulas, enquanto os ecos da noite, que haviam repetido o nome de Erik, repetiam três vezes o clamor: "Horror! Horror! Horror!". Raoul e Christine, ainda mais unidos pelo terror do relato, olharam para as estrelas que brilhavam em um céu pacífico e puro.

Raoul disse:

– É estranho, Christine, como esta noite tão doce e tão calma está cheia de gemidos. É como se ela se lamentasse conosco!

Christine respondeu:

– Agora que você conhecerá o segredo, os seus ouvidos, assim como os meus, ficarão repletos de lamentações.

Ela prendeu as mãos protetoras de Raoul em suas próprias mãos e, abalada por um longo tremor, continuou:

– Ah! Sim, ainda que eu vivesse cem anos, ouviria o clamor sobre-humano que ele proferiu, o grito de sua dor e de sua ira infernal, enquanto a coisa aparecia aos meus olhos arregalados de horror, diante da minha boca que não se fechava, mas também não conseguia mais gritar.

"Ah! Raoul, aquela coisa! Como eu poderia nunca mais vê-la?! Se os meus ouvidos estarão para sempre cheios dos seus gritos, os meus olhos estarão para sempre assombrados por seu rosto! Que imagem! Como posso nunca mais vê-lo e como fazer que você o veja? Raoul, você viu crânios que foram deteriorados pelos séculos, e se você não foi vítima de um pesadelo horrível, deve ter visto propriamente o crânio dele naquela noite, em Perros. Além disso, no último baile de máscaras, viu também a Morte Vermelha! Mas todos aqueles crânios estavam imóveis e o seu horror mudo não se agitava! Mas imagine, se puder, a máscara da Morte de repente ganhar vida para expressar, pelos quatro buracos negros de seus olhos, nariz e boca, a raiva em seu último grau, a fúria soberana de um demônio, sem qualquer olhar nos buracos dos olhos, pois, como eu soube mais tarde, nunca se vê seus olhos fumegantes senão na noite profunda. Eu, colada à parede, devia ser a própria imagem do Pavor, como ele era a da Feiura."

"Então ele veio até mim com o terrível ranger de seus dentes sem lábios e, enquanto eu caía de joelhos, ele soprava ao meu ouvido, odiosamente, coisas sem sentido, palavras sem nexo, maldições, delírios... Como saber! Como saber?"

"Debruçado sobre mim, ele gritou: 'Olhe! Você não queria ver? Então veja! Encha os olhos, embriague a alma com minha maldita feiura! Olhe para o rosto de Erik! Agora você conhece a cara da Voz! Apenas me ouvir não era o suficiente? Diga! Você queria saber como eu era. Vocês, mulheres, são tão curiosas!'"

"E ele começou a rir e a repetir: 'Vocês mulheres são tão curiosas!' Seu riso era estridente, rouco, espumoso, horripilante. Ele ainda dizia coisas do tipo: 'Está satisfeita? Viu como sou bonito? Quando uma mulher me vê, como você viu, ela me pertence. Ela tem que me amar para sempre! Eu sou um tipo como o Don Juan.'"

"E com toda sua altivez, os punhos na cintura, balançando sobre os ombros a coisa hedionda que era a sua cabeça, prosseguiu:

'Olhe para mim! Eu sou o Don Juan triunfante!'"

"E como eu desviava os olhos, pedindo clemência, ele virou minha cabeça de volta para si, brutalmente, segurando-me pelos cabelos nos quais seus dedos de morte haviam se embrenhado."

– Basta! Basta! – interrompeu Raoul! – Vou matá-lo! Vou matá-lo! Pelo amor de Deus, Christine, diga-me onde fica a morada do lago! Tenho de matá-lo!

– Ora! Se quer mesmo saber, cale-se, Raoul!

– Ah! Sim, quero saber como e por que você voltava para ele! Esse é o segredo, Christine, ouça bem! É o único que me interessa! Mas, seja como for, vou matá-lo!

– Ah! Meu Raoul! Então ouça! Já que quer saber... escute! Ele me arrastava pelos cabelos, e depois... e depois... Oh! É ainda mais horrível!

– Pois bem, diga, vamos! – exclamou Raoul, feroz. – Diga logo!

– Então ele sussurrou: "O quê? Você tem medo de mim? É possível! Acha que ainda uso outra máscara? E que isso... isso! A minha cabeça, é uma máscara? Pois bem!", ele começou a gritar. "Arranque-a como fez com a outra! Vamos! Vamos! Ora! Quero que você faça isso! Suas mãos! Suas mãos! Dê-me suas mãos! Se não forem suficientes para você, posso lhe emprestar as minhas e trabalharemos juntos para arrancar a máscara." Joguei-me aos pés dele, mas ele me agarrou pelas mãos, Raoul, e as colocou no horror do seu rosto. Com as minhas unhas ele arranhou sua carne, a sua horrível carne morta!

"'Sinta! Sinta!', ele clamava aos berros como um punhado barro na fornalha. 'Sou feito inteiramente de morte, está vendo! Da cabeça aos pés! É um cadáver que a ama, a venera e que nunca mais a deixará!

Nunca mais! Vou aumentar o caixão, Christine, para mais tarde, quando estivermos no auge do nosso amor! Veja! Não estou rindo mais, estou chorando! Choro por você, Christine, que me arrancou a máscara, e que, por causa disso, nunca mais poderá me deixar! Enquanto me achasse bonito, você voltaria! Eu sei que voltaria. Mas agora que conhece minha feiura, fugirá para sempre, então manterei você aqui! Por que quis me ver? Insensata! Louca Christine. Querer me ver! Meu próprio pai nunca me viu, e minha mãe, para nunca mais me ver, ofertou-me aos prantos minha primeira máscara!'"

"Ele tinha finalmente me soltado e se arrastava pelo chão com soluços assustadores. E então, como um réptil, rastejou até seu quarto, fechou a porta, e eu fiquei sozinha, entregue ao meu horror e aos meus pensamentos, mas livre daquela visão horrível. Um silêncio prodigioso, o silêncio da sepultura, tinha sucedido aquela tempestade e pude refletir sobre as terríveis consequências do gesto que havia arrancado a máscara. As últimas palavras do monstro traziam informações suficientes. Eu era responsável por minha prisão perpétua e minha curiosidade seria a causa de todos os meus infortúnios. Ele havia alertado, repetiu que eu não corria nenhum perigo se não tocasse na máscara, e eu toquei. Amaldiçoei minha imprudência, ao mesmo tempo em que constatei, estremecendo, que o raciocínio do monstro era lógico. Sim, eu certamente voltaria se não tivesse visto seu rosto. Ele havia me atraído e interessado o suficiente, eu até me condoía por suas lágrimas ocultas pela máscara e não seria capaz de ficar indiferente à sua súplica. Afinal, eu não sou uma ingrata e sua impossibilidade não poderia me fazer esquecer que ele era a Voz e que tinha me ajudado com sua genialidade. Eu voltaria! Mas agora que estou fora daquelas catacumbas, certamente não regressarei mais! Ninguém volta a se trancar em um túmulo com um cadáver que lhe ama!"

"Durante alguns de seus rompantes malucos naquele episódio, quando me olhou ou aproximou de mim os dois buracos negros de seu olhar invisível, pude medir a selvajaria de sua paixão. Por não me tomar em seus braços quando eu não podia oferecer qualquer resistência, era necessário que esse monstro tivesse algo de um anjo, e talvez ele realmente fosse um pouco o Anjo da Música, e talvez o fosse de fato se Deus o tivesse revestido de beleza em vez de putrefação!"

"Perdida em pensamentos sobre o destino que me estava reservado, à mercê do terror de ver a porta do caixão se abrir e me deparar novamente com a figura do monstro sem máscara, fui para o meu apartamento e me armei com uma tesoura, disposta a pôr um fim naquele terrível destino. Foi quando ouvi o som do órgão..."

"Então, meu amigo, comecei a entender o que Erik disse sobre o que ele chamava, com um desprezo surpreendente, de música da Ópera. O que ouvi não tinha qualquer semelhança com o que havia me encantado até então. Seu *Don Juan triunfante* (pois não havia mais dúvida de que ele tinha apressado sua obra-prima para esquecer o horror do minuto presente) me pareceu apenas um longo, assustador e magnífico soluço, onde o pobre Erik tinha depositado toda a sua maldita miséria."

"Lembrei do caderno com notas vermelhas e facilmente imaginei que aquela música tinha sido escrita com sangue. Ela me guiava por todos os detalhes do martírio; fazia-me adentrar em todos os recantos do abismo, o abismo habitado pelo homem feio; mostrava-me Erik batendo de maneira atroz sua pobre e feia cabeça contra as paredes fúnebres do inferno, onde se refugiara para não mais amedrontar os olhares humanos. Eu assistia, aniquilada, ofegante, patética e vencida à eclosão daqueles acordes gigantescos, onde a Dor era deificada, e depois, os sons que vinham do abismo e se agrupavam subitamente em um voo prodigioso e ameaçador. Seus acordes rodopiantes pareciam subir rumo ao céu como a águia sobe na direção do sol, e tal sinfonia triunfal parecia incendiar o mundo. Eu compreendi que o trabalho havia sido finalmente concluído e que a Feiura, carregada pelas asas do Amor, ousara olhar de frente para a Beleza! Era como se eu estivesse embriagada; a porta que me separava de Erik cedeu aos meus esforços. Ele se levantou ao me ouvir, mas não se atreveu a olhar para trás."

"'Erik!', exclamei, 'mostre-me seu rosto, sem medo. Juro que você é o mais triste e o mais sublime dos homens, e, a partir de agora, se Christine Daaé estremecer ao olhar para você, é porque ela está pensando no esplendor da sua genialidade!'"

"Então, Erik se virou, pois acreditou em mim, e eu também, infelizmente, acreditei no que dizia. Ele ergueu suas mãos descarnadas e se ajoelhou diante de mim dizendo palavras de amor. Palavras de amor que saíam de sua boca de morto, e a música silenciou."

"Ele beijava a bainha do meu vestido e não viu que eu fechava os olhos."

"O que mais eu ainda posso dizer, meu amigo? Agora você conhece o drama. Durante quinze dias, tudo isso se repetiu, quinze dias durante os quais eu menti para ele. Minha mentira era tão horrível quanto o monstro que a inspirava, e esse foi o preço da minha liberdade. Queimei sua máscara. E o fiz de forma tão convincente que, mesmo quando não cantava, ele ousava mendigar um olhar meu, como um cão tímido que ronda seu mestre. Ele ficava assim, ao meu redor, como um escravo fiel, e me cercava com mil cuidados. Pouco a pouco, sua confiança foi crescendo e se atreveu a me levar para passear nas margens do lago Averno e navegar de barco por suas águas de chumbo. Nos meus últimos dias no cativeiro, levou-me, à noite, para além dos portões que protegem o subterrâneo da rua Scribe. Lá, havia uma tripulação à nossa espera, que nos levara às alamedas desertas do bosque."

"A noite em que o encontramos foi quase trágica para mim, pois ele sente um terrível ciúme de você, e só consegui dissuadi-lo afirmando que sua partida estava próxima. Finalmente, depois de quinze dias nessa abominável prisão, onde eu passei da compaixão ao entusiasmo, do desespero ao horror, ele acreditou em mim quando lhe disse: 'eu voltarei!'"

– E você voltou, Christine – gemeu Raoul.

– Isso é verdade, meu amigo, e devo dizer que não foram as terríveis ameaças que ele fez quando permitiu minha libertação que me ajudaram a manter a minha palavra; mas o soluço devastador que ele soltou na beira do seu túmulo!"

"Sim, aquele soluço," repetiu Christine, sacudindo dolorosamente a cabeça, "prendeu-me àquele infeliz mais do que eu poderia imaginar no momento da despedida. Pobre Erik! Pobre Erik!"

– Christine – disse Raoul enquanto se levantava –, você diz que me ama, mas apenas algumas horas tinham se passado desde que você tinha recuperado sua liberdade, e você já voltava para junto do Erik! Lembre-se do baile de máscaras!

– Então, foi dessa forma que você entendeu tudo... Lembre-se de que passei essas poucas horas com você, Raoul, a despeito do perigo que ambos corríamos.

– Durante aquelas horas, duvidei do seu amor.

– Você ainda duvida, Raoul? Saiba então que cada uma das vezes que voltei para perto de Erik só fez aumentar meu horror por ele, pois, cada uma dessas visitas, em vez de apaziguá-lo como eu esperava, deixavam-no ainda mais louco de amor! E tenho medo! Tenho medo! Tenho medo...

– Você está com medo... Mas você me ama? Se Erik fosse bonito, ainda assim me amaria, Christine?

– Infeliz! Por que desafiar o destino? Por que perguntar coisas que escondo na minha consciência como se escondesse o pecado?

Christine também se levantou, envolveu cabeça do jovem com seus braços trêmulos e disse:

– Ah, meu noivo por um dia, se eu não o amasse, não lhe daria os meus lábios. Pela primeira e última vez, aqui estão eles.

Raoul aceitou os lábios de sua amada, mas a noite que os rodeava gemeu tão forte que fugiram como se uma tempestade se aproximasse; e seus olhos, onde morava o medo de Erik, mostraram-lhes, antes que os dois desaparecessem na floresta de vigas do sótão, lá no alto, bem acima deles, um imenso pássaro noturno que os observava com olhos fumegantes, e que parecia agarrado às cordas da lira de Apolo!

Segunda Parte

O MISTÉRIO DOS ALÇAPÕES

Um golpe de mestre do amante dos alçapões

Raoul e Christine correram em disparada. Eles fugiram do telhado, onde estavam os tais olhos fumegantes que só podiam ser vistos na escuridão da noite, e só pararam no oitavo andar, mais próximo da terra. Naquela noite, não haveria espetáculo e os corredores da Ópera estavam desertos.

De repente, uma silhueta estranha surgiu na frente dos jovens, bloqueando o seu caminho:

– Não! Por aqui não!

E a silhueta apontou para outro corredor através do qual eles chegariam aos bastidores.

Raoul queria parar, pedir explicações.

– Rápido! Andem, depressa! – ordenou aquela forma vaga, vestida com uma espécie de manto e usando um chapéu pontiagudo.

Christine conduzia Raoul, forçando-o a continuar a correr.

– Mas quem é ele? Quem é aquele ser? – perguntou o jovem.

E Christine respondeu:

– É o Persa!

– O que ele faz aqui?

– Como eu vou saber? Ele está sempre na Ópera!

– O que você está me obrigando a fazer é covardia, Christine – disse Raoul, muito nervoso. – Está me obrigando a fugir, é a primeira vez que isso acontece comigo.

– Ora! – respondeu Christine, que estava começando a se acalmar. – Acho que estamos fugindo da sombra da nossa imaginação!

– Se realmente vimos Erik, eu devia tê-lo pregado à lira do Apolo, como pregamos as corujas às paredes das nossas quintas bretãs, e não se falaria mais nisso.

– Meu bom Raoul, seria necessário primeiro subir até a lira de Apolo, e não é uma subida fácil.

– Os olhos fumegantes estavam lá!

– Ora! Agora você está, como eu, vendo-o em todos os lugares, mas se pensamos melhor, o que imaginamos serem olhos fumegantes eram apenas as pontas douradas de duas estrelas que olhavam para a cidade através das cordas da lira.

E Christine desceu mais um andar. Raoul a seguiu. Ele disse:

– Uma vez que está decidida a partir, Christine, asseguro-lhe novamente que seria melhor fugirmos imediatamente. Por que esperar até amanhã? Talvez ele tenha nos escutado esta noite!

– É claro que não! É claro que não! Eu já disse, ele está trabalhando em seu *Don Juan triunfante* e não está preocupado conosco.

– Você está tão insegura quanto a isso que continua olhando para trás.

– Vamos para o meu camarim.

– É melhor nos encontrarmos fora da Ópera.

– Nunca, pelo menos não até o momento exato da nossa fuga! Eu não cumprir minha palavra nos dará azar. Prometi-lhe que só nos veríamos aqui.

– Felizmente, ele permitiu isso. Sabe – disse amargamente Raoul –, você foi muito ousada em propor essa brincadeira de noivado.

– Mas, meu querido, ele sabe disso. Ele disse: "Confio em você, Christine. O senhor Raoul de Chagny está apaixonado por você e precisa partir. Antes que ele vá, que ele seja tão infeliz quanto eu!".

– E o que significa isso, por favor?

– Eu é que pergunto, meu amigo. Então, somos infelizes quando amamos?

– Sim, Christine, quando amamos e não temos certeza de sermos correspondidos.

– Você responde por Erik?

– Por Erik e por mim – disse o jovem, balançando a cabeça de forma triste e reflexiva.

Chegaram ao camarim de Christine.

– Por que você imagina estar mais protegida neste camarim do que no teatro? – perguntou Raoul. – Uma vez que você o escutava atrás das paredes, ele também pode nos ouvir.

– Não! Ele me prometeu que não ouviria mais atrás das paredes do meu camarim e eu acredito nele. O meu camarim e o meu quarto no apartamento do lago são meus, só meus, e ele respeita isso.

– Como deixou o camarim para ser transportada para o corredor escuro, Christine? E se tentássemos repetir seus gestos, você o faria?

– É perigoso, meu amigo, porque o espelho poderia me aprisionar novamente e, em vez de fugir, eu seria obrigada a percorrer toda a passagem secreta que leva às margens do lago e chamar por Erik.

– Ele a ouviria?

– De onde quer que chame, ele me ouvirá. Foi Erik quem me disse, é um gênio bem estranho. Não devemos pensar, Raoul, que ele é simplesmente um homem que gosta de viver sob a terra. Ele faz coisas que nenhum outro homem seria capaz de fazer, e sabe de coisas que o mundo dos vivos ignora por completo.

– Cuidado, Christine, você está descrevendo um fantasma.

– Não, ele não é um fantasma, é um homem do Céu e da Terra, só isso.

– Um homem do Céu e da Terra… só isso! Você fala de um jeito! E você ainda está decidida a fugir?

– Sim, amanhã.

– Quer saber por que eu gostaria que você fugisse esta noite?

– Diga, meu amigo.

– Porque amanhã você não estará mais tão determinada a fazer isso!

– Neste caso, Raoul, você me levará embora contra minha vontade! Não está combinado?

– Então, amanhã à noite, nos encontramos aqui! À meia-noite, estarei em seu camarim – disse o jovem com um ar sombrio. – Aconteça o que acontecer, cumprirei minha promessa. Você disse que, depois de assistir ao espetáculo, ele vai esperar por você na sala de jantar do lago?

– Foi onde marcou para nos encontrarmos.

– E como você chegará na casa dele, Christine, se não consegue sair do camarim através do espelho?

– Ora, indo diretamente à beira do lago.

– Atravessando os porões? Pelas escadas e corredores por onde passam os maquinistas e os outros funcionários? Como guardaria em segredo uma ação como essa? Todos seguiriam Christine Daaé e ela chegaria à beira do lago acompanhada de uma multidão.

Christine tirou uma chave enorme de um baú e mostrou-a a Raoul.

– O que é isso? – ele perguntou.

– É a chave do portão subterrâneo da rua Scribe.

– Entendi, Christine. O portão leva diretamente ao lago. Você a deixaria comigo?

– Nunca! – ela respondeu energicamente. – Isso seria traição!

Raoul viu Christine mudar de cor de repente. Uma palidez mortal tomou conta de seus traços.

– Ah! Meu Deus! – ela exclamou. – Erik! Erik! Por favor, tenha piedade de mim!

– Acalme-se, Christine! – disse o jovem. – Você não disse que ele não pode ouvi-la?

Mas o comportamento da cantora tornava-se cada vez mais inexplicável. Ela esfregava os dedos uns contra os outros, repetindo com um ar perdido:

– Ah! Meu Deus! Ah! Meu Deus!

– Mas o que está acontecendo? O que é? – implorou Raoul.

– O anel.

– O que tem o anel? Por favor, Christine, recobre sua consciência!

– O anel de ouro que ele me deu.

– Ah? Foi Erik quem lhe deu o anel de ouro!

– Isso você já sabe, Raoul! Mas o que não sabe é o que ele me disse quando me deu o anel: "Eu devolvo sua liberdade, Christine, mas esse anel não deve sair nunca do seu dedo. Enquanto o conservar, estará a salvo de qualquer perigo e Erik continuará sendo seu amigo. Mas, se alguma vez se separar dele, ai de você, Christine, pois Erik se vingará!". Meu amigo, meu amigo! O anel não está mais no meu dedo! Ai de nós!

Eles procuraram em vão pelo anel ao redor. Não o encontraram. A jovem estava cada vez mais agitada.

– Foi quando eu o beijei, lá em cima, sob a lira de Apolo – ela tentou explicar tremendo. – O anel deve ter escorregado do meu dedo e caído na cidade! Como faremos para encontrá-lo? Ah, estamos à mercê de uma terrível ameaça, Raoul! Ah! Fujamos! Fujamos!

– Fujamos imediatamente – insistiu Raoul.

Ela hesitou. Ele pensou que ela concordaria, mas suas pupilas estremeceram e ela disse:

– Não! Amanhã!

E ela o deixou precipitadamente, transtornada, e continuou esfregando os dedos, sem dúvidas na esperança de que o anel reaparecesse dessa forma.

Quanto a Raoul, ele voltou para casa muito preocupado com tudo o que tinha ouvido.

– Se eu não a salvar das mãos desse charlatão – disse ele em voz alta em seu quarto, ao se deitar –, ela estará perdida; mas eu a salvarei!

E apagou a luz. Na escuridão, sentiu necessidade de amaldiçoar Erik e gritou três vezes em voz alta: "Charlatão! Charlatão! Charlatão!".

De repente, apoiou-se sobre os cotovelos; um suor frio corria por suas têmporas. Dois olhos, ardendo como chamas, tinham acabado de se acender ao pé da cama. Eles o olhavam fixamente, terrivelmente, na noite escura.

Raoul era corajoso, mas ainda assim estava trêmulo. Ele estendeu a mão que apalpava, hesitante, incerta, a mesa de cabeceira. Encontrou a caixa de fósforo e acendeu um. Os olhos desapareceram.

Ele pensou, nem um pouco tranquilo:

"Ela me disse que só é possível ver seus olhos na escuridão. Os olhos desapareceram com a luz, mas ele ainda pode estar aqui."

Então, levantou-se e procurou prudentemente por todo o quarto. Olhou debaixo de sua cama, como uma criança. Depois, ficou se achando ridículo. Disse em voz alta:

– Em que devo acreditar? Em que não devo acreditar em um conto de fadas como esse? Onde termina o real, onde começa o fantástico? O que ela viu? O que ela pensou ter visto? – estremeceu, prosseguiu. – E o que eu vi? Será que realmente vi os olhos em chama há pouco? Ou eles só brilhavam na minha imaginação? Não tenho certeza de mais nada! E não farei qualquer juramento a esses olhos.

Voltou para a cama. Novamente, o quarto ficou na escuridão. Os olhos reapareceram.

– Ah! – fez Raoul.

De pé em sua cama, ele os encarava da forma mais corajosa que conseguia. Depois de um silêncio que ele usou para recuperar toda a sua coragem, gritou:

– É você, Erik? Homem! Gênio ou fantasma! É você?

Depois pensou: "Se for ele, deve estar na varanda!".

Então, precipitou-se, de pijama, sobre um pequeno móvel onde encontrou, tateando, um revólver. Armado, abriu a janela. A noite estava muito fria. Raoul só teve tempo para olhar para a varanda deserta e voltou, fechando a porta. Ele se deitou em calafrios e colocou a arma na mesa de cabeceira, ao seu alcance.

Mais uma vez, apagou a vela.

Os olhos continuavam lá, aos pés da cama. Estavam entre a cama e o vidro da janela, ou atrás do vidro da janela, isto é, na varanda?

Era isso que Raoul procurava saber. Ele também queria saber se aqueles olhos pertenciam a um ser humano, queria saber tudo.

Então, pacientemente, friamente, sem perturbar a noite que o rodeava, o jovem pegou seu revólver e mirou.

Ele apontou para as duas estrelas douradas que o encaravam com um brilho singular e imóvel.

Mirou um pouco acima das duas estrelas. Naturalmente! Se aquelas estrelas fossem olhos, e se acima desses olhos houvesse uma testa, e se Raoul não fosse muito desajeitado...

O disparo rebentou com um terrível estrondo na paz da casa adormecida. E, enquanto passos eram ouvidos nos corredores, Raoul, no seu canto, com o braço estendido, estava pronto para disparar de novo, e observava...

Desta vez, as duas estrelas desapareceram.

As luzes se acenderam e o conde Philippe surgiu, junto com criados, terrivelmente assustado.

– O que está acontecendo, Raoul?

– Acho que sonhei! – respondeu o jovem. – Atirei em duas estrelas que me impediam de dormir.

– Você está delirando? Está doente! Por favor, Raoul, diga o que aconteceu? – e o conde lhe tomou a arma.

– Não, não, não estou delirando! O restante nós vamos descobrir...

Ele se levantou, vestiu um roupão, calçou os chinelos, pegou a lanterna da mão de um criado, abriu a porta de vidro e voltou à varanda.

O conde viu que a janela tinha sido perfurada por uma bala à altura de um homem. Raoul inclinava-se sobre a varanda com a sua lanterna.

– Ah! Ah! – ele exclamou. – Sangue... sangue! Aqui... aqui... mais sangue! É ainda melhor, um fantasma que sangra é menos perigoso! – e riu.

– Raoul! Raoul! Raoul!

O conde o sacudia como se quisesse acordar um sonâmbulo do seu perigoso sonho.

– Mas, meu irmão, eu não estou dormindo! – protestou Raoul, impaciente. – Você e todos os outros podem ver esse sangue. Pensei que estava sonhando e que havia atirado em duas estrelas. Mas eram os olhos de Erik, e este é o sangue dele!

Ele acrescentou, subitamente inquieto:

– Apesar de tudo, posso ter errado em disparar, e Christine é capaz de não me perdoar! Tudo isso não teria acontecido se eu tivesse tomado o cuidado de fechar as cortinas da janela antes de me deitar.

– Raoul! Você enlouqueceu de repente? Acorde!

– Ora! Seria mais útil se você me ajudasse a procurar Erik, meu irmão, porque um fantasma que sangra não deve ser difícil de ser encontrado.

O criado do conde disse:

– É verdade, senhor, há sangue na varanda.

Um outro criado se aproximou com uma lâmpada que iluminava tudo, a fim de que o local pudesse ser examinado. O rastro de sangue seguia pelo corrimão da varanda e chegava até uma calha por onde escorria.

– Meu amigo – disse o conde Philippe –, você atirou em um gato.

– Infeliz! – disse Raoul com uma risada que soou dolorosamente nos ouvidos do conde. – É bem possível. Com o Erik, nunca se sabe. Seria Erik? Um gato? O Fantasma? É gente ou sombra? Não! Não! Com Erik, nunca se sabe!

Raoul começou a criar esse tipo de hipóteses estranhas que tão íntima e logicamente respondiam às preocupações de sua mente e que seguiam tão bem as estranhas e, ao mesmo tempo, reais e sobrenaturais confidências de Christine Daaé. E essas observações não contribuíram muito para persuadir as pessoas de que a mente do jovem não estava perturbada. O próprio conde achou isso e, mais tarde, o juiz de instrução, a partir do relatório do comissário de polícia, não teve dificuldade em chegar à mesma conclusão.

– Quem é Erik? – perguntou o conde, pressionando a mão do irmão.

– É o meu rival! Não importa se não morreu! – com um gesto, dispensou os criados.

A porta do quarto se fechou e os irmãos Chagny ficaram a sós. Mas os criados não partiram tão rapidamente, e o camareiro do conde ouviu quando Raoul falou em alto e bom som:

– Esta noite, raptarei Christine Daaé!

Essa sentença foi mais tarde repetida diante do juiz de instrução Faure. Mas nunca se soube o que, exatamente, foi dito entre os dois irmãos durante aquela conversa.

Os serviçais disseram que aquela não era a primeira discussão que os dois tinham a portas fechadas. Através das paredes, ouviam gritos, e sempre se falava de uma atriz chamada Christine Daaé.

No café da manhã, que o conde costumava tomar em seu escritório, Philippe deu ordens para que fossem pedir ao irmão que se juntasse a ele. Raoul veio, sombrio e mudo. A conversa foi curta.

O conde: – Leia isto!

Philippe estendeu a seu irmão o jornal chamado *l'Époque*. Com o dedo, apontou a seguinte notícia da coluna social.

O visconde balbuciou:

Uma grande notícia para a sociedade: uma promessa de casamento entre a senhorita Christine Daaé, cantora lírica, e o visconde Raoul de Chagny. Se acreditarmos nos rumores dos bastidores, o conde Philippe teria jurado que, pela primeira vez, os Chagny não cumpririam uma promessa. Como o amor é mais presente na Ópera do que em qualquer outro lugar, a curiosidade é sobre os artifícios de que o conde Philippe dispõe para impedir que seu irmão, o visconde, leve ao altar a nova Marguerite. Dizem que os dois irmãos se adoram, mas o conde está profundamente enganado se espera que o amor fraterno seja mais forte do que o amor puro e simples!

O conde (triste). – Vê, Raoul, como está nos fazendo parecer ridículos! Essa garota encheu sua cabeça com essas histórias de fantasmas. (O visconde havia contado o relato de Christine para seu irmão.)

O visconde: – Adeus, meu irmão!

O conde: – Então é verdade? Você vai partir esta noite? (O visconde não respondeu) – Com ela? Você não faria uma bobagem dessas! – O visconde permaneceu em silêncio. – Eu sei como impedi-lo!

O visconde: – Adeus, meu irmão! – disse ele indo.

Essa cena foi contada ao juiz de investigação pelo próprio conde, que não voltaria a ver seu irmão Raoul antes daquela noite, na Ópera, alguns minutos antes do desaparecimento de Christine.

Raoul dedicou todo aquele dia aos preparativos para o rapto.

Os cavalos, a carruagem, o cocheiro, as provisões, a bagagem, o dinheiro necessário, o itinerário (eles não seguiriam pela ferrovia para desviar do Fantasma), tudo isso o ocupou até as nove horas da noite.

Pontualmente às nove horas, uma espécie de berlinda com as cortinas fechadas entrou na fila do lado da rotunda. Estava atrelada a dois vigorosos cavalos e era conduzida por um cocheiro cujo rosto era difícil de distinguir, pois estava escondido atrás das longas voltas de um cachecol. Havia três carros na frente dessa berlinda. Soube-se mais tarde que eram os cupês de Carlotta, que tinha retornado inesperadamente a Paris, de Sorelli, e, à frente, do conde Philippe de Chagny. Ninguém desceu da berlinda. O cocheiro permaneceu em seu assento. Os outros três cocheiros também permaneceram em seus respectivos lugares.

Uma sombra, vestida com um grande casaco preto e usando um chapéu mole de feltro preto, passou pela calçada entre a rotunda e as carruagens. Ela parecia observar a berlinda com maior atenção. Aproximou-se dos cavalos, depois do cocheiro, e em seguida se distanciou sem pronunciar uma só palavra. A instrução mais tarde considerou que a tal sombra era o visconde Raoul de Chagny. Quanto a mim, não acredito nessa hipótese, pois naquela noite, como nas outras noites, o visconde de Chagny usava uma cartola que, além de tudo, foi encontrada. Acho que, na verdade, aquela era a sombra do Fantasma, que estava a par tudo, como veremos em seguida.

Naquela noite, por acaso, apresentariam *Fausto*. O salão estava repleto da mais alta sociedade. O *faubourg* estava muito bem representado. Àquela época, os assinantes não cediam, não alugavam, não sublocavam nem partilhavam seus camarotes com o mundo das finanças, comerciantes ou estrangeiros. Hoje, no camarote do marquês fulano, que ainda mantém esse título (camarote do marquês fulano, uma vez que o marquês ainda é, por contrato, digamos, o titular do camarote), vemos frequentadores como um comerciante de carne de porco e sua família, o que é direito desse comerciante, pois ele paga pelo camarote do marquês. No passado, esse tipo de costume era completamente desconhecido. Os camarotes da Ópera eram salões onde se tinha a certeza de conhecer ou ver pessoas mundanas que, às vezes, gostavam de música.

Toda aquela gente se conhecia sem, necessariamente, frequentar-se. Mas todos os rostos tinham nomes de famílias importantes, e o do conde de Chagny não era ignorado por ninguém.

A manchete que figurava no *l'Époque* aquela manhã já começava a produzir ao menos um pequeno efeito, pois todos os olhos estavam voltados para o camarote no qual o conde Philippe, com uma aparência muito indiferente e despreocupada, estava completamente sozinho. A ala feminina daquela impressionante assembleia parecia singularmente intrigada e a ausência do visconde deu origem a uma centena de sussurros por trás dos leques. Christine Daaé foi recebida friamente. Aquele público especial não a perdoava por ter mirado tão alto.

A diva percebeu a má disposição de parte do público e ficou perturbada.

Os *habitués*[16], que afirmavam saber dos amores do visconde, não deixaram de sorrir em certas passagens da apresentação de Marguerite. Eles olharam ostensivamente para o camarote de Philippe de Chagny quando Christine cantou o verso: "Eu gostaria de saber quem é esse homem, se é um grande senhor e que nome tem o jovem".

Com o queixo encostado à mão, o conde parecia não ter notado as manifestações. Ele olhava fixamente para a cena, mas será que a via? Parecia distante de tudo...

Aos poucos, Christine perdia toda sua confiança. Ela tremia. Estava a caminho de uma catástrofe. Carolus Fonta se perguntava se ela não estava se sentindo mal, se conseguiria aguentar até o final do ato, que era aquele do jardim. No salão, as pessoas se lembravam do infortúnio que tinha acontecido no final desse ato com Carlotta e o histórico *croac* que tinha suspendido temporariamente sua carreira em Paris.

Justamente nesse momento, Carlotta fez uma entrada triunfal em seu camarote, que ficava de frente para o palco. A pobre Christine olhou com seus olhos verdes para aquele novo motivo de tensão. Ela reconheceu sua rival. Pensou ver um sarcasmo em sua figura e foi isso que a salvou. Ela se esqueceu de tudo e, mais uma vez, triunfou.

A partir desse momento, cantou com toda a sua alma. Tentou superar tudo o que tinha feito até então e conseguiu. No último ato, quando a personagem Marguerite começa a invocar os anjos e se elevar do chão,

16 Frequentadores assíduos, que estão "habituados" a irem à Ópera. (N.T.)

toda a sala, fascinada, acompanhou-a em seu voo, e era possível acreditar que todos tinham asas.

Com esse chamado sobre-humano, no centro do anfiteatro, um homem se levantou e ficou de frente para a atriz, como se com o mesmo movimento estivesse deixando a Terra. Era Raoul.

Anjos puros! Anjos radiosos!
Anjos puros! Anjos radiosos!

E Christine, com os braços estendidos, a garganta em chamas, envolta na glória de seus cabelos soltos sobre os ombros nus, lançou o clamor divino:

Levai minh'alma aos céus gloriosos!

Então, de repente, o teatro ficou na mais completa escuridão. Tudo aconteceu tão rápido que os espectadores mal tiveram tempo de gritar de surpresa, e a luz iluminou a cena novamente.

Mas Christine Daaé já não estava no palco! O que aconteceu? Que milagre era aquele? Todos se entreolhavam sem entender e a comoção atingia seu auge.

A comoção estava no palco e também entre os espectadores. As pessoas saíam dos bastidores e iam na direção em que Christine cantava pouco antes do acontecimento. O espetáculo foi interrompido no meio de uma imensa desordem.

Onde? Para onde teria ido Christine? Que tipo de feitiçaria a havia feito desaparecer diante de milhares de espectadores entusiasmados, e dos braços de Carolus Fonta? A verdade é que se podia imaginar que os anjos, atendendo a sua oração ardente, tinham realmente levado Christine "para os céus gloriosos", de corpo e alma.

Raoul, ainda em pé no anfiteatro, gritou. O conde Philippe estava inquieto em seu camarote. As pessoas olhavam para o palco, para o conde e para Raoul e se perguntavam se aquele curioso acontecimento não tinha alguma relação com a manchete publicada no jornal naquela manhã. Mas Raoul deixou precipitadamente seu lugar, o conde desapareceu de seu camarote, e enquanto as cortinas eram baixadas, os assinantes se precipitavam na direção dos bastidores. O público esperava por notícias em um alvoroço indescritível. Todos falavam ao mesmo tempo. Cada um procurava explicar o que tinha acontecido. Alguns diziam "Ela caiu em um alçapão"; outros "Ela foi sugada pelas frisas; a infeliz pode estar sendo vítima de um truque inaugurado pela nova gerência"; outros ainda "É uma emboscada. A coincidência do desaparecimento e da escuridão é prova disso".

Enfim, a cortina subiu lentamente, e Carolus Fonta foi até o púlpito do maestro para anunciar, com uma voz grave e triste:

– Senhoras e senhores, acaba de ocorrer um acontecimento sem precedentes que nos deixa profundamente preocupados. A nossa camarada, Christine Daaé, desapareceu diante de nós sem que saibamos como isso se sucedeu!

A singular importância de um alfinete de fralda

No palco, a confusão era enorme. Artistas, maquinistas, dançarinos, transeuntes, figurantes, coristas, assinantes, todos questionavam, gritavam e trombavam uns contra os outros. "O que aconteceu?", "Ela foi raptada!", "Foi o visconde de Chagny que a levou!", "Não, foi o conde!", "Ah! Ali está Carlotta! Foi a Carlotta quem a raptou!", "Não! Foi o Fantasma!".

E alguns riam, sobretudo depois que o exame cuidadoso dos alçapões e assoalhos refutou a possibilidade de um acidente.

No meio daquela multidão barulhenta, era possível notar um grupo de três personagens que falavam em voz baixa e faziam gestos desesperados. Eram Gabriel, o regente do coro, Mercier, o administrador, e o secretário Rémy. Eles estavam em um canto que liga o palco ao largo corredor do *foyer* de dança. Lá, atrás dos adereços enormes, eles discutiam:

– Bati na porta, mas ninguém respondeu! Talvez já não estejam no escritório. De qualquer modo, é impossível saber, pois eles levaram as chaves.

Essas foram as palavras do secretário Rémy, e não há dúvidas de que se referia aos diretores. No intervalo do último ato, eles haviam dado ordens para que não fossem incomodados sob nenhum pretexto. "Não estão para ninguém."

- Mas é um caso excepcional - exclamou Gabriel -, não é todo dia que uma cantora desaparece em plena cena!

- Você gritou isso para eles? - questionou Mercier.

- Vou voltar lá - disse Rémy, e logo desapareceu. Nesse momento, o chefe de produção apareceu.

- Bem, senhor Mercier, o que faz aqui? Venham os dois. Nós precisamos de sua ajuda, senhor administrador.

- Eu não quero fazer nada, nem saber de nada antes da chegada do comissário - declarou Mercier. - Já mandei chamar Mifroid. Veremos quando ele chegar!

- Pois eu digo que é necessário descer imediatamente à cabine de luz.

- Não até o comissário chegar.

- Eu já fui até lá.

- Ah, sim! E o que você viu?

- Bem, eu não vi ninguém! Entendeu bem, ninguém!

- Mas então, o que quer que eu faça lá?

- Ora essa! - respondeu o administrador, que esfregava freneticamente as mãos em sua farta cabeleira. - É óbvio! Se houvesse alguém na cabine, esse alguém poderia nos explicar como aconteceu aquele repentino apagão. Mas Mauclair desapareceu, compreende?

Mauclair era o diretor de iluminação que trabalhava dia e noite na Ópera.

- Mauclair desapareceu? - repetiu Mercier, bastante abalado. - E os ajudantes dele?

- Nem Mauclair, nem seus ajudantes! Não há ninguém na iluminação, eu posso assegurar! Pensem bem - bradou o chefe de produção -, essa jovem não desapareceu sozinha! Há uma artimanha que precisa ser esclarecida. E os diretores, por que não estão aqui? Proibi que qualquer um se aproxime da iluminação. Designei um bombeiro para ficar diante da cabine de luz! Fiz bem?

– Sim, sim, você fez a coisa certa. E agora vamos esperar pelo comissário.

O chefe de produção encolheu os ombros, furioso, balbuciando insultos àqueles "frouxos" que permaneceram tranquilamente em seu canto enquanto todo o teatro estava de cabeça para baixo.

Gabriel e Mercier não estavam propriamente tranquilos, mas haviam recebido ordens que os paralisavam. Os diretores não queriam ser incomodados por nenhuma razão. Rémy havia desobedecido a ordem e o resultado não foi nada bom para ele.

Eis que ele voltava de sua nova tentativa. Tinha uma expressão curiosamente assustada.

– E então, falou com eles? – questionou Mercier. Rémy respondeu:

– Moncharmin acabou abrindo a porta. Seus olhos saltavam para fora das órbitas e até pensei que ele fosse me bater. Eu não consegui dizer uma só palavra antes que ele gritasse: "Você tem um alfinete de fralda?", "Não.", "Pois bem, então me deixe em paz!". Tentei contar a ele sobre o acontecimento inédito do teatro, mas ele repetiu: "Um alfinete de fralda! Encontre imediatamente um alfinete de fralda!". Um jovem assistente que ouviu o pedido (ele gritava como um surdo), correu para lhe trazer um alfinete de fralda, entregou-lhe imediatamente e Moncharmin fechou a porta na minha cara! E foi isso!

– E você não conseguiu ao menos dizer: Christine Daaé...?

– Ora! Queria ter visto você no meu lugar! Ele espumava, só pensava no alfinete de fralda. Acho que, se não lhe tivessem trazido o quanto antes, ele teria tido um ataque! Certamente, tudo isso não é natural e nossos diretores estão enlouquecendo!

O secretário Rémy não estava feliz. Declarou:

– Isso não pode continuar assim! Não estou acostumado a ser tratado dessa forma!

Gabriel então suspirou:

– Isso é coisa do F. da Ó.

Rémy riu. Mercier suspirou, parecia prestes a fazer uma confissão, mas Gabriel fez sinal para que se calasse, e ele permaneceu em silêncio.

No entanto, Mercier, que sentia sua responsabilidade aumentar à medida que os minutos passavam e os diretores não apareciam, decidiu:

– Ah! Eu mesmo vou falar com eles.

Gabriel, de repente sério e grave, o deteve.

– Pense bem no que vai fazer, Mercier! Se eles não saem do escritório, é porque, talvez, seja necessário! O F. da Ó. tem mais de um truque em sua manga!

Mas Mercier balançou a cabeça.

– Que seja! Vou até lá mesmo assim! Se alguém tivesse me dado ouvidos, a polícia já estaria a par de tudo há muito tempo!

E se retirou.

– Tudo o quê? – ponderou Rémy. – O que teríamos dito à polícia? Ah! Você também vai ficar calado, Gabriel? Então você também sabe do segredo! Bem, é melhor você me contar se não quiser que eu comece a gritar que vocês estão loucos! Sim, completamente loucos!

Gabriel arregalou os olhos e fingiu não compreender esse "chilique" inapropriado do senhor secretário particular.

– Que segredo? – murmurou. – Não sei do que você está falando.

Rémy começava a ficar impaciente.

– Esta noite, Richard e Moncharmin, aqui mesmo, durante os intervalos, agiam como dois loucos.

– Não reparei – grunhiu Gabriel, muito aborrecido.

– Pois foi o único! Pensa que não os vi? E que o senhor Parabise, diretor do Crédit Central, não percebeu nada? E que o senhor embaixador La Borderie não desconfia de nada? Mas, senhor regente, todos os assinantes apontavam para os nossos diretores!

– E o que nossos diretores faziam? – perguntou Gabriel esforçando--se para parecer estúpido.

– O que faziam? Você sabe melhor do que ninguém o que eles faziam! Afinal, você estava lá e os observava juntamente com Mercier! E vocês eram os únicos que não riam...

– Não entendo!

Bastante frio e reservado, Gabriel estendeu os braços e os soltou em seguida, um gesto que obviamente significava que ele não se interessava nem um pouco pelo assunto. Rémy prosseguiu:

– Que nova mania é essa? Não querem mais que nos aproximemos deles?

– Como? Não nos querem perto deles?

– Eles não querem que os toquemos?

– É sério, você notou que eles não querem mais que os toquemos? Isso é mesmo muito estranho!

– Você tem que concordar! Já não era sem tempo! E estão andando de costas!

– De costas! Vocês repararam que nossos diretores andam de costas! Pensei que só caranguejos andassem para trás.

– Não brinque, Gabriel! Não brinque!

– Não estou brincando – protestou Gabriel, declarando-se sério "como um papa".

– Gabriel, você, que é amigo íntimo dos diretores, poderia me explicar por que, no intervalo do "jardim", em frente ao *foyer*, no momento que eu estendia a mãos para cumprimentar o senhor Richard, ouvi o senhor Moncharmin dizer, precipitadamente e em voz baixa: "Afaste-se! Afaste-se! E, sobretudo, não se atreva a tocar no diretor"? Por acaso eu tenho alguma doença contagiosa?

– Inacreditável!

– E alguns instantes depois, quando o embaixador La Borderie foi cumprimentar o senhor Richard, você não viu o senhor Moncharmin se colocar entre eles, nem o ouviu exclamar: "Senhor embaixador, eu imploro, não toque no senhor diretor!".

– Ultrajante! E o que fazia Richard durante esse tempo?

– O que ele fazia? Mas você viu?! Ele se virava e cumprimentava à sua frente, mas não havia ninguém diante dele! E depois se retirava, andando de costas.

– De costas?

– E Moncharmin, atrás de Richard, também se voltava, ou seja, ele desenhava, atrás de Richard, um rápido semicírculo; e ele também andava para trás! E eles caminharam assim até a escada da administração, de costas! De costas! Enfim! Se eles não estão loucos, você pode me explicar o que significa tudo isso?

– Talvez estivessem ensaiando um número de balé! – arriscou Gabriel, sem muita convicção.

O secretário Rémy se sentiu indignado com uma piada tão vulgar em um momento tão dramático. Suas sobrancelhas franziram, seus lábios crisparam e ele disse no ouvido de Gabriel.

– Não banque o engraçadinho, Gabriel. Há coisas acontecendo aqui em que Mercier e você podem muito bem estar envolvidos.

– O que, por exemplo? – questionou Gabriel.

– Christine Daaé não foi a única que desapareceu esta noite.

– Ah! Ora!

– Sem “Ah! Ora!”. Você poderia me explicar por que, quando a dona Giry desceu ao *foyer* há pouco, Mercier a pegou pela mão e a levou às pressas junto com ele?

– Ah! – disse Gabriel. – Não reparei.

– Você reparou tão bem, Gabriel, que os acompanhou até o escritório de Mercier. Desde então, Mercier e você foram vistos novamente, mas a dona Giry desapareceu...

– Pensa que a devoramos?

– Não! Mas vocês a trancaram no escritório a sete chaves, e quando passamos pela porta do escritório, sabe o que ouvimos? Ouvimos estas palavras: “Ah, bandidos! Ah, bandidos!”.

Neste momento da singular conversa, Mercier se aproximou, quase sem fôlego.

– Pronto! – ele disse, articulando mal as palavras. – É inacreditável! E gritei “É muito grave! Abram! Sou eu, Mercier”. Ouvi passos. A porta se abriu e Moncharmin apareceu. Ele estava muito pálido. Ele me perguntou: “O que você quer?”. E eu respondi: “Raptaram Christine Daaé!”. Sabem o que ele disse? “Que bom para ela!”. E fechou a porta depois de me entregar isto.

Mercier abriu a mão e Rémy e Gabriel puderam ver.

– O alfinete de fralda! – exclamou Rémy.

– Que estranho! Que estranho! – disse Gabriel, baixinho, sem conseguir conter seu tremor.

De repente, uma voz fez com que os três se voltassem.

– Com licença, cavalheiros, poderiam me informar onde está Christine Daaé?

Apesar da gravidade das circunstâncias, tal pergunta provavelmente os teria feito rir se não tivessem visto uma figura tão sofrida que imediatamente lhes deu pena. Era o visconde Raoul de Chagny.

“Christine! Christine!”

O primeiro pensamento de Raoul, depois do fantástico desaparecimento de Christine Daaé, foi acusar Erik. Ele já não duvidava do poder quase sobrenatural do Anjo da Música, naquele prédio da Ópera, onde o Fantasma havia estabelecido diabolicamente seu império.

Raoul correu para o palco, em um misto de desespero e amor.

– Christine! Christine! – ele gemia, desesperado, chamando-a como ela deveria chamá-lo das profundezas daquele abismo escuro para onde o monstro a tinha levado como uma presa, ainda vibrando com sua divina apresentação, vestida com o manto branco com o qual se oferecia aos anjos do paraíso!

– Christine! Christine! – repetia Raoul, e tinha a impressão de ouvir os gritos da jovem através daquelas tábuas frágeis que o separavam dela! Ele se inclinava, escutava! Vagava pelo cenário como um louco. Ah! Descer! Descer! Descer! Descer até aquele poço tenebroso onde todos os acessos estavam fechados para ele!

Ah! Aquele frágil obstáculo que deslizava tão facilmente sobre os trilhos, permitindo ver o abismo para onde seu desejo o atraía. Aquelas tábuas que seus passos faziam estalar e que soavam sob o seu peso o prodigioso vazio dos subsolos. Aquelas mesmas tábuas estavam mais imóveis do que nunca, parecem irremovíveis, pareciam tão sólidas, como se nunca tivessem saído do lugar e agora as escadas que davam acesso aos pisos inferiores estavam bloqueadas para todo mundo!

– Christine! Christine! – As pessoas o afastavam aos risos, zombavam dele, diziam que o pobre noivo estava completamente perturbado!

Será que Erik, em uma corrida desenfreada pelos corredores de noite e mistério que só ele conhecia, arrastava a criança pura para aquele assustador esconderijo que era o quarto Luís Felipe, cuja porta dava para aquele lago do Inferno?

– Christine! Christine! Por que não me responde? Diga ao menos se está viva, Christine? Ou se seu último suspiro foi dado em um minuto de horror sobre-humano, sob o bafo ardente do monstro!

Pensamentos terríveis atravessavam a mente tumultuada de Raoul como raios fulminantes.

É claro, Erik devia ter descoberto o segredo deles, descoberto que Christine o traía! Que vingança ele tramava? A que se atreveria o Anjo da Música, ferido em seu orgulho? Christine estava perdida nos braços daquele monstro todo poderoso!

E Raoul pensava nas estrelas douradas que vieram à sua varanda na véspera. Não conseguira derrubá-las com sua impotente arma! Naturalmente, há olhos extraordinários de homens que se dilatam na escuridão e brilham como estrelas ou como olhos de gatos (alguns homens albinos parecem ter olhos de coelho durante o dia e olhos de gato à noite, todos sabem disso!). Sim, sim, era em Erik que Raoul havia atirado! Por que não o matou? O monstro tinha escapado pela calha como gatos ou condenados que, como todos sabem, escalariam o céu se pudessem se apoiar em uma calha.

Sem dúvida, Erik tramava alguma ação decisiva contra o jovem, mas, como fora ferido, escapara para agora se vingar da pobre Christine.

Era esse o pensamento cruel do pobre Raoul quando seguia na direção do camarim da cantora…

– Christine! Christine! – Lágrimas amargas fizeram suas pálpebras arderem quando ele viu, espalhadas sobre os móveis, as roupas que vestiriam sua bela noiva no momento da fuga! Ah! Por que ela não quis partir antes? Por que demorou tanto? Por que brincar com a catástrofe iminente? Com o coração do monstro? Por que você escolheu essa suprema piedade? Entregar de bandeja àquela alma demoníaca esse canto celeste...

Anjos puros! Anjos radiosos!
Levai minha alma aos céus gloriosos!

Raoul, cuja garganta estava repleta de soluços, juramentos e insultos, tateou com suas mãos inábeis o grande espelho que se abriu uma noite diante dele para levar Christine à tenebrosa morada. Ele apoiou, apertou, tateou, mas o espelho, ao que parece, só obedecia a Erik. Talvez os gestos fossem inúteis com aquele tipo de espelho, talvez bastasse pronunciar certas palavras? Quando era criança, ouvia histórias sobre objetos que obedeciam a ordens!

De repente, Raoul se lembrou: um portão que dava acesso à rua Scribe. Uma passagem subterrânea que passava pela rua Scribe e chegava ao lago. Sim, Christine havia falado sobre isso! E depois de constatar que, infelizmente, a pesada chave não estava mais no baú, correu para a rua Scribe.

Lá estava ele, passeando as mãos trêmulas pelas pedras ciclópicas, procurando saídas, encontrando grades. São estas? Ou estas? Ou, então, estas janelas do porão? Mergulhou seus olhos indefesos entre as grades. Que escuridão profunda se fazia lá dentro! Ele ouvia... Que silêncio! Caminhou em volta do monumento.

"Ah! Aqui estão grades largas! Portões prodigiosos!" Era a porta do hall da administração!

Raoul correu até a zeladora:

– Com licença, minha senhora, a senhora poderia me indicar uma porta feita de barras, barras de ferro, que leva à rua Scribe e que chega até o lago? A senhora conhece bem o lago? Sim, o lago, oras! O lago que fica debaixo da terra, debaixo da terra da Ópera.

– Senhor, sei que há um lago debaixo da Ópera, mas não sei que porta leva até ele. Nunca estive lá!

– E a rua Scribe, minha senhora? A rua Scribe? A senhora também nunca foi à rua Scribe?

Ela começou a rir! E depois a gargalhar! Raoul partiu resmungando, saltou, subiu escadas, desceu outras, atravessou toda a administração e chegou à claridade do palco.

Ali ele parou, o coração disparado em seu peito ofegante: e se já tivessem encontrado Christine Daaé? Avistou um grupo e perguntou:

– Com licença, cavalheiros, por acaso vocês viram Christine Daaé? – e os homens começaram a rir.

No mesmo minuto, começou a vir do palco um novo boato, e no meio de uma multidão de vestes pretas que o rodeava e gesticulava, procurando explicar o que havia acontecido, surgiu um homem que parecia muito calmo e gentil, com o rosto rosado e bochechudo, cabelos encaracolados e iluminados por dois olhos azuis que transmitiam uma maravilhosa serenidade. O administrador Mercier apresentou o recém-chegado ao visconde de Chagny com estas palavras:

– Senhor, este é o homem a quem deve fazer a pergunta. Apresento-lhe o comissário de polícia, senhor Mifroid.

– Ah! Senhor visconde de Chagny! Prazer em vê-lo, senhor – disse o comissário. – Se puder fazer a gentileza de me acompanhar... E onde estão os diretores? Onde estão os diretores?

Como o administrador se manteve em silêncio, o secretário Rémy encarregou-se de informar ao comissário que os diretores estavam trancados no escritório e ignoravam o acontecimento.

– Mas não é possível! Vamos até o escritório!

E o senhor Mifroid, seguido por uma procissão cada vez maior, dirigiu-se à administração. Mercier se aproveitou da multidão para entregar uma chave a Gabriel:

– Isso tudo não vai acabar bem – ele sussurrou –, melhor deixar a dona Giry respirar um pouco de ar fresco.

E Gabriel se afastou do grupo.

Logo chegaram à porta dos diretores. Foi em vão que Mercier fez ouvir suas objurgações, pois ninguém abriu a porta.

– Abram em nome da lei! – ordenou o senhor Mifroid, com um tom de voz claro e um pouco preocupado.

Enfim, a porta foi aberta. Todos se precipitaram para dentro do escritório, seguindo os passos do comissário.

Raoul foi o último a entrar. Quando chegou perto da porta, uma mão pousou em seu ombro e ele ouviu estas palavras ditas em seu ouvido: "Os segredos de Erik não dizem respeito a ninguém!".

Ele se virou, sufocando um grito. A mão que tinha encostado em seu ombro estava agora nos lábios de um personagem com pele de ébano, olhos de jade e usando um chapéu de astracã... O Persa!

O desconhecido prolongou o gesto recomendando discrição, e no momento em que o visconde, estupefato, ia lhe perguntar a razão de sua misteriosa intervenção, ele o saudou e desapareceu.

As surpreendentes revelações de dona Giry sobre suas relações pessoais com o Fantasma da Ópera

Antes de seguirmos o comissário de polícia Mifroid até o escritório dos diretores, permita-me, leitor, que eu lhe conte sobre alguns acontecimentos extraordinários no escritório onde o secretário Rémy e o senhor Mercier tentaram, em vão, entrar, e onde os senhores Richard e Moncharmin tinham se trancafiado com um propósito que o leitor ainda desconhece, mas que é meu dever histórico, quero dizer, meu dever como historiador, não manter mais em segredo.

Tive a oportunidade de dizer como o estado de espírito dos diretores estava desagradavelmente diferente há algum tempo, e deixei claro que essa transformação não era apenas consequência da queda do lustre naquela ocasião que já conhecemos.

Revelaremos, então, ao leitor, apesar do desejo dos diretores de que tal acontecimento permanecesse para sempre em segredo, que o Fantasma havia tranquilamente recebido seus primeiros vinte mil francos! Ah! Isso tinha causado choro e ranger de dentes! O fato, no entanto, aconteceu da forma mais simples do mundo.

Uma manhã, os diretores encontraram um envelope já preparado sobre a mesa, que trazia como destinatário: "Ao senhor F. da Ó. (confidencial)", acompanhado de um bilhete do próprio F. da Ó.:

Chegou a hora de cumprir os termos do caderno de encargos: vocês devem colocar vinte notas de mil francos neste envelope. Lacrem-no com o próprio selo da direção e entreguem-no à senhora Giry, que se encarregará do restante.

Os diretores não pensaram duas vezes. Sem perder tempo imaginando como essas missões malignas chegavam a um gabinete que eles tinham muito cuidado em trancar, encontraram nisso uma boa oportunidade para colocar as mãos no chantagista misterioso. E depois de terem contado tudo a Gabriel e Mercier, pedindo que mantivessem sigilo, colocaram os vinte mil francos no envelope e confiaram-no, sem pedir maiores explicações, à dona Giry, que havia retomado seu posto. A funcionária não manifestou nenhuma surpresa. Nem preciso dizer que ela passou a ser vigiada! Ela seguiu imediatamente para o camarote do Fantasma e colocou o precioso envelope sobre a mesa de apoio. Os dois diretores, bem como Gabriel e Mercier, esconderam-se a fim de não perderem o envelope de vista nem por um segundo durante toda a apresentação nem depois, porque, como o envelope não tinha se movido, aqueles que o vigiavam também não se moveram. O teatro se esvaziou, a senhora Giry foi embora, mas os dois diretores, Gabriel e Mercier permaneceram lá. Até que finalmente se cansaram e abriram o envelope depois de verificar que os selos não tinham sido rasgados.

Em um primeiro momento, Richard e Moncharmin pensaram que o dinheiro ainda estava lá, mas depois descobriram que não era o mesmo. As vinte notas verdadeiras tinham sido substituídas por vinte notas de um tal "Banco da Santa Farsa"! Primeiro veio a raiva, que depois deu lugar ao pavor!

– É mais astuto que o Robin Hood! – exclamou Gabriel.

– Sim – respondeu Richard –, e custa mais caro!

Moncharmin queria chamar o comissário às pressas; Richard se opôs. Ele provavelmente tinha um plano e disse:

– Não sejamos ridículos! A cidade toda riria de nós. O F. da Ó. ganhou a primeira rodada, mas nós ganharemos a segunda. – Ele pensava avidamente no pagamento do próximo mês.

No entanto, tinham sido enganados de forma tão perfeita que, durante as semanas seguintes, não conseguiram superar uma certa angústia. E isso, afinal, é bastante compreensível. Se não chamaram o comissário de imediato, é porque não se pode esquecer que os diretores sentiam que, no fundo, aquilo era uma situação tão esdrúxula que, sem dúvidas, só podia ser uma piada detestável feita por seus antecessores e nada devia ser divulgado até que chegassem às últimas consequências de suas investigações. Esse pensamento, por outro lado, era perturbado pela suspeita que Moncharmin tinha do próprio Richard, que, às vezes, tinha ideias muito burlescas. Assim, prontos para qualquer eventualidade, eles esperaram pelos acontecimentos vigiando e mandando vigiar dona Giry, com quem Richard não queria que comentassem nada. "Se ela é cúmplice", dizia ele, "já faz muito tempo que o dinheiro está longe. Mas para mim ela não passa de uma imbecil!".

– E já existem imbecis demais nessa história! – respondeu Moncharmin intrigado.

– Mas como poderemos saber? – balbuciou Richard. – Não se preocupe, da próxima vez, todas as precauções serão tomadas.

E foi assim que chegou a próxima vez, no mesmo dia em que Christine Daaé desapareceu.

De manhã, uma carta do Fantasma os lembrava do prazo.

Façam como da última vez. Tudo correu muito bem. Entreguem o envelope com os vinte mil francos à excelente dona Giry.

E o bilhete veio acompanhado do envelope habitual. Só precisavam enchê-lo com o dinheiro.

A operação deveria ser, necessariamente, realizada naquela mesma noite, meia hora antes de começar a apresentação. Portanto, vamos entrar agora no covil dos diretores, cerca de trinta minutos antes de a cortina subir para a famosa representação de *Fausto*.

Richard mostrou o envelope para Moncharmin, depois contou na frente dele os vinte mil francos e os colocou no envelope, mas não o fechou.

– E agora – disse ele –, chame dona Giry.

Foram buscar a velha. Ela entrou fazendo uma bela reverência. A senhora ainda usava o vestido tafetá preto cujo desgaste já transformava sua cor em ferrugem e lilás, e o chapéu cor de fuligem. Ela parecia de ótimo humor. Disse imediatamente:

– Boa noite, cavalheiros! Imagino que tenham me chamado para levar o envelope?

– Sim, senhora Giry – disse Richard com grande amabilidade –, é por causa do envelope... e por outra razão também.

– Ao seu dispor, senhor diretor: ao seu dispor, senhor! E qual seria a outra razão?

– Em primeiro lugar, senhora Giry, gostaria de lhe fazer uma pequena pergunta.

– Pois faça, senhor diretor, a senhora Giry está aqui para responder às suas perguntas.

– A senhora ainda mantém uma boa relação com o Fantasma?

– Não poderia estar melhor, senhor diretor, não poderia estar melhor, senhor.

– Ah! Isso nos deixa muito satisfeitos. Então diga, senhora Giry – disse Richard em um tom de importante confidência –, entre nós, podemos ser sinceros. Afinal, a senhora não é idiota.

– Mas, senhor diretor! – exclamou a funcionária, parando a sutil oscilação das duas penas negras do seu chapéu de fuligem. – Peço que acredite que isso nunca foi uma dúvida para alguém!

– Vejo que vamos nos entender muito bem. A história do Fantasma é uma ótima piada, não é? Pois bem, ainda entre nós, penso que ela já durou tempo suficiente.

A senhora Giry olhou para os diretores como se eles estivessem falando grego. Ela se aproximou da mesa de Richard e perguntou, com bastante preocupação:

– O que o senhor quer dizer com isso? Não sei se entendi bem!

– Ah! A senhora nos entendeu muito bem. Seja como for, é preciso que nos entenda. Primeiramente, como ele se chama?

– Ora, quem?

– Aquele de quem a senhora é cúmplice, senhora Giry!

– Cúmplice do Fantasma? Eu? Cúmplice de quê?

– A senhora faz tudo o que ele quer.

– Oh! Ele não é muito inconveniente.

– E ele sempre lhe dá gorjetas!

– Não posso me queixar!

– Quanto lhe paga para levar este envelope?

– Dez francos.

– Mesquinho! É pouco dinheiro!

– Por que a pergunta?

– Responderei depois, senhora Giry. Neste momento, gostaríamos de saber por que razão extraordinária a senhora se entrega de corpo e alma a esse Fantasma em vez de outro… Não são apenas dez francos que podem conquistar a amizade e a devoção da senhora Giry.

– Isso é verdade! E essa razão eu posso lhe dizer, senhor diretor! Certamente, não há qualquer desonra nisso, pelo contrário!

– Não duvidamos, dona Giry.

– Bem, é isso: o Fantasma não gosta que eu conte suas histórias.

– Ah! Ah! – desdenhou Richard.

– Mas essa só diz respeito a mim! – disse a velha. – Bem, aconteceu no camarote nº 5. Uma noite, encontrei uma carta endereçada a mim, uma espécie de bilhete escrito com tinta vermelha. Eu não preciso ler, pois sei de cor o que ele dizia, e jamais o esqueceria, ainda que vivesse cem anos!

E então a senhora Giry recitou o bilhete com dignidade e com uma tocante eloquência:

Senhora. – 1825, a senhorita Ménétrier, do corifeu, tornou-se marquesa de Cussy. – 1832, a senhorita Marie Taglioni, dançarina, tornou-se condessa de Gilbert des Voisins. – 1846, Sota, a bailarina, casou-se com um irmão do rei da Espanha. – 1847,

Lola Montès, dançarina, casa-se morganaticamente[17] *com o rei Luís da Baviera e se torna condessa de Landsfeld. - 1848, senhorita Maria, dançarina, torna-se baronesa de Hermeville. - 1870, Thérèse Hessler, dançarina, casa-se com Dom Fernando, irmão do rei de Portugal...*

Richard e Moncharmin ouviam a velha que, enquanto avançava na curiosa enumeração dos gloriosos himeneus, animou-se, corrigiu-se, arriscou alguma ousadia e, finalmente, inspirada como a sibila em seu tripé, lançou com uma voz estrondosa de orgulho a última frase da carta profética: "1885, Meg Giry, imperatriz!".

Exausta após o esforço supremo, a senhora desabou em sua cadeira e disse:

– Cavalheiros, a carta estava assinada assim: "O Fantasma da Ópera!". Eu já tinha ouvido falar do Fantasma, mas não acreditava muito. Desde o dia em que ele anunciou que a minha pequena Meg, carne da minha carne, fruto do meu ventre, seria imperatriz, passei a acreditar fielmente em sua existência.

Na verdade, não era preciso se deixar impressionar pela fisionomia exaltada de dona Giry para entender o que se pôde obter daquela bela inteligência com apenas duas palavras: "Fantasma e imperatriz".

Mas então, quem manejava de fato os fios daquela extravagante marionete? Quem?

– A senhora nunca o viu e basta lhe enviar uma carta que já acredita em tudo o que ele diz? – questionou Moncharmin.

– Sim! Antes de mais nada, é graças a ele que minha pequena Meg se tornou corifeu. Eu disse ao Fantasma: "Para que ela seja imperatriz em 1885, não há tempo a perder, ela deve imediatamente se tornar corifeu". E ele respondeu: "Combinado". Bastou uma palavra ao senhor Poligny e a coisa estava feita.

– Admite que o senhor Poligny o viu!

17 Casamento morganático é aquele em que um nobre, príncipe ou rei se casa com alguém de posição social inferior, que geralmente não pertence à nobreza. (N.T.)

– Não tanto quanto eu, mas também o ouviu! O Fantasma disse alguma coisa em seu ouvido, naquela noite em que ele saiu completamente pálido do camarote nº 5.

Moncharmin respirou fundo.

– Que história! – ele disse.

– Ah! – respondeu, dona Giry. – Eu sempre achei que havia segredos entre o Fantasma e o senhor Poligny. Tudo o que o Fantasma pedia ao senhor Poligny, o senhor Poligny lhe concedia. Não havia nada que ele lhe recusasse.

– Ouviu isso, Richard? Poligny não recusa nenhum pedido do Fantasma.

– Sim, sim, ouvi perfeitamente! – respondeu Richard. – O senhor Poligny é amigo do Fantasma! E como a senhora Giry é amiga do senhor Poligny, estamos perdidos! – acrescentou ele em um tom muito severo. – Mas o senhor Poligny não me preocupa. A única pessoa cujo destino me interessa realmente, não o escondo, é a senhora Giry! Senhora Giry, sabe o que tem neste envelope?

– Meu Deus, não! – ela exclamou.

– Muito bem, então veja!

A senhora Giry olhou para o envelope com um olhar desconfiado, mas logo seus olhos brilharam.

– Notas de mil francos! – ela exclamou.

– Sim, senhora Giry, sim, notas de mil! E a senhora já o sabia!

– Eu, senhor diretor! Eu! Juro que não!

– Não jure, senhora Giry! E agora, vou dizer qual foi a outra razão pela qual a chamei aqui. Senhora Giry, vou mandar prendê-la.

As duas penas pretas do chapéu de fuligem, que geralmente tinham a forma de dois pontos de interrogação, transformaram-se imediatamente em pontos de exclamação. Quanto ao chapéu em si, ele oscilou, ameaçando desfazer seu coque. A surpresa, a indignação, o protesto e o terror também eram lidos na expressão da mãe da pequena Meg por uma espécie de extravagante pirueta, uma combinação de *jeté glissade*[18]

18 Termos que designam dois passos de balé combinados para formar uma sequência. (N.T.)

da virtude ofendida, que a fez saltar e cair sob o nariz do diretor, que não pôde evitar recuar sua poltrona.

– Me prender!

A boca que pronunciou isso parecia que ia cuspir na cara do senhor Richard os três dentes que ainda lhe restavam.

O senhor Richard teve uma postura heroica e não recuou mais. Seu ameaçador dedo indicador já apontava a serviçal do camarote nº 5 para os magistrados ausentes.

– A senhora será presa como uma ladra, senhora Giry!

– Repita isso!

E a senhora Giry esbofeteou o diretor Richard antes que Moncharmin pudesse intervir. Resposta vingativa! Não foi a mão magra da furiosa senhora que golpeou a bochecha do diretor, mas o próprio envelope, a causa de todo o escândalo, o envelope mágico que se abriu de repente e deixou escapar as notas que voaram em um giro fantástico, como se fossem borboletas gigantes.

Os dois diretores deram um grito, e o mesmo pensamento os fez se ajoelharem e recolherem febril e compulsivamente os preciosos papéis.

– Ainda são as verdadeiras? – perguntou Moncharmin.

– Ainda são as verdadeiras? – repetiu Richard.

– Sim, ainda são as verdadeiras!!!

Por cima deles, os três dentes da senhora Giry rangiam e professavam horríveis interjeições. Mas só era possível decifrar este *leitmotiv*:

– Eu, uma ladra? Uma ladra, eu? – ela sufocava. Depois, vociferou – Estou devastada!

E de repente, ela saltou sob o nariz de Richard.

– Em todo caso – ela disse –, o senhor deve saber melhor do que eu onde é que foram parar os vinte mil francos, senhor Richard!

– Eu? – questionou Richard, surpreso. – E como eu poderia saber?

Imediatamente, Moncharmin, severo e preocupado, exigiu que a mulher se explicasse.

– O que significa isso? – ele interrogou. – E por que razão, senhora Giry, afirma que o senhor Richard deve saber melhor do que a senhora para onde foram os vinte mil francos?

Quanto a Richard, ele sentiu ruborescer sob o olhar de Moncharmin. Então pegou a mão de dona Giry e a sacudiu violentamente. Sua voz parecia um trovão. Retumbante, ecoante e… fulminante.

– Por que eu saberia melhor do que a senhora onde estão os vinte mil francos? Por quê?

– Porque eles foram parar no seu bolso! – sussurrou a velha, olhando para ele como se visse o diabo.

Era a vez do senhor Richard ser fulminado, primeiro por essa réplica inesperada, depois pelo olhar cada vez mais suspeito de Moncharmin. Consequentemente, ele perdeu a força de que precisaria para repelir uma acusação tão desprezível naquele momento delicado.

É por isso que, mesmo os mais inocentes, quando pegos de surpresa, entregam-se facilmente, porque o golpe que os atinge os faz empalidecer, corar ou vacilar, ou se recuperar, estragar-se, protestar, emudecer quando deveriam falar, ou falar quando deveriam ficar calados, serem agressivos quando deveriam ser delicados, transpirar quando deveriam continuar secos, e acabam, por isso, parecendo culpados.

Moncharmin interrompeu o impulso vingativo com o qual Richard, que era inocente, estava prestes a atacar a senhora Giry e rapidamente começou a interrogá-la… com doçura.

– Como a senhora pode suspeitar que meu sócio Richard tenha embolsado vinte mil francos?

– Eu nunca disse isso! – declarou dona Giry. – Uma vez eu coloquei pessoalmente os vinte mil francos no bolso do senhor Richard.

E ela acrescentou em voz baixa:

– Que seja! É isso! Que o Fantasma me perdoe!

E como Richard começou a gritar novamente, Moncharmin ordenou que se calasse:

– Por favor! Por favor! Por favor!!! Deixe essa mulher se explicar! Permita que eu a interrogue. – E acrescentou: – É muito estranho que o senhor encare isso dessa forma! Estamos perto de esclarecer todo esse mistério! E o senhor está furioso! Já eu estou me divertindo muito.

Dona Giry ergueu a cabeça com ares de mártir, irradiando fé em sua própria inocência.

– Você me diz que havia vinte mil francos no envelope que eu coloquei no bolso do senhor Richard, mas eu repito, eu não sabia de nada disso. Aliás, nem o senhor Richard!

– Ah! Ah! – fez Richard, assumindo um ar de valentia que desagradou Moncharmin. – Eu também não sabia de nada! A senhora colocava vinte mil francos em meu bolso e eu não sabia de nada! Isso me deixa mais tranquilo, senhora Giry.

– Sim – concordou a terrível senhora –, é verdade! Não sabíamos de nada, nem eu nem o senhor! Mas o senhor certamente acabou descobrindo.

Richard teria devorado a senhora Giry se Moncharmin não estivesse lá! Mas Moncharmin a protegeu e prosseguiu com o interrogatório.

– Que tipo de envelope a senhora colocava no bolso do senhor Richard? Não era aquele que lhe entregávamos e a senhora levava ao camarote nº 5 sob nossos olhos. No entanto, apenas aquele envelope continha os vinte mil francos.

– Como não! Era exatamente o que o senhor diretor me entregava que eu colocava no bolso do diretor – explicou a senhora Giry. – Quanto ao que eu colocava no camarote do Fantasma, era outro envelope idêntico que eu tinha preparado em minha manga, e que me era dado pelo Fantasma!

Ao dizer isso, dona Giry tirou de sua manga um envelope completamente preparado e idêntico ao outro, que continha os vinte mil francos, com assinatura e tudo. Os diretores o tomaram das mãos da senhora. Examinaram o envelope e constataram que ele estava fechado com os selos selados da direção. Abriram-no. Dentro dele, havia vinte notas da Santa Farsa, idênticas às que os haviam surpreendido há um mês.

– Como é simples! – comentou Richard.

– Como é simples! – repetiu Moncharmin em um tom solene.

– Os truques mais geniais sempre foram os mais simples – respondeu Richard. – Basta um comparsa...

– Ou *uma* comparsa! – corrigiu Moncharmin com um tom de voz quase infantil.

E prosseguiu, o olhar fixo na senhora Giry, como se quisesse hipnotizá-la:

– Era o Fantasma que lhe enviava este envelope, e era ele quem lhe pedia para substituí-lo pelo nosso? Era ele quem ordenava que colocasse o nosso no bolso do senhor Richard?

– Ah! Sim, era ele!

– Então, se importa de nos dar uma peque amostra de seus talentos, minha senhora? Aqui está o envelope. Finja que não sabemos de nada.

– Como quiserem, senhores!

A senhora Giry recuperou o envelope que continha as vinte notas e dirigiu-se para a porta. Estava prestes a sair, mas os dois diretores a detiveram.

– Ah, não! Ah, não! Ninguém mais nos engana! Já chega! Não vamos recomeçar!

– Desculpem-me, cavalheiros, desculpem-me – disse a velha. – Vocês me pediram para agir como se não soubessem de nada! Pois bem, se não soubessem de nada, eu iria embora com o envelope!

– Mas, neste caso, como a senhora o colocaria em meu bolso? – argumentou Richard, de quem Moncharmin não tirava o olho esquerdo, enquanto seu olho direito estava bastante ocupado com a senhora Giry; uma posição difícil para manter o olhar, mas Moncharmin estava disposto a tudo para descobrir a verdade.

– Eu o colocaria em seu bolso quando menos esperasse, senhor diretor. Como os senhores sabem, eu sempre vou aos bastidores durante a noite, e muitas vezes acompanho, como é meu direito como mãe, minha filha até o *foyer* de dança; levo seus chinelos para o momento de lazer, e até mesmo seu pequeno regador. Resumindo, vou e venho quando quero, cavalheiros, e os assinantes também circulam livremente. E o senhor também, senhor diretor… há uma multidão. Então, eu passo atrás do senhor e coloco o envelope no bolso de trás do seu casaco. Não há nenhuma feitiçaria nisso!

– Não há feitiçaria – ralhou Richard rolando os olhos faiscantes como os de Júpiter –, não há feitiçaria! Mas acabei de flagrá-la mentindo, sua bruxa velha!

O insulto a ofendeu menos do que o golpe sofrido por sua boa-fé. Ela se endireitou, hirta, com os três dentes para fora.

– E por quê?

– Porque passei aquela noite na sala, vigiando o camarote nº 5 e o envelope falso que a senhora deixou lá. Não fui ao *foyer* de dança nem por um segundo.

– Mas não foi naquela noite que eu lhe dei o envelope, senhor diretor, mas na apresentação seguinte. Veja, foi na noite em que o senhor subsecretário de Estado de Belas Artes...

Neste momento, o senhor Richard a fez se calar bruscamente.

– Ah! Sim, é verdade – disse ele, pensativo –, eu me lembro. Agora eu me lembro! O subsecretário de Estado veio aos bastidores e pediu para me chamar. Fui até o *foyer* de dança por um momento. Estava nas escadas do *foyer* e o subsecretário de Estado estava com o chefe de gabinete no próprio *foyer*. Eu me virei de repente e a senhora passava atrás de mim, senhora Giry. Pareceu-me que a senhora havia encostado em mim. Só a senhora estava atrás de mim. Ah! Lembro-me nitidamente, como se fosse agora!

– Bem, sim, foi isso mesmo, senhor diretor! Foi exatamente isso! Eu tinha acabado de terminar de fazer o meu serviço! Esse seu bolso é bastante conveniente, senhor diretor!

E a senhora Giry refez o gesto para acompanhar sua fala. Passou por trás do senhor Richard e colocou o envelope em um dos bolsos do seu casaco. E o fez tão rapidamente que Moncharmin, que observava tudo atentamente com seus dois olhos, ficou impressionado.

– É evidente! – exclamou Richard, um pouco pálido. – E muito bem tramado pelo F. da Ó. O problema, para ele, era colocado da seguinte maneira: eliminar qualquer intermediário perigoso entre quem doa os vinte mil francos e quem os recebe! Nada melhor do que vir buscá-los em meu bolso sem que eu percebesse, uma vez que eu não sabia que eles estavam ali. É admirável!

– Oh! Admirável, sem dúvidas! – concordou Moncharmin. – Mas não esqueça, Richard, que dez desses vinte mil francos fui eu quem dei, e nada foi colocado de volta em meu bolso!

Ainda sobre a singular importância de um alfinete de fralda

A última frase de Moncharmin expressava claramente a suspeita que ele tinha de seu sócio, e isso resultou em uma imediata desavença no final da qual ficou entendido que Richard iria se curvar a todas as vontades de Moncharmin a fim de o ajudar a encontrar o miserável que os enganava.

Chegamos, assim, ao "entreato do jardim", durante o qual o secretário Rémy, a quem nada escapa, observou atentamente a estranha conduta dos dois diretores. Portanto, nada era mais fácil do que encontrar uma razão para atitudes tão excepcionalmente barrocas e, sobretudo, tão pouco conformes com a ideia que cada um faz sobre a dignidade da direção.

A conduta de Richard e Moncharmin estava marcada pela revelação que acabavam de saber: 1º Richard deveria repetir, naquela noite, exatamente os mesmos gestos que fizera no dia do desaparecimento dos primeiros vinte mil francos; 2º Moncharmin não deveria perder de vista, nem por um segundo, o bolso do casaco de Richard, em que a senhora Giry havia colocado os outros vinte mil. O senhor Richard se posicionou no local exato onde estava quando cumprimentou o subsecretário de Estado de Belas Artes, e o senhor Moncharmin ficou atrás dele, a alguns passos de distância.

A senhora Giry passou, encostou no senhor Richard, colocou os vinte mil no bolso do casaco do diretor e desapareceu.

Ou melhor, desapareceram com ela. Executando a ordem que Moncharmin lhe havia dado há alguns instantes, antes da reconstrução da cena, Mercier trancou a corajosa senhora no escritório da administração. Assim, a velhota não poderia se comunicar com o Fantasma. E ela cedeu, pois dona Giry era apenas uma pobre figura depenada, congelada de medo, arregalando os olhos como aves estupefatas sob sua crista desordenada ao ouvir no corredor o barulho dos passos do comissário que a ameaçava, dando suspiros de rachar as colunas da grande escadaria.

Enquanto isso, o senhor Richard se curvava, reverenciava, saudava e andava para trás como se tivesse à sua frente o alto e todo-poderoso subsecretário de Estado de Belas Artes.

No entanto, se tais sinais de delicadeza não despertavam nenhuma surpresa caso o diretor tivesse à sua frente o subsecretário de Estado, eles causavam nos espectadores de uma cena tão natural, mas ao mesmo tempo tão inexplicável, um espanto compreensível, uma vez que à frente do senhor diretor não havia ninguém.

O senhor Richard acenava para o vazio, curvava-se perante o vazio, e recuava, caminhava para trás, de frente para o nada.

A alguns passos de distância, o senhor Moncharmin fazia a mesma coisa. Ele repelia o senhor Rémy e implorava ao embaixador La Borderie e ao diretor do Crédito Central que não "encostassem no diretor". Moncharmin, que teve a ideia, não queria que, passado algum tempo, Richard lhe dissesse que os vinte mil francos haviam desaparecido: "Talvez tenha sido o senhor Embaixador ou o senhor diretor do Crédito Central, ou até mesmo o secretário Rémy".

Sobretudo porque, no momento da primeira cena da confissão de Richard, este não tinha encontrado ninguém naquela parte do teatro, depois de ter sido tocado pela senhora Giry. Então, eu lhe pergunto, caro leitor, por que eles insistiam em repetir os mesmos gestos? Será que, desta vez, encontrariam alguém?

Depois de caminhar de costas pela primeira vez para reverenciar, Richard continuou a andar dessa maneira por prudência até o corredor da administração. Assim, ele era constantemente vigiado em suas costas por Moncharmin que, por sua vez, vigiava qualquer aproximação de frente.

Mais uma vez, essa forma inédita adotada pelos diretores da Academia Nacional de Música para andar pelos bastidores não passaria despercebida.

E ela foi notada.

Felizmente para os senhores Richard e Moncharmin, no momento em que ocorreu essa cena curiosa, as "ratinhas" estavam quase todas nos andares superiores. Porque os diretores teriam feito bastante sucesso com as meninas.

Mas eles só pensavam nos seus vinte mil francos. Ao chegar no corredor sombrio da administração, Richard cochichou para Moncharmin:

– Tenho certeza de que ninguém me tocou. Agora você vai ficar longe de mim o suficiente para me vigiar, no escuro, até a porta do meu gabinete. Não desperte a atenção de ninguém e veremos o que acontece.

Mas Moncharmin retrucou:

– Não, Richard! Não! Vá na frente e eu o acompanharei imediatamente atrás! Não me distanciarei um só passo!

– Mas nunca poderão nos roubar vinte mil francos dessa forma! – exclamou Richard.

– Assim espero! – declarou Moncharmin.

– Então, o que estamos fazendo é um absurdo!

– Estamos fazendo exatamente o que fizemos da última vez, quando me juntei a você na saída do palco, no canto deste corredor, e o segui pelas costas.

– Isso é verdade! – suspirou Richard, sacudindo a cabeça e obedecendo passivamente Moncharmin.

Dois minutos depois, os dois diretores se trancaram no gabinete da diretoria. Foi o próprio Moncharmin quem pôs a chave no bolso.

– Ficamos trancados juntos da última vez – disse ele –, até você sair da Ópera para ir para casa.

– É verdade! E ninguém veio nos importunar?

– Ninguém.

– Então – refletiu Richard, que se esforçava para organizar suas lembranças –, então eu provavelmente fui roubado no trajeto da Ópera até a minha casa.

– Não! – fez Moncharmin com tom mais seco do que o de costume. – Não, isso não é possível. Fui eu que o levei de carro até a sua casa. Os vinte mil francos desapareceram na sua casa, não me resta mais nenhuma dúvida.

Esta era a ideia que se passava agora na cabeça de Moncharmin.

– Isso é inaceitável! – protestou Richard. – Tenho plena confiança em meus funcionários, e se um deles tivesse feito isso, já teria desaparecido!

Moncharmin encolheu os ombros, como se dissesse que não entraria nesses detalhes.

Richard começou a achar que Moncharmin o estava tratando com tom insuportável.

– Moncharmin, já chega!

– Richard, isso já é demais!

– Então você se atreve a suspeitar de mim?

– Sim, de uma brincadeira deplorável!

– Não se brinca com vinte mil francos!

– É o que eu penso! – declarou Moncharmin, abrindo um jornal e mergulhando ostensivamente em sua leitura.

– O que você vai fazer? – perguntou Richard. – Vai ler o jornal agora!

– Sim, Richard, até a hora de levá-lo para casa.

– Como da última vez?

– Como da última vez.

Richard arrancou o jornal das mãos de Moncharmin, que se levantou, mais irritado do que nunca. Tinha diante de si um exasperado

Richard que lhe disse, cruzando os braços no peito, um gesto insolente de desafio que existe desde o início do mundo:

– Eis o que eu penso – disse Richard. – Penso no que eu poderia pensar, se, como da última vez, depois de passar a noite a sós com você, você me levasse até em casa, e se, no momento de nos despedirmos, eu descobrisse que os vinte mil francos tinham desaparecido do bolso do meu casaco… como da última vez.

– E o que você poderia pensar? – interrogou Moncharmin, enrubescido.

– Eu poderia pensar que, uma vez que não se afastou de mim por um só segundo, e que, de acordo com os seus desejos, foi o único a se aproximar de mim como da última vez, eu poderia pensar que, se esses vinte mil francos não estão mais no meu bolso, eles têm grandes chances de estar no seu!

Moncharmin sobressaltou sob essa hipótese.

– Ah! – ele gritou. – Um alfinete de fralda!

– O que você quer fazer com um alfinete de fralda?

– Prendê-lo! Um alfinete de fralda! Um alfinete de fralda!

– Você quer me prender com um alfinete de fralda?

– Sim, prendê-lo aos vinte mil francos! Dessa forma, seja aqui ou no caminho daqui até sua casa, ou na sua casa, você conseguirá sentir a mão que tirará o dinheiro do seu bolso. E verá bem se é a minha, Richard! Ah! É você quem desconfia de mim agora. Um alfinete de fralda!

A hora passava lenta, pesada, misteriosa, sufocante. Richard ensaiou um riso.

– Vou acabar acreditando na onipotência do Fantasma – disse. – E, particularmente agora, você não acha que há algo na atmosfera desta sala que preocupa, indispõe e assusta?

– É verdade – admitiu Moncharmin, que estava de fato bem impressionado.

– O Fantasma! – disse Richard baixinho, como se temesse ser ouvido por ouvidos invisíveis. – O Fantasma! E se de fato foi um fantasma que bateu há pouco três vezes sobre esta mesa, como ouvimos, que enviou envelopes mágicos, falou no camarote nº 5, matou Joseph Buquet, que derrubou o lustre... e que nos roubou! Afinal! Afinal! Afinal! Estamos sozinhos aqui! E se as notas desapareceram sem que tenhamos culpa, nem você, nem eu? Vai ser preciso acreditar no Fantasma. No Fantasma!

Nesse momento, o relógio sobre a chaminé soou o primeiro toque da meia-noite. Os dois diretores estremeceram. Eles foram envolvidos por uma angústia cuja razão desconheciam, e buscaram em vão combatê-la. O suor escorria por seus rostos e a décima segunda badalada ressoou singularmente em seus ouvidos.

Quando o ponteiro se calou, os dois suspiraram profundamente e se levantaram.

– Acho que podemos ir – disse Moncharmin.

– Também acho – Richard respondeu.

– Antes de irmos, você permite que eu olhe seu bolso?

– Mas que raios! Moncharmin! Isso é necessário? Do que você está falando? – perguntou Richard para Moncharmin, que o apalpava.

– Então, o alfinete ainda está aí?

– Mas é claro! Como você mesmo disse, não posso mais ser roubado sem perceber.

Mas Moncharmin, cujas mãos ainda estavam ocupadas vasculhando o bolso, gritou:

– Ainda sinto o alfinete, mas não sinto mais as notas!

– Não! Não brinque, Moncharmin! Não é hora para brincadeiras.

– Ora, procure você mesmo.

Com um gesto, Richard tirou o casaco. Os dois diretores rasgaram o bolso! Estava vazio.

O mais curioso é que o alfinete continuava preso no mesmo lugar. Richard e Moncharmin empalideceram. Não havia mais dúvidas sobre o feitiço.

– O Fantasma – murmurou Moncharmin. Mas, de repente, Richard saltou para cima do colega.

– Você foi o único a chegar perto do meu bolso! Devolva meus vinte mil francos! Devolva meus vinte mil francos!

– Pela minha alma – suplicou Moncharmin, que estava a ponto de perder os sentidos –, juro que não peguei o dinheiro.

Alguém batia à porta e ele correu para abrir, andando com passos quase robóticos, e mal reconheceu o administrador Mercier. Os dois trocaram algumas palavras quaisquer, sem que Moncharmin entendesse minimamente o que o homem dizia, e, em um gesto inconsciente, colocou na mão daquele fiel servo, completamente perplexo, o alfinete que já não tinha mais nenhuma serventia.

O comissário de polícia, o visconde e o Persa

A primeira coisa que o comissário de polícia fez ao entrar no escritório da direção foi pedir notícias da cantora.

– Christine Daaé está aqui?

Como eu disse, ele estava acompanhado por uma pequena multidão.

– Christine Daaé? Não – respondeu Richard –, por quê?

Quanto a Moncharmin, ele já não tinha forças para pronunciar uma palavra. Seu estado mental era muito mais sério do que o de Richard, pois este ainda podia suspeitar de Moncharmin, mas Moncharmin estava diante do grande mistério, aquele que faz a humanidade tremer desde o seu surgimento: o Desconhecido.

Richard repetiu a pergunta, pois a multidão em torno dos diretores e do comissário os observava em um impressionante silêncio:

– Por que o senhor me pergunta se Christine Daaé está aqui?

– Porque é necessário encontrá-la, senhores diretores da Academia Nacional de Música – declarou solenemente o comissário de polícia.

– Como assim é necessário encontrá-la? Por acaso ela desapareceu?

– Durante a apresentação!

– Durante a apresentação! Mas isso é extraordinário!

– Não é mesmo? Mas o que é tão extraordinário quanto esse desaparecimento é o fato de que os senhores diretores tomem conhecimento disso por mim!

– De fato – concordou Richard, colocando as mãos na cabeça e balbuciando. – Mas que história é essa agora? Ah! Decididamente, isso é o suficiente para pedir demissão!

E arrancou, sem perceber, alguns pelos de seu bigode:

– Então – ele disse, como se sonhasse – ela desapareceu em plena apresentação.

– Sim, ela foi raptada durante o ato da prisão, no momento em que evocava o céu a ajudá-la, mas duvido que tenha sido raptada pelos anjos.

– Pois eu tenho certeza de que foi!

Todos se viraram. Um jovem, pálido e tremendo de emoção, repetiu:

– Tenho certeza!

– Tem certeza do quê? – indagou Mifroid.

– Que Christine Daaé foi raptada por um anjo, senhor comissário, e posso lhe dizer seu nome...

– Ah! Ah! Senhor visconde de Chagny, o senhor afirma que a senhorita Christine Daaé foi raptada por um anjo. Um anjo da Ópera, eu imagino?

Raoul olhou à sua volta. Ele claramente estava à procura de alguém. No minuto em que lhe parecia tão necessário pedir a ajuda da polícia para salvar sua noiva, ele não ficaria incomodado de ver novamente aquele estranho misterioso que, há pouco, havia recomendado discrição. Mas não o encontrou em lugar nenhum. Vamos! Ele precisava falar! Porém não conseguiria se explicar diante daquela multidão que o encarava com indiscreta curiosidade.

– Sim, senhor, por um anjo da Ópera – respondeu ao senhor Mifroid – e lhe direi onde ele mora quando estivermos sozinhos...

– Tem razão, senhor.

O comissário de polícia pediu que Raoul se sentasse perto dele e expulsou todo mundo da sala, exceto, claro, os diretores, que, no entanto, não teriam protestado, pois pareciam estar acima de todas as contingências.

Então Raoul decidiu falar:

– Senhor comissário, o anjo se chama Erik, ele vive na Ópera e é o Anjo da Música!

– O Anjo da Música! Ora, isso é muito curioso! O Anjo da Música!

E, virando-se para os diretores, o comissário de polícia Mifroid perguntou:

– Cavalheiros, os senhores hospedam esse anjo aqui na Ópera?

Richard e Moncharmin balançaram a cabeça sem dar ao menos um sorriso.

– Ah! – disse o visconde. – Esses senhores já ouviram falar do Fantasma da Ópera. E eu posso afirmar que o Fantasma da Ópera e o Anjo da Música são a mesma coisa. E o seu verdadeiro nome é Erik.

O senhor Mifroid se levantou e começou a olhar Raoul com atenção.

– Desculpe, senhor, mas está querendo brincar com a justiça?

– Eu! – protestou Raoul, que pensou dolorosamente: "Mais um que não vai querer me ouvir".

– Então, o que pretende com esse seu Fantasma da Ópera?

– Digo que estes senhores já ouviram falar dele.

– Cavalheiros, parece que os senhores conhecem o Fantasma da Ópera?

Richard se levantou, tinha os últimos fios do bigode na mão.

– Não, senhor comissário, nós não o conhecemos! Mas gostaríamos muito de conhecê-lo, porque esta noite ele nos roubou vinte mil francos!

Richard olhou para Moncharmin com um olhar terrível que parecia dizer: "Devolva-me os vinte mil francos ou contarei tudo".

Moncharmin entendeu tão bem que fez um gesto desesperado:

– Ah! Diga tudo! Diga tudo!

Quanto a Mifroid, ele dividia o olhar entre os diretores e Raoul e se perguntava se não estaria perdido em um manicômio. Ele passou a mão nos cabelos:

– Um fantasma que, na mesma noite, sequestra uma cantora e rouba vinte mil francos é um fantasma bastante ocupado! Se não se importarem, vou lhes fazer algumas perguntas. Primeiro a cantora, depois os vinte mil francos! Agora, senhor de Chagny, falemos mais seriamente. O senhor acredita que a senhorita Christine Daaé foi raptada por um indivíduo chamado Erik. O senhor conhece esse indivíduo? Já o viu?

– Sim, senhor comissário.

– Onde?

– Em um cemitério.

O senhor Mifroid sobressaltou e olhando novamente para Raoul, disse:

– Claro! É onde normalmente se encontram fantasmas. E o que o senhor fazia nesse cemitério?

– Senhor – disse Raoul –, estou ciente da natureza bizarra das minhas respostas e do efeito que elas lhe causam. Mas imploro para que acredite que não perdi a razão. Trata-se da segurança da pessoa que me é mais querida no mundo junto com meu amado irmão Philippe. Eu gostaria de convencê-lo em poucas palavras, porque o tempo está passando e cada minuto é precioso. Infelizmente, se eu não contar essa estranha história do início, o senhor não vai acreditar em mim. Vou lhe dizer tudo o que sei sobre o Fantasma da Ópera, senhor comissário. Mas, lamentavelmente, senhor comissário, não sei muita coisa…

– Conte o que sabe! Conte o que sabe! – exclamaram Richard e Moncharmin, subitamente muito interessados. Mas, infelizmente, a esperança que eles tinham alimentado por um momento de conhecer algum detalhe suscetível que os colocaria na trilha do seu mistificador foi logo substituída pelo triste fato de que o senhor Raoul de Chagny havia perdido completamente a cabeça. Toda aquela história de Perros-Guirec, dos crânios, do violino encantado só poderia ter nascido no cérebro louco de um apaixonado.

Além disso, era evidente que o comissário Mifroid partilhava cada vez mais da opinião deles, e certamente o magistrado teria posto fim a essas observações desordenadas que conhecemos durante a primeira parte deste relato, se as próprias circunstâncias não tivessem se encarregado de fazê-lo.

A porta tinha acabado de se abrir, e por ela adentrou um indivíduo singularmente vestido com um grande casaco preto e usando uma cartola ao mesmo tempo desgastada e brilhante que lhe cobria as orelhas. Ele correu na direção do comissário e falou com ele em voz baixa. Era um tipo de agente de segurança que vinha comunicar uma missão urgente.

Durante essa conferência, o senhor Mifroid não desviou o olhar de Raoul. Então, dirigindo-se a ele, disse:

– Senhor, chega de falar do Fantasma. Falemos um pouco do senhor, se não se importa. O senhor pretendia raptar a senhorita Christine Daaé esta noite?

– Sim, senhor comissário.

– Na saída do teatro?

– Sim, senhor comissário.

– O senhor cuidou de todos os preparativos para isso?

– Sim, senhor comissário.

– O carro que o trouxe aqui iria levá-los. O motorista foi avisado, o itinerário foi previamente combinado. E mais! Ele encontraria cavalos novos em cada nova etapa do caminho...

– É verdade, senhor comissário.

– Enquanto isso, o seu carro ainda está à espera das suas ordens, próximo à rotunda, não é mesmo?

– Sim, senhor comissário.

– O senhor sabia que havia mais três carros ao lado do seu?

– Não prestei a menor atenção nisso...

– Eram os carros da senhorita Sorelli, que não encontrou lugar na administração, da Carlotta, e do seu irmão, o conde de Chagny.

– É possível...

– Por outro lado, o que é certo é que, se o seu próprio carro, o de Sorelli e o de Carlotta ainda estão em seus lugares, ao longo da calçada da rotunda, o carro do conde de Chagny não está mais lá...

– Isso não tem a menor importância, senhor comissário.

– Como não! O conde não se opõe ao seu casamento com a senhorita Daaé?

– Isso só diz respeito à nossa família.

– Bem, o senhor respondeu à minha pergunta. Ele era contra, e é por isso que o senhor ia raptar Christine Daaé, para deixá-la longe dos possíveis protestos de seu irmão. Bem, senhor de Chagny, permita-me dizer que seu irmão foi mais rápido do que o senhor! Foi ele quem raptou Christine Daaé!

– Ah! – murmurou Raoul, levando a mão ao coração. – Não é possível! O senhor tem certeza disso?

– Imediatamente após o desaparecimento da artista, que foi organizado com a ajuda de cúmplices que ainda precisam ser investigados, ele se apressou para o carro, que disparou em uma corrida furiosa através de Paris.

– Através de Paris? – retrucou o pobre Raoul. – O que o senhor quer dizer com "através de Paris"?

– E fora de Paris…

– Fora de Paris! Em que direção?

– Na direção de Bruxelas.

Um grito rouco escapou da boca do infeliz jovem.

– Ah! – ele exclamou. – Juro que os alcançarei. – E, em dois segundos, ele saiu do escritório.

– E traga-a de volta para nós – gritou o comissário alegremente. – Aí está uma história mais convincente do que a do Anjo da Música!

Então, o senhor Mifroid se virou na direção de seu público atordoado e deu esta pequena aula, honesta, mas nada pueril:

– Não sei se foi mesmo o conde de Chagny quem raptou Christine Daaé, mas preciso saber e acredito que, neste momento, ninguém melhor do que o visconde para descobrir isso. Agora ele já deve estar correndo, voando! Ele é o meu principal auxiliar! Esta é, senhores, a arte da polícia, que se pensa ser tão complicada e que, no entanto, é tão simples quando descobrimos que as investigações devem ser feitas por pessoas que não são policiais!

Mas o comissário de polícia Mifroid não teria ficado tão satisfeito consigo mesmo se soubesse que a busca do seu rápido mensageiro tinha sido interrompida assim que ele entrou no primeiro corredor, que já estava vazio, pois os curiosos já tinham dispersado.

O corredor parecia deserto, mas o caminho de Raoul foi bloqueado por uma grande sombra.

– Aonde o senhor vai tão depressa, senhor de Chagny? – perguntou a sombra.

Raoul, impaciente, levantou a cabeça e reconheceu o chapéu de astracã. Ele parou.

– Você outra vez! – ele exclamou com uma voz febril. – Você que conhece os segredos de Erik e que não quer que eu fale deles. E quem é você?

– Você sabe quem sou! Sou o Persa!

O visconde e o Persa

Raoul então lembrou que seu irmão, durante um espetáculo, tinha lhe mostrado aquele personagem vago de quem nada se sabia a não ser que ele era da Pérsia e que vivia em um velho e pequeno apartamento na rua Rivoli.

O homem com pele de ébano, olhos de jade e chapéu de astracã se inclinou para Raoul.

– Espero, senhor de Chagny, que o senhor não tenha traído o segredo de Erik?

– E por que eu hesitaria em trair esse monstro, meu senhor? – disparou Raoul altivamente, tentando se desvencilhar da figura inconveniente. – Por acaso ele é seu amigo?

– Espero que não tenha dito nada sobre Erik, senhor, porque o segredo de Erik é também o segredo de Christine Daaé! E falar de um é falar do outro!

– Ah, meu senhor! – disse Raoul, cada vez mais impaciente. – O senhor parece estar ciente de muitas coisas que me interessam, mas não tenho tempo para ouvi-lo!

– Mais uma vez eu lhe pergunto, senhor de Chagny, aonde vai com tanta pressa?

– O senhor não adivinha? Salvar Christine Daaé…

– Então, senhor, fique aqui! Porque Christine Daaé está aqui!

– Com Erik?

– Com Erik!

– Como é que sabe?

– Eu estava no espetáculo, e só há um Erik no mundo capaz de realizar um rapto como aquele! Oh! – ele disse com um suspiro profundo. – Reconheci a mão do monstro!

– Então o senhor o conhece?

O Persa não respondeu, mas Raoul ouviu um novo suspiro.

– Senhor – disse Raoul –, não sei quais são as suas intenções, mas pode fazer algo por mim? Ou melhor, por Christine Daaé?

– Creio que sim, senhor de Chagny, e foi por isso que o abordei.

– O que o senhor pode fazer?

– Tentar levá-lo até ela... e até ele!

– Meu senhor! É algo que já tentei fazer em vão esta noite. Mas se me fizer um favor desses, eu lhe darei a minha vida! Mais uma coisa: o comissário de polícia acabou de me informar que Christine Daaé foi raptada pelo meu irmão, o conde Philippe.

– Ah, senhor de Chagny, não acredito nisso!

– Isso não é possível, não é mesmo?

– Não sei se isso é possível, mas há neste caso a forma como aconteceu o rapto e, até onde sei, o conde Philippe nunca foi adepto a truques de mágica.

– Os seus argumentos são convincentes, senhor, e eu não passo de um louco! Ah! Meu senhor! Vamos correr! Vamos correr! Confio inteiramente no senhor! Como poderia não acreditar quando só o senhor acredita em mim? Quando é o único que não ri quando ouve o nome de Erik! – dizendo isso, o jovem, cujas mãos ardiam em febre, segurou espontaneamente as mãos do Persa. Elas estavam geladas.

– Silêncio! – fez o Persa, parando e ouvindo os barulhos distantes do teatro e os menores crepitares nas paredes e nos corredores adjacentes. – Não podemos mais pronunciar esse nome. Vamos dizer *ele* e correremos menos risco de chamar sua atenção.

– Então acha que ele está bem perto de nós?

– Tudo é possível, meu senhor, se ele não estiver, neste momento, com a vítima, na casa do lago.

– Ah! O senhor também conhece essa casa? Se ele não estiver na casa, pode estar nesta parede, no chão, no teto! Como saber? O olho nesta fechadura! A orelha nesta viga! – e o Persa, suplicando que ensurdecesse o som dos seus passos, arrastou Raoul por corredores que o jovem nunca tinha visto, mesmo na época em que Christine o levava para caminhar naquele labirinto.

– Tomara que Darius tenha chegado! – disse o Persa.

– Quem é Darius? – o jovem perguntou enquanto continuava a segui-lo.

– Darius é meu funcionário.

Neste momento, eles estavam no centro de um lugar realmente deserto, uma sala enorme iluminada por uma luz muito fraca. O Persa parou Raoul e disse em voz tão baixa que Raoul mal podia ouvi-lo:

– O que você disse ao comissário?

– Disse-lhe que o sequestrador de Christine Daaé é o Anjo da Música, conhecido como o Fantasma da Ópera, e que o seu verdadeiro nome é...

– *Shhhh*...! E o comissário acreditou em você?

– Não.

– Ele não deu nenhuma importância para o que você disse?

– Nenhuma!

– Ele o tratou como um louco?

– Sim.

– Tanto melhor! – suspirou o Persa. E continuaram a correr.

Depois de subir e descer vários degraus desconhecidos por Raoul, os dois homens chegaram a uma porta que o Persa abriu com uma pequena chave-mestra que tirou do bolso de seu colete. O Persa e Raoul estavam vestidos de maneira muito parecida, só que Raoul usava uma cartola e o Persa, como já disse, usava um chapéu de astracã. Era uma falha no código de elegância que regia os bastidores, onde o uso da cartola era obrigatório, mas sabe-se que na França tudo é permitido aos estrangeiros: do boné de viagem dos ingleses ao chapéu de astracã dos persas.

– Senhor – disse o Persa –, sua cartola vai atrapalhá-lo na expedição que estamos realizando, é melhor deixá-la no camarim.

– Que camarim? – perguntou Raoul.

– No de Christine Daaé!

Então, o Persa fez Raoul passar pela porta que tinha acabado de abrir e apontou o camarim da atriz em frente.

Raoul ignorava que era possível chegar ao camarim de Christine de outra maneira. Ele estava na outra extremidade do corredor pelo qual costumava andar antes de bater na porta do camarim.

– Ah! O senhor conhece bem a Ópera!

– Não tão bem como *ele*! – disse o Persa com modéstia. E empurrou o jovem para o camarim de Christine.

O camarim estava exatamente como Raoul tinha deixado alguns momentos antes. Depois de fechar a porta, o Persa foi em direção à fina divisória que separava o camarim de um grande quarto de serviço anexo. Ele encostou o ouvido depois tossiu com força.

Imediatamente, ouviu-se uma movimentação no tal quarto e, alguns segundos depois, bateram à porta do camarim.

– Entre! – disse o Persa.

Um homem entrou, também com um chapéu de astracã e usando um manto comprido.

Ele os cumprimentou e tirou do casaco uma caixa ricamente cinzelada. Colocou-a sobre a penteadeira, despediu-se e retornou pela mesma porta.

– Ninguém o viu entrar, Darius?

– Não, mestre.

– Não deixe que ninguém o veja sair.

O empregado arriscou um olhar no corredor e rapidamente desapareceu.

– Senhor – disse Raoul –, estou pensando em uma coisa, nós podemos muito bem ser pegos aqui, e isso nos traria problemas. O comissário virá em breve revistar este camarim.

– Ora! Não é o comissário que devemos temer.

O Persa abriu a caixa. Dentro dela, havia um par de pistolas de cano longo de um belo modelo e ornamento.

– Imediatamente após o rapto de Christine Daaé, pedi ao meu funcionário que me trouxesse estas armas, senhor. Conheço-as há muito tempo e não há mais certeiras.

– O senhor pretende participar de um duelo? – perguntou o jovem, surpreso diante daquele arsenal.

– É de fato um duelo que vamos enfrentar, senhor – respondeu o outro, examinando o bom funcionamento de suas pistolas. – E que duelo!

Dito isso, ofereceu uma pistola a Raoul e acrescentou:

– Nesse duelo, seremos dois contra um: esteja pronto para tudo, senhor, pois admito que vamos ter que lidar com o adversário mais terrível que se pode imaginar. Mas o senhor ama Christine Daaé, não ama?

– Se a amo, meu senhor! Mas o senhor, que não a ama, pode me explicar por que está disposto a arriscar sua vida por ela? Certamente odeia Erik!

– Não, senhor – disse tristemente o Persa –, eu não o odeio. Se o odiasse, há muito tempo ele não causaria mal a ninguém.

– Ele lhe causou algum mal?

– O mal que ele me fez eu já perdoei.

– É absolutamente extraordinário ouvi-lo falar desse homem! – disse o jovem. – O senhor o chama de monstro, fala dos seus crimes; ele lhe fez mal e encontro em você a mesma assombrosa piedade de Christine, que me fazia enlouquecer!

O Persa não respondeu. Buscou um banco e colocou-o na parede oposta ao grande espelho que preenchia todo o outro lado do cômodo. Depois, subiu no banco e, com o nariz colado ao papel de parede, parecia procurar alguma coisa.

– E então, senhor! – disse Raoul, que fervilhava de impaciência. – Estou à sua espera. Vamos!

– Ir para onde? – perguntou o outro sem virar a cabeça.

– Ora, à procura do monstro! Vamos descer! Não me disse que sabe como fazê-lo?

– Já estou à procura dele.

E o nariz do Persa percorreu toda a parede.

– Ah! – fez de repente o homem de chapéu. – É aqui! – E seu dedo, acima da cabeça, apontou para um canto do desenho do papel.

Depois, virou-se e pulou do banco.

– Em meio minuto nós estaremos em seu caminho! – disse.

E, atravessando toda a sala, começou a tatear o grande espelho.

– Não! Ele ainda não começou a ceder – ele murmurou.

– Ah! Vamos sair pelo espelho, como Christine! – disse Raoul.

– Então o senhor sabia que Christine Daaé saiu pelo espelho?

– Diante dos meus olhos, senhor! Estava escondido atrás da cortina do banheiro quando a vi desaparecer, não pelo espelho, mas *no* espelho!

– E o que o senhor fez?

– Acreditei que meus sentidos estavam diante de uma aberração, de uma loucura, de um sonho!

– Ou de algum novo truque do Fantasma – disse o Persa rindo. – Ah, senhor de Chagny! – continuou, sem parar de tatear o espelho. – Rogue ao Céu que consigamos encontrar o Fantasma! Podemos deixar as nossas pistolas na caixa. Por favor, deixe o seu chapéu ali e feche seu casaco o máximo que puder sobre o peito, tal como eu, abaixe as abas e levante o colarinho. Temos de nos tornar o mais invisíveis possível.

Ele ainda acrescentou, depois de um curto silêncio, pressionando o espelho:

– A ativação do contrapeso, quando forçamos a mola daqui de dentro do camarim, demora mais para fazer efeito. Não é a mesma coisa de quando se está atrás da parede e se pode agir diretamente no contrapeso. Então, o espelho gira, instantaneamente, e com uma rapidez louca...

– Que contrapeso? – perguntou Raoul.

– Ora, o que levanta toda essa parede sobre seu eixo! Ou acha que ele se desloca sozinho, por encanto?

E o Persa puxou Raoul para perto de si com uma mão, mantendo a outra (que segurava a pistola) contra o espelho.

– Você vai ver, em breve, se prestar bastante atenção, o espelho subir alguns milímetros e, em seguida, mover-se mais alguns milímetros da esquerda para a direita. Então, ele ficará sobre um pivô, e irá girar. Nunca conheceremos tudo o que é possível fazer com um contrapeso! Uma criança pode, com seu dedinho, girar uma casa. Quando uma parede, por mais pesada que seja, é carregada pelo contrapeso sobre um pivô, bem equilibrado, ela não pesa mais do que um pião sobre sua ponta.

– Por que não gira? – protestou Raoul, impaciente.

– Ora! Tenha calma! O senhor ainda terá muito tempo para ficar impaciente! Parece que a parte mecânica está enferrujada, ou a mola não funciona mais.

A expressão do Persa era de preocupação.

– Além disso – ele disse –, pode haver outra coisa.

– O que poderia ser, senhor!

– Talvez ele tenha simplesmente cortado a corda de contrapeso e imobilizado todo o sistema...

– Por que ele faria isso se ignora que desceremos?

– Talvez ele suspeite, porque sabe que conheço o sistema.

– Foi ele quem lhe mostrou?

– Não! Eu procurei escondido dele, sempre que desaparecia misteriosamente, e encontrei. Ah! Este é o sistema mais simples de portas secretas! É uma mecânica tão antiga quanto os palácios sagrados de Tebas, com suas centenas de portas, ou como a sala do trono de Ecbátana, ou a sala do tripé em Delfos.

– Não gira! E Christine, senhor! Christine!

O Persa respondeu friamente:

– Faremos o que for humanamente possível fazer! Mas ele pode nos impedir a qualquer momento!

– Então é ele quem controla estas paredes?

– Ele controla as paredes, as portas, os alçapões. Nós costumávamos chamá-lo de *senhor dos alçapões.*

– Foi o que Christine me contou, com o mesmo tom de mistério e concedendo a ele o mesmo fantástico poder. Mas tudo isso me parece extraordinário demais! Por que essas paredes só obedecem a ele? Não foi ele quem as construiu!

– Foi sim, senhor!

Como Raoul olhava para ele atordoado, o Persa fez sinal para que se calasse e, com um gesto, mostrou-lhe o espelho. Era como um reflexo estremecido. A imagem dos dois estremeceu com um movimento ondulante, e depois voltou a ficar imóvel.

– Está vendo como não se move! Vamos por outro caminho!

– Não há outros esta noite! – declarou o Persa com uma voz singularmente sombria. – E agora, fique atento e pronto para atirar!

Ele próprio direcionou a pistola para o espelho. Raoul imitou seu gesto. O Persa puxou o jovem para perto de si com seu braço livre, e de repente, o espelho girou em um movimento ofuscante, fazendo as luzes refletirem. Girou como uma daquelas portas giratórias que encontramos hoje em locais públicos. Girou levando Raoul e o Persa com um movimento irresistível e atirou-os bruscamente da luz para a mais profunda escuridão.

Nas profundezas da Ópera

– A mão no alto, pronta para atirar! – repetiu apressadamente o companheiro de Raoul.

Atrás deles, a parede deu mais uma volta completa sobre si mesma e fechou. Os dois homens ficaram parados por alguns segundos, prendendo a respiração.

Havia um silêncio imperturbável naquela escuridão.

Finalmente, o Persa fez um movimento e Raoul o ouviu deslizar de joelhos, procurando algo naquele breu tateando por toda parte.

De repente, a escuridão se dissipou aos poucos com a luz de uma pequena lanterna e Raoul recuou instintivamente, como se para escapar da investigação de um inimigo secreto. Mas ele de imediato percebeu que a luz pertencia ao Persa, cujos gestos ele seguia. O pequeno disco vermelho passeava pelas paredes, de cima a baixo e em volta deles, meticulosamente. Aquelas paredes ficavam à direita de um muro e à esquerda de um tapume de madeira, e o teto e o chão eram de madeira. Raoul pensou que Christine havia passado por ali no dia em que seguiu a voz do Anjo da Música. Devia ser o caminho habitual de Erik quando ele atravessava as paredes a fim de surpreender a boa vontade e intrigar a inocência de Christine. Lembrando-se das palavras do Persa, Raoul pensou que aquele caminho tinha sido misteriosamente construído sob os cuidados do próprio Fantasma. No entanto, mais tarde, descobriu que Erik havia encontrado aquele corredor secreto já pronto, mas que durante muito tempo ele foi o único a saber de sua existência. O corredor foi criado na época da Comuna de Paris para permitir que os carcereiros levassem seus prisioneiros direto para a masmorra construída no subsolo, porque os insurgentes haviam ocupado o prédio imediatamente após o dia 18 de março, usando-o como ponto de partida para os balões encarregados de levar panfletos incendiários aos demais departamentos da França, e feito do pavimento inferior a prisão de Estado.

O Persa se ajoelhou e colocou a lanterna no chão. Ele parecia ocupado com uma tarefa rápida no piso e, de repente, sua luz apagou.

Então, Raoul ouviu um ligeiro estalo e viu no chão do corredor um quadrado luminoso muito tênue. Era como se uma janela tivesse sido aberta no fundo ainda iluminado da Ópera. Raoul já não via o Persa, mas logo pôde sentir sua presença e ouvir sua respiração.

– Siga-me e faça tudo que eu fizer.

Raoul foi levado até a claraboia. Viu o Persa ainda ajoelhado, pendurado pelas mãos na claraboia, deslizar para baixo. O Persa segurava a pistola entre os dentes.

Curiosamente, o visconde tinha plena confiança em seu companheiro. Embora não soubesse nada a seu respeito e apesar da maioria de suas explicações só aumentarem a estranheza daquela aventura, ele não hesitava em acreditar que, naquele momento decisivo, o Persa era seu aliado contra Erik. Sua emoção lhe pareceu sincera quando falou sobre o "monstro", e o interesse que tinha demonstrado não parecia suspeito. Além disso, se o Persa nutrisse algum projeto sinistro contra Raoul, ele não o teria armado como fez. Para concluir, ele não precisava chegar até Christine a qualquer custo? Raoul não tinha escolha. Se tivesse hesitado, ainda que com dúvidas sobre as intenções do Persa, o jovem teria se considerado o último dos covardes.

Raoul também se ajoelhou e se pendurou no alçapão usando as duas mãos.

– Solte-se! – ele ouviu, e caiu nos braços do Persa, que imediatamente ordenou que se deitasse com a barriga no chão, fechou o alçapão acima de suas cabeças, sem que Raoul tivesse tempo de ver como, e se deitou ao lado do visconde. Raoul tentou fazer uma pergunta, mas a mão do Persa fechou sua boca e ele pôde ouvir uma voz que reconheceu ser a do comissário de polícia que acabara de interrogá-lo. Raoul e o Persa estavam atrás de uma divisória que os escondia perfeitamente. Perto dali, uma escada estreita subia para uma pequena sala na qual o comissário parecia caminhar enquanto fazia perguntas, pois o som dos seus passos podia ser ouvido ao mesmo tempo em que o de sua voz.

A luz que iluminava os objetos era muito fraca, mas, saindo daquela escuridão que reinava no corredor secreto de cima, Raoul não teve dificuldade para distinguir a forma das coisas.

Não pôde conter uma exclamação abafada, pois havia ali três cadáveres. O primeiro estava deitado sobre o piso estreito da escadinha que dava para a porta atrás da qual se ouvia o comissário; os outros dois tinham rolado escada abaixo com os braços em forma de cruz. Passando os dedos pelo tapume que os encobria, Raoul poderia tocar a mão de qualquer um daqueles infelizes.

– Silêncio! – sussurrou novamente o Persa.

Ele também tinha visto os corpos e pronunciou uma única palavra para explicar tudo: "*Ele*!".

Nessa altura, era possível ouvir a voz do comissário com maior nitidez. Ele pedia explicações ao contrarregra sobre o sistema de iluminação. Isso significa que o comissário devia estar na cabine de luz ou em suas dependências[19]. Ao contrário do que se podia pensar, especialmente quando se trata do teatro de uma Ópera, a "cabine de luz" não é destinada à música.

Naquela época, a eletricidade era usada apenas para alguns efeitos cênicos muito limitados e para dar os sinais de início da apresentação e seus respectivos intervalos. O enorme edifício e o próprio palco ainda

---

19 Na França, a cabine de luz também é chamada de cabine de órgão, por isso o comentário sobre esse local na frase seguinte, comparando-a com um espaço dedicado à música. (N. E.)

eram iluminados pelo gás e a iluminação do cenário era sempre ajustada e modificada com hidrogênio, por meio de um aparelho especial cuja multiplicidade de tubos deu origem ao nome de "cabine de órgão", em francês, sinônimo de "cabine de luz".

Um nicho era reservado ao chefe de iluminação ao lado do "buraco do ponto", e dali ele dava as ordens para seus funcionários e monitorava a apresentação. Era nesse nicho que Mauclair permanecia durante todas as apresentações.

Mas, naquela noite, Mauclair não estava em seu nicho e seus funcionários tampouco estavam em seus lugares.

– Mauclair! Mauclair!

A voz do contrarregra ressoava na parte inferior como um tambor. Mas Mauclair não respondia.

Eu disse há pouco que uma porta se abria para uma escadaria que chegava ao segundo subsolo. O comissário tentou empurrá-la, mas ela resistiu.

– Ah! – ele exclamou. – O senhor vê, caro contrarregra, não consigo abrir esta porta. É sempre assim tão difícil?

O contrarregra, de ombros largos, empurrou a porta. Então percebeu que estava empurrando um corpo humano ao mesmo tempo e não conseguiu conter uma exclamação ao reconhecer imediatamente aquele corpo:

– Mauclair!

Todos que haviam seguido o comissário naquela visita até a cabine de luz avançaram, inquietos.

– O infeliz! Ele está morto! – gemeu o contrarregra.

Mas o senhor comissário Mifroid, a quem nada surpreendia, já estava inclinado sobre o grande corpo.

– Não – disse o comissário –, ele está completamente bêbado! Não é a mesma coisa.

– Esta seria a primeira vez – disse o contrarregra.

– Então, fizeram-no tomar um narcótico... é possível – Mifroid se levantou, desceu mais alguns degraus e gritou:

– Vejam!

À luz de uma pequena lâmpada vermelha, no fundo da escada, havia dois outros corpos estirados. O contrarregra reconheceu os ajudantes de Mauclair. Mifroid desceu e os auscultou.

– Eles dormem profundamente. Muito curioso esse caso! Não podemos mais duvidar da intervenção de um estranho no serviço de iluminação. E é evidente que esse estranho trabalhava para o sequestrador! Mas que ideia maluca raptar uma artista em plena apresentação! É para aumentar a dificuldade. Ou é isso, ou não conheço mais meu ofício! Chamem o médico do teatro.

Em seguida, Mifroid repetiu:

– Curioso! Muito curioso esse caso!

Depois, ele se virou para o interior da pequena sala, dirigindo-se a pessoas que nem Raoul nem o Persa podiam ver do lugar onde estavam.

– O que têm a dizer sobre tudo isso, cavalheiros? – perguntou. – Vocês são os únicos que não se pronunciam. No entanto, devem ter alguma opinião a respeito…

Foi então que Raoul e o Persa conseguiram entrever as duas figuras assustadas dos diretores (só se podia ver seus rostos acima do patamar) e ouviram a voz emocionada de Moncharmin dizendo:

– Há coisas inexplicáveis acontecendo aqui, senhor comissário.

E as duas figuras desapareceram.

– Obrigado pela informação, cavalheiro – gracejou Mifroid.

Mas o contrarregra, cujo queixo repousava sobre a mão direita, gesto de profunda reflexão, disse:

– Esta não é a primeira vez que Mauclair adormece no teatro. Lembro-me de tê-lo encontrado uma noite roncando em sua cabine, ao lado de sua caixinha de rapé.

– Há quanto tempo foi isso? – perguntou o senhor Mifroid, limpando cuidadosamente as lentes de seus óculos, pois o comissário era míope, o que pode acontecer até com os mais belos olhos do mundo.

– Meu Deus! – exclamou o contrarregra. – Não, não faz muito tempo… Veja! Era de noite, isso mesmo, foi na noite em que Carlotta, que o senhor bem sabe quem é, comissário, soltou seu famoso *croac*!

– Tem certeza de que foi na mesma noite em que Carlotta soltou seu famoso *croac*?

E como se quisesse penetrar seu pensamento, Mifroid colocou seus óculos de lentes transparentes de volta sobre o nariz e fixou atentamente o contrarregra.

– Mauclair faz uso de rapé então? – ele perguntou como quem não quer nada.

– Com certeza, senhor comissário. Veja, aí está sua tabaqueira, sobre a prancheta. Ah, ele é um grande usuário.

– E eu também! – disse o senhor Mifroid, colocando a tabaqueira no bolso. Raoul e o Persa, sem que ninguém suspeitasse da sua presença, testemunharam quando os maquinistas vieram remover os três corpos. O comissário os seguiu e os demais acompanharam, caminhando atrás deles. Durante alguns instantes, ainda era possível ouvir os passos que ressoavam sobre o palco.

Quando ficaram sozinhos, o Persa fez sinal para que Raoul se levantasse. Raoul obedeceu, mas como ele não colocou a mão novamente na altura dos olhos, pronto para atirar, como fez o Persa, este recomendou que ele retomasse sua posição e não a abandonasse por qualquer razão que fosse.

– Mas isso cansa inutilmente a mão! – murmurou Raoul. – E se eu tiver de atirar, não estarei seguro de minha ação!

– Então mude a arma de mão! – aconselhou o Persa.

– Não sei atirar com a mão esquerda!

O Persa deu esta estranha resposta, que evidentemente não tinha a intenção de esclarecer a situação no cérebro perturbado do jovem:

– Não se trata de atirar com a mão esquerda ou com a direita. Trata-se de posicionar uma de suas mãos como se ela fosse apertar o gatilho com o braço meio dobrado; quanto à própria pistola, você pode inclusive guardá-la no bolso.

E acrescentou:

– Que isso fique claro, ou não me responsabilizo por nada! É uma questão de vida ou morte. Agora, faça silêncio e siga-me!

Eles estavam no segundo subsolo. Raoul só conseguia entrever, sob a claridade de algumas velas imóveis, aqui e ali, em suas jaulas de vidro, uma pequena parte daquele extravagante abismo, sublime e infantil, divertido como uma caixa de fantoches, assustador como um fosso, que compõe os subsolos do palco da Ópera.

Eles são maravilhosos e são cinco. Os subsolos reproduzem todos os planos do palco, seus alçapões e suas passagens dissimuladas. Apenas as vigas laterais são substituídas por trilhos. As estruturas transversais sustentam os alçapões e as passagens escondidas. Pilastras assentadas em bases de ferro fundido ou pedra e poços de areia formam silhuetas que dão passagem livre para as "alegorias" e outras combinações ou trucagens. Esses dispositivos ganham certa estabilidade quando presos a ganchos de ferro, de acordo com as necessidades do momento. Guinchos, tambores e contrapesos são generosamente distribuídos pelos subsolos. Eles são usados para manobrar os grandes cenários, para as mudanças de paisagem e para causar o desaparecimento repentino dos personagens fantásticos. Foram os subsolos, de acordo com X., Y., Z., que consagraram à obra de Garnier estudos tão interessantes; são eles que transformam os adoentados em belos cavaleiros, as bruxas hediondas em fadas radiantes e jovens. Satã vinha dos subsolos, e também desaparecia por eles. As luzes do Inferno escapam por eles, os coros dos demônios cantam de lá.

… E os fantasmas passeiam como se estivessem em casa…

Raoul seguia o Persa obedecendo suas recomendações ao pé da letra, sem tentar entender os gestos que ele mandava fazer e pensando que ele era sua única esperança.

O que Raoul teria feito sem seu companheiro naquele terrível labirinto? Não teria parado a cada passo dado, por conta daquele prodigioso entrecruzamento de vigas e cordas? Não teria ficado preso naquela gigantesca teia de aranha, sem conseguir escapar?

E se conseguisse passar por aquela rede de fios e contrapesos que brotavam diante dele, não correria o risco de cair em um daqueles buracos que se abriam em segundos sob seus pés e cujos olhos não eram capazes de ver o fundo das trevas?

Eles desciam, desciam sem parar. Agora já estavam no terceiro subsolo e a caminhada continuava sendo iluminada por uma luz distante. Quanto mais desciam, mais o Persa parecia cuidadoso... Ele se voltava constantemente para Raoul e dizia para se comportar corretamente, mostrando-lhe a forma como ele mesmo mantinha seu punho, agora desarmado, mas sempre pronto para atirar como se empunhasse uma arma.

De repente, uma voz retumbante os paralisou. Alguém acima deles gritava.

– Todos os "fechadores de portas" no palco! O comissário de polícia os convoca.

Ouviram-se passos e sombras atravessaram as sombras ainda mais escuras. O Persa puxou Raoul para trás de uma porta. Eles viram passar perto e acima deles os velhos curvados pelos anos e pelo fardo dos cenários da Ópera. Alguns se arrastavam com dificuldade; outros, por hábito, com os ombros para baixo e as mãos para a frente, procuravam portas para fechar.

Os "fechadores de portas" eram antigos maquinistas exaustos de quem a caridosa direção teve piedade. Tinham designado aqueles homens como porteiros de cima e de baixo. Eles estavam sempre indo e vindo de cima para baixo do palco para fechar as portas, e naquela época, porque desde então, eu acredito que já tenham morrido, eles eram chamados também de "caçadores de correntes de ar". As correntes de ar são prejudiciais à voz, de onde quer que venham.

O Persa e Raoul saudaram esse incidente que os liberava de testemunhas inconvenientes, pois alguns fechadores de portas, não tendo mais nada para fazer e sem ter onde morar, permaneciam, por preguiça ou por necessidade, na Ópera, onde passavam a noite. Então, seria possível trombar com eles, acordá-los e submetê-los a pedidos de explicação. A investigação do senhor Mifroid manteve nossos dois companheiros a salvo desses maus encontros, mas eles não desfrutaram da solidão por muito tempo. Outras sombras vinham agora pelo mesmo caminho pelo qual os fechadores de portas haviam subido. Cada uma dessas sombras carregava à sua frente uma pequena lanterna que agitavam bastante, balançando-as para cima e para baixo, examinando tudo à sua volta, e pareciam procurar alguma coisa ou alguém.

– Diabo! – murmurou o Persa. – Não sei o que procuram, mas podem nos encontrar... Vamos fugir! Depressa! A mão no alto, senhor, sempre pronta para disparar! Dobre os braços, um pouco mais, isso! A mão na altura dos olhos, como se estivesse em um duelo à espera do comando de "fogo"! Guarde a pistola no bolso! Rápido, vamos descer! (Ele arrastou Raoul até o quarto subsolo). Na altura dos olhos, questão de vida ou morte! Aqui, por aqui, por esta escada! (Chegaram ao quinto subsolo.) Ah! Que duelo, senhor, que duelo! – o Persa suspirou aliviado ao chegar ao final do quinto subsolo. Ele parecia desfrutar de um pouco mais de segurança do que tinha mostrado há pouco, quando eles tinham parado no terceiro. No entanto, ele não renunciava à posição de sua mão!

Raoul teve tempo para se surpreender mais uma vez, sem, por outro lado, fazer qualquer nova observação. Nenhuma! Pois, na verdade, não era o momento de se surpreender (repito, em silêncio) com aquela extraordinária concepção de defesa pessoal que consistia em manter a pistola no bolso enquanto a mão permanecia pronta para usá-la como se a pistola ainda estivesse em sua mão, na altura dos olhos; posição de espera pelo comando "fogo!" nos duelos daquela época.

E, sobre isso, Raoul acreditava que também poderia pensar o seguinte: "Lembro-me muito bem que ele me disse: são pistolas nas quais eu confio".

Assim, parecia lógico propor esta conclusão questionável: "O que importa para ele confiar em uma arma que ele acha inútil usar?".

Mas o Persa o despertou de suas vagas tentativas de cogitação. Enquanto fazia sinal para que o jovem ficasse parado, ele subiu alguns degraus da escada de onde tinham acabado de descer. Em seguida, voltou rapidamente para perto de Raoul.

– Como somos estúpidos – sussurrou –, em breve nos livraremos das sombras com lanternas. São os bombeiros que fazem a ronda.

Os dois homens permaneceram na defensiva por pelo menos cinco longos minutos, depois o Persa levou Raoul novamente para baixo da escada por onde tinham acabado de descer. Mas, de repente, com um gesto, ordenou novamente que não se movesse. À frente deles, a noite se movia.

– Barriga no chão! – cochichou o Persa.

Os dois homens se deitaram bem a tempo. Uma sombra, que desta vez não carregava nenhuma lanterna, uma sombra que simplesmente atravessou a sombra, passou bem perto deles, sem tocá-los.

Sentiram em suas caras o bafo quente de seu casaco. Podiam distinguir o suficiente para ver que a sombra tinha um casaco que a envolvia da cabeça aos pés. Na cabeça, um chapéu de feltro mole.

Ela se distanciou, raspando as paredes com o pé e, às vezes, chutando as quinas.

– É alguém da polícia do teatro? – perguntou Raoul.

– Alguém muito pior! – respondeu o Persa sem mais explicações. – Ufa! – ele prosseguiu. – Escapamos por pouco. Essa sombra me conhece e já me levou duas vezes ao gabinete da direção.

– Não é... *ele*?

– *Ele*? Se *ele* não aparecer por trás, veremos sempre seus olhos de ouro! É inclusive nossa vantagem durante a noite. Mas ele pode aparecer por trás, a passos de lobo, e estaremos mortos se não mantivermos as mãos como se fossem disparar, na altura dos olhos, e à nossa frente!

O Persa não tinha terminado de formular novamente essa "linha de atitude" quando uma figura fantástica surgiu diante deles. Uma figura inteira, um rosto, e não apenas dois olhos de ouro, um rosto luminoso... uma figura em chamas!

Sim, uma figura em chamas que se aproximava com a altura de um homem, *mas sem corpo*! Essa figura soltava fogo. Na noite, parecia uma chama em forma humana.

– Ah! – fez o Persa entre os dentes. – É a primeira vez que a vejo! O tenente dos bombeiros não estava louco! Ele realmente tinha visto! Que figura é essa? Não é *ele*! Talvez *ele* o tenha enviado. Cuidado! Cuidado! Mantenha sua mão na altura dos olhos, em nome do Céu! Na altura dos olhos!

A figura em chamas, que parecia uma figura do Inferno, o demônio em brasa, avançava sempre com a altura de um homem, sem corpo, na direção dos dois homens horrorizados.

– Talvez ele tenha nos enviado essa figura pela frente, para nos apanhar por trás… ou pelos lados. Tudo é possível quando se trata *dele*! Conheço muitos dos seus truques! Mas esse! Esse eu ainda não conhecia! Vamos fugir! Por precaução! Certo? A mão na altura dos olhos.

E ambos fugiram pelo longo corredor subterrâneo que se abria diante deles. Depois de alguns segundos dessa corrida, que lhes pareceu longa, longos minutos, eles pararam.

– No entanto – disse o Persa –, ele raramente vem aqui! Ele não se interessa por este lado, pois não leva ao lago nem à casa do lago! Mas talvez ele saiba que estamos atrás dele! Mesmo eu tendo prometido deixá-lo em paz e não me intrometer mais em suas histórias.

E, tendo dito isso, virou a cabeça, e Raoul o imitou. Avistaram a cabeça em chamas logo atrás de suas duas cabeças. Ela os seguira, e deve ter corrido também, e talvez mais rápido do que eles, porque lhes pareceu que estava ainda mais perto.

No mesmo momento, começaram a ouvir um certo ruído cuja natureza era impossível de adivinhar; mas perceberam que o ruído se movia e se aproximava com a chama-figura-humana. Eram rangidos, ou antes chiados, como se milhares de unhas arranhassem um quadro negro, um ruído terrivelmente insuportável que às vezes é produzido por uma pequena pedra dentro de um giz que vem arranhar o quadro negro.

Eles continuaram recuando, mas a figura-chama avançava, avançava sem cessar, e se aproximava deles cada vez mais. Era possível ver seus traços com nitidez. Os olhos eram redondos e fixos, o nariz um pouco torto e a boca grande com um lábio inferior em semicírculo, pendurado; aproximadamente como os olhos, o nariz e o lábio da lua quando é lua de sangue.

Como é que aquela lua vermelha deslizava na escuridão, tão alta como um homem sem ponto de apoio, sem um corpo para sustentá-la, pelo menos aparentemente? E como se deslocava tão depressa, para a frente, com os olhos fixos, completamente fixos? E todo aquele rangido, estalo, chiado que ela carregava consigo, de onde vinha?

A certa altura, o Persa e Raoul não podiam mais recuar e colaram contra a parede sem saber o que seria deles diante daquela incompreensível figura de fogo e, sobretudo, agora, com o barulho mais intenso, mais alto, mais vivo e tão "numeroso", pois certamente aquele barulho era produzido por centenas de pequenos ruídos que se moviam na escuridão, sob a cabeça em chamas.

– Ela vem aí, a cabeça em chamas... Aí está ela com seu barulho! Aí está ela bem à nossa frente!

Os dois companheiros, ainda colados contra a parede, sentiram seus cabelos se arrepiarem de horror, pois agora sabiam de onde vinham os milhares de ruídos. Eles vinham em bandos, rolando na sombra como pequenas ondulações mais rápidas do que as ondas da maré cheia na areia, ondulaçõezinhas noturnas em rebanho sob a lua, sob a lua-cabeça-em-chamas.

As pequenas ondulações passavam por entre as pernas deles, subiam por elas, irresistivelmente. Raoul e o Persa não puderam conter seus gritos de horror, medo e dor, nem continuar mantendo as mãos na altura dos olhos – como se fazia, naquela época, durante um duelo entre pistolas, antes do comando de "fogo"! Suas mãos desceram até as pernas para repelir aquelas ilhotas iluminadas que arrastavam pontas afiadas, ondulaçõezinhas cheias de patas, unhas, garras e dentes.

Sim, sim, Raoul e o Persa estavam prestes a desmaiar, como acontecera a Papin, tenente dos bombeiros. Mas a cabeça em chamas se virou para eles, ao ouvi-los gritar, e falou:

– Não se mexam! Não se mexam! Sobretudo, não me sigam! Sou o matador de ratos! Deixem-me passar com os meus ratos!

A cabeça de fogo desapareceu repentinamente na escuridão, enquanto o corredor à sua frente se iluminava, simples resultado da manobra do matador de ratos com sua lanterna. Alguns instantes atrás, a fim de não afugentar os ratos à sua frente, ele tinha virado a lanterna sobre si mesmo, iluminando sua cabeça; agora, para acelerar a fuga, iluminou o espaço escuro à sua frente. Então saltou, arrastando consigo todos os ratos, escalando, gritando e fazendo milhares de ruídos.

O Persa e Raoul, livres, puderam enfim respirar, ainda trêmulos.

– Eu deveria ter me lembrado que Erik me falou sobre o matador de ratos – disse o Persa –, mas ele não me disse que era esse o aspecto dele. É estranho que eu nunca o tenha encontrado antes. – Ah! Eu acreditei que isso era um dos truques do monstro! – suspirou. – Mas não, ele nunca aparece por estas bandas!

– Estamos muito longe do lago? – questionou Raoul. – Quando chegaremos, senhor? Vamos para o lago! Vamos para o lago! Quando chegarmos ao lago, chamaremos por ele, sacudiremos as paredes, gritaremos! Christine vai ouvir! E ele também! E já que o conhece, vamos falar com ele!

– Tolo! – disse o Persa. – Jamais chegaremos à casa do lago pelo lago!

– Por que não?

– Porque foi lá que ele construiu toda a sua defesa. Eu mesmo nunca consegui chegar ao outro lado, do lado da casa! Primeiro é preciso atravessar o lago, e ele está bem protegido! Receio que mais de um desses antigos maquinistas, velhos fechadores de portas que nunca mais vimos tenham simplesmente tentado atravessar o lago. É terrível! Eu mesmo quase fiquei por lá. Se o monstro não tivesse me reconhecido a tempo! Um conselho, senhor, nunca se aproxime do lago, e, sobretudo, tape os ouvidos se ouvir a Voz sob as águas, a voz da Sereia.

– Mas então – disse Raoul febril, impaciente e raivoso –, o que estamos fazendo aqui? Se não há nada que o senhor possa fazer por Christine, ao menos deixe-me morrer por ela.

O Persa tentou acalmar o jovem.

– Acredite em mim, só há uma maneira de salvar Christine Daaé, que é entrar na casa sem que o monstro perceba.

– E podemos manter essa esperança, meu senhor?

– Ora! Se eu não tivesse essa esperança, não o teria procurado!

– E por onde se pode entrar na morada do lago sem passar pelo lago?

– Pelo terceiro subsolo, de onde fomos acidentalmente expulsos e para onde regressaremos agora mesmo. Vou lhe dizer, senhor – falou o Persa, com a voz subitamente alterada –, vou lhe dizer qual é o local exato. Ele fica entre uma arquitrave e um cenário abandonado do *Rei de Lahore*, exatamente onde Joseph Buquet morreu.

– Ah! O maquinista chefe que encontraram enforcado?

– Sim, senhor – assentiu o Persa em um tom singular –, e cuja corda não foi encontrada! Vamos! Coragem... e em frente! E coloque sua mão novamente naquela posição, senhor. Mas onde será que estamos agora?

O Persa teve de acender a lanterna mais uma vez. Ele direcionou o facho luminoso sobre dois vastos corredores que se cruzavam em ângulos retos e cujos arcos se perdiam no infinito.

– Acho que estamos na parte reservada especialmente para o fornecimento de água. Não estou vendo nenhum fogo sair dos caloríferos – disse.

Ele seguiu à frente de Raoul, observando o caminho, parando abruptamente quando desconfiava da aproximação de algum engenheiro hidráulico, e então tiveram que parar perto do brilho de uma espécie de falso subsolo que alguém acabara de apagar e diante do qual Raoul reconheceu os demônios vislumbrados por Christine durante a sua primeira viagem, no dia em que se tornou prisioneira pela primeira vez.

Assim, eles retornavam aos poucos ao prodigioso subsolo do palco.

Eles deveriam estar no fundo do reservatório, a uma profundidade considerável se pensarmos que a terra foi cavada quinze metros abaixo das camadas de água que existiam em toda essa parte da capital. E que tiveram que esgotar toda a água. Retiraram tanta que, para se ter uma ideia do volume de água sugada pelas bombas, teríamos de colocá-la em uma superfície equivalente ao espaço interno do Louvre e com uma altura equivalente a uma vez e meia das torres de Notre-Dame. Ainda assim, foi necessário manter um lago.

O Persa então tocou uma parede e disse:

– Se não me engano, aqui está uma parede que deve pertencer à casa do lago!

Ele batia contra uma parede do reservatório. Talvez seja útil para o leitor saber como o fundo e as laterais do reservatório foram construídos.

A fim de evitar que as águas em torno da construção permanecessem em contato direto com as paredes que sustentavam toda a maquinaria do teatro, cuja carpintaria, marcenaria e serralheria, além das telas pintadas com têmpera, devem ser especialmente preservadas da umidade, o arquiteto se deparou com a necessidade de criar uma dupla camada em todos os lados. O trabalho de construção dessa dupla camada de proteção durou um ano.

O Persa batia contra a camada interior dessa proteção enquanto falava a Raoul sobre a casa do lago. Para alguém que conhecia a arquitetura do monumento, o gesto do Persa parecia indicar que a misteriosa casa de Erik tinha sido construída com essa dupla camada, formada por um grande muro construído com anteparos, cobertos por uma parede de tijolos, depois por uma enorme camada de cimento e ainda por outra parede de alguns metros de espessura.

Depois de ouvir a história contada pelo Persa, Raoul colou o ouvido à parede e procurou escutar alguma coisa, mas não ouviu nada. Nada além de passos distantes que ressoavam no chão das partes superiores do teatro.

O Persa apagou mais uma vez a lanterna.

– Atenção! – ele disse. – Cuidado com a mão! E agora faça silêncio, vamos tentar mais uma vez entrar na casa dele.

E arrastou o jovem até a pequena escada por onde haviam descido há pouco. Eles subiram parando em cada degrau para observar a escuridão e o silêncio, e assim chegaram ao terceiro subsolo.

O Persa fez um sinal para Raoul se ajoelhar, e foi assim, rastejando de joelhos e com uma mão só (a outra mão se mantinha na posição indicada) que eles chegaram à parede do fundo.

Nessa parede, havia uma enorme tela abandonada que pertencia ao cenário do *Rei de Lahore*. Perto do cenário, havia uma arquitrave. Entre o cenário e a arquitrave, havia espaço apenas para um corpo, um corpo, que um dia encontraram enforcado. O corpo de Joseph Buquet.

O Persa, ainda ajoelhado, tinha parado. Ele ouvia.

Por um instante, pareceu hesitar e olhou para Raoul, depois seus olhos se fixaram no andar de cima, iluminado pela luz sutil de uma lanterna que podia ser vista do vão entre duas tábuas.

Evidentemente, aquela luz incomodava o Persa. Até que, por fim, ele acenou com a cabeça, decidido. Deslizou entre a arquitrave e o cenário do *Rei de Lahore*. Raoul vinha logo atrás.

A mão livre do Persa tateava a parede. Raoul viu quando ele empurrou com força a parede, como havia feito no camarim de Christine.

Uma pedra se moveu. Havia agora um buraco na parede. Desta vez, o Persa tirou a pistola do bolso e pediu que Raoul fizesse o mesmo. Ele armou a pistola.

Ainda de joelhos, passou resolutamente pelo buraco que a pedra tinha feito na parede ao se soltar.

Raoul, que queria ser o primeiro, contentou-se em segui-lo. O buraco era muito estreito. O Persa se deteve quase imediatamente. Raoul podia ouvi-lo tatear as pedras em volta. Depois, ele pegou a lanterna outra vez, inclinou-se para a frente, examinou algo embaixo dele e logo apagou de novo a lanterna. Raoul ouviu-o sussurrar:

– Vamos ter de cair uns metros, sem fazer ruído. Livre-se de seus sapatos.

O Persa já se encarregava de tirar os seus e os entregou a Raoul.

– Ponha-os no chão – disse ele –, do outro lado da parede. Vamos recuperá-los na saída.

Em seguida, o Persa avançou mais um pouco. Depois, virou-se completamente, sempre de joelhos, e cara a cara com Raoul, disse:

– Vou me pendurar, segurando com as mãos na ponta da pedra, e cair em cima da casa. Depois você fará exatamente o que fiz. Não tenha medo: eu o pegarei em meus braços.

O Persa fez o que disse e Raoul logo ouviu um barulho embaixo de si, evidentemente causado pela queda do Persa. O jovem vacilou com medo de que o barulho revelasse a presença deles. No entanto, mais do que o barulho, a ausência de qualquer outro ruído era para Raoul uma terrível fonte de angústia. Como era possível! De acordo com o Persa, eles tinham acabado de entrar nas paredes da casa do lago e não era possível ouvir Christine! Nem um grito! Nem um pedido de socorro! Nem um gemido! Santo Deus! Será que haviam chegado tarde demais?

Raspando a parede com os joelhos, agarrando-se à pedra com os dedos nervosos, Raoul também saltou e imediatamente sentiu um abraço.

– Sou eu! – disse o Persa. – Silêncio! – e eles permaneceram imóveis, ouvindo…

Nunca a noite tinha ficado mais opaca em torno deles. Nunca o silêncio havia se mostrado tão pesado nem tão terrível. Raoul enfiava as unhas nos lábios para não gritar:

– Christine! Sou eu! Responda se não está morta, Christine?

O jogo da lanterna então recomeçou. O Persa direcionava a luz acima de suas cabeças, contra a parede, procurando o buraco por onde eles tinham vindo, mas não o encontrou.

– Ah! – ele lamentou. – A pedra se fechou sozinha.

E o fluxo luminoso da lanterna desceu ao longo da parede e foi até o chão.

O Persa se inclinou e pegou algo, uma espécie de fio que ele examinou por um segundo e rejeitou com horror.

– O fio do Punjab! – ele sussurrou.

– O que é isso? – perguntou Raoul.

– "Isso" – respondeu o Persa, tremendo – poderia ser a corda do homem enforcado que estão procurando há tanto tempo!

E de repente, tomado de uma nova ansiedade, levou o pequeno disco vermelho da sua lanterna a passear pelas paredes. Ele iluminou algo estranho, um tronco de árvore que parecia ainda vivo com suas folhas. Os ramos dessa árvore subiam ao longo da parede e chegavam até o teto.

Por causa da pequenez do disco de luz, foi difícil no início perceber as coisas. Via-se uma parte com ramos, depois uma folha aqui, outra ali, e mais adiante, não se via mais nada, nada além do raio de luz que parecia refletir a si mesmo. Raoul deslizou a mão sobre esse nada, esse reflexo…

– Veja! – ele disse. – A parede é um espelho!

– Sim! Um espelho! – disse o Persa em um tom de profunda emoção. E acrescentou, enquanto passava a mão que segurava a arma na sua testa suada: – Caímos na Câmara de Suplícios!

Atribulações interessantes e instrutivas de um Persa no subsolo da Ópera

Relato do Persa.

O próprio Persa contou como tinha tentado, até aquela noite, entrar na casa do lago pelo próprio lago; como tinha descoberto a entrada do terceiro subsolo; e como, finalmente, ele e o visconde de Chagny se encontraram lutando com a imaginação infernal do Fantasma na Câmara de *Suplícios. Aqui está o relato escrito que ele nos deixou (sob condições que serão explicadas mais tarde) e do qual eu não mudei uma palavra. Dou a ele o tom exato, porque entendo que não devo omitir as aventuras pessoais do daroga*[20] *em torno da casa do lago, antes de cair ali, na companhia de Raoul. Se, de início, este relato muito interessante parece nos distanciar da Câmara de Suplícios, é apenas para melhor nos ambientar, depois de eu lhe explicar melhor, caro leitor, algumas coisas muito importantes e certas atitudes e maneiras de agir do Persa, que podem lhe parecer bastante extraordinárias.*

20 Chefe ou regedor de uma cidade ou de uma vila, na Pérsia. (N.T.)

Foi a primeira vez que entrei na casa do lago – *escreveu o Persa.* – Em vão, supliquei ao Senhor dos Alçapões (era assim que, na Pérsia, chamávamos Erik) que me abrisse as portas misteriosas. Ele sempre recusou. Eu, que era pago para conhecer muitos dos seus segredos e truques, tinha tentado em vão, por astúcia, forçá-lo a ceder. Desde que tinha encontrado Erik na Ópera, onde ele parecia residir, eu já o havia espiado diversas vezes, ora pelos corredores de cima, ora pelos subterrâneos, às vezes, na margem do lago, quando pensava estar sozinho e subia no pequeno barco com o qual atravessa até a margem oposta. Mas a sombra à volta dele era demasiado opaca para eu ver exatamente onde acionava sua porta na grande parede. A curiosidade, e também um temível pressentimento que tive quando pensava sobre algumas coisas que o monstro me havia dito, impulsionaram-me, um dia que pensei estar sozinho, a me atirar no pequeno barco e conduzi-lo até aquela parte da parede onde eu tinha visto Erik desaparecer. Foi então que encontrei a Sereia que protegia aqueles arredores e cujos encantos me foram quase fatais. Tudo aconteceu da seguinte maneira. Eu ainda não tinha deixado a costa quando o silêncio no qual navegava foi insensivelmente perturbado por uma espécie de canto sussurrante que me envolveu. Era ao mesmo tempo respiração e música subindo lentamente das águas do lago, e eu já estava enfeitiçado por ele, sem descobrir como. Aquilo me seguia, deslocava-se junto comigo, e era tão suave que não me dava medo. Pelo contrário, no desejo de chegar mais perto da fonte daquela doce e cativante harmonia, eu me inclinei sobre o pequeno barco em direção à água, pois não havia dúvida de que aquela canção vinha de dentro do lago. Eu já estava no meio do trajeto e não havia mais ninguém no barco além de mim; a voz (pois era claramente uma voz) estava ao meu lado, dentro da água. Inclinei-me, inclinei-me ainda mais. O lago estava perfeitamente calmo e o raio de luar, depois de passar pela janela da rua Scribe, veio iluminá-lo e não deixou ver absolutamente nada em sua superfície lisa e preta como tinta. Eu mexi nas orelhas com a intenção de me livrar de um possível zumbido, mas tive de me render à evidência de que não há zumbidos tão harmoniosos como aquele canto sussurrante que me seguia e que tinha me atraído.

Se eu fosse um espírito supersticioso ou facilmente impressionável, teria pensado que estava lidando com alguma sereia disposta a perturbar o viajante ousado o suficiente para navegar nas águas da casa do lago, mas, felizmente, venho de um país onde as pessoas gostam demais do fantástico para não o conhecerem completamente, e eu mesmo já havia estudado muito há alguns anos: com os truques mais simples, alguém que conhece o seu ofício pode enganar facilmente a pobre imaginação humana.

Então, não tinha dúvida de que estava lidando com uma nova invenção de Erik, mas novamente aquela invenção era tão perfeita que, inclinando-me sobre o pequeno barco, eu era menos impulsionado pelo desejo de descobrir o seu truque do que de desfrutar do seu charme.

Inclinei-me ainda mais... até que afundei.

De repente, dois braços monstruosos saíram de dentro da água e agarraram meu pescoço, arrastando-me para o abismo com uma força invencível. Eu certamente estaria perdido se não tivesse conseguido soltar um grito por meio do qual Erik me reconheceu.

Porque era ele e, em vez de me afogar como de fato pretendia, ele nadou e gentilmente me deixou na costa.

– Viu como foi imprudente? – disse-me ele enquanto se recompunha diante de mim, pingando aquela água infernal. – Por que tentar entrar em minha morada? Não o convidei. Não quero você nem qualquer outra pessoa deste mundo! Você só salvou minha vida para que ela ficasse insuportável! Não importa o quão grande é o serviço prestado, você sabe que nada pode deter Erik, nem mesmo o próprio Erik.

Ele continuou falando, mas naquele momento eu não tinha outro desejo a não ser saber qual era o truque da sereia. Ele consentiu em satisfazer a minha curiosidade, porque Erik, que é de fato um verdadeiro monstro (é assim que o julgo, tendo tido, infelizmente, na Pérsia, a oportunidade de vê-lo em ação), mas continua sendo, de certa forma, uma verdadeira criança presunçosa e vaidosa, e nada lhe dá mais prazer do que provar toda a engenhosidade realmente milagrosa de sua mente.

Ele começou a rir e me mostrou um longo caniço.

– É muito primário! – ele disse. – Mas é conveniente para respirar e cantar debaixo d'água! É um truque que ensinei aos piratas de Tonquim, para que possam ficar escondidos durante horas no fundo dos rios.

Reagi severamente.

– É algo que quase me matou! E pode ter sido fatal para outros!

Ele não me respondeu, mas ficou em pé diante de mim com aquele olhar de ameaça infantil que conheço tão bem.

Não permiti que ele se impusesse e acrescentei com clareza:

– Você sabe o que me prometeu, Erik! Chega de crimes!

– Acha mesmo que cometi crimes? – perguntou com um tom dos mais amáveis.

– Desgraçado! – vociferei. – Já esqueceu das *Horas cor-de-rosa de Mazandarão*?

– Sim – respondeu ele, que ficou triste de repente –, prefiro esquecê-las, mas a jovem sultana se divertiu bastante.

– Tudo isso é passado – declarei –, mas há o presente, e você me deve o presente, pois, se eu quisesse, ele já teria deixado de existir para você! Lembre-se disso, Erik: eu salvei a sua vida!

E aproveitei o rumo que a conversa tinha tomado para falar com ele sobre algo que, há algum tempo, não saía da minha mente.

– Erik – eu pedi –, Erik, jure para mim…

– O quê? – ele perguntou. – Você sabe muito bem que eu não cumpro meus juramentos. Os juramentos são feitos para apanhar os tolos.

– Diga-me… Você pode me contar isso?

– Do que você está falando?

– Bem!… Do lustre. O lustre? Erik…

– O que tem o lustre?

– Você sabe muito bem do que estou falando, não sabe?

– Ah! – ele riu, sarcástico. – O lustre. Eu vou dizer! O lustre, não fui eu! Ele estava muito gasto, o lustre…

Quando ria, Erik era ainda mais assustador. Ele saltou para o barco rindo de uma forma tão sinistra que me fez tremer.

– Muito desgastado, meu caro daroga! Muito gasto, o lustre... Caiu sozinho... *Bum!* E agora, um conselho, daroga, vá se secar se não quiser apanhar uma forte constipação! E nunca mais suba no meu barco. Sobretudo, não tente entrar na minha casa... Nem sempre estou lá. Daroga! E eu ficaria triste em dedicar a minha *Missa dos mortos* a você!

Ele dizia isso e ria, em pé na parte de trás de seu barco e gingando como se fosse um macaco. Parecia o barqueiro fatal, mas com olhos de ouro. E então, logo vi apenas os olhos e finalmente ele desapareceu por completo na noite do lago.

Foi a partir daquele dia que desisti de entrar na casa dele pelo lago! Obviamente, aquela entrada estava muito bem vigiada, especialmente desde que ele soube que eu a conhecia. Mas pensei que deveria ter outra entrada, porque mais de uma vez o vi desaparecer no terceiro subsolo enquanto o observava, sem conseguir imaginar como ele fazia aquilo. Não sei dizer o motivo, mas desde que encontrei Erik instalado na Ópera, vivia em um terror perpétuo sobre suas horríveis fantasias, não no que dizia a respeito a mim, é verdade, mas eu desconfiava de tudo quando se tratava dos outros. E, quando acontecia qualquer acidente, ou alguma tragédia fatal, eu sempre pensava: "Talvez tenha sido Erik!".

E os outros diziam ao meu redor:

– Foi o Fantasma!

Quantas vezes ouvi essa frase ser pronunciada por pessoas que sorriam! Infelizes! Se soubessem que esse fantasma existia em carne e osso e era mais terrível do que a sombra vã que evocavam, eu juro que teriam parado de zombar! Se ao menos soubessem do que Erik era capaz, especialmente em um campo de manobra como a Ópera! E se conhecessem a fundo meus temíveis pensamentos!

Eu já não conseguia mais viver. Apesar de Erik ter anunciado solenemente que estava mudado e tinha se tornado o mais virtuoso dos homens desde que havia encontrado alguém que *o amava pelo que ele era*, frase que me deixou absolutamente perplexo, não pude deixar de tremer quando pensava nele. Sua horrível, única e repugnante feiura fez dele um pária da humanidade, e muitas vezes me ocorreu que ele já não acreditava, por esse mesmo fato, ter qualquer dever para com a raça humana. A maneira como ele me falou de seu novo amor só fez aumentar minha apreensão, pois previ neste evento, ao qual ele aludia um tom de arrogância que eu conhecia tão bem, um pretexto para novos dramas, mais terríveis que os anteriores. Eu sabia até que ponto o desespero e a dor de Erik poderiam ser sublimes e desastrosos, e as palavras que ele tinha me dito, anunciando vagamente a pior das catástrofes, não saíam da minha cabeça.

Por outro lado, descobri o bizarro comércio moral que se estabelecera entre o monstro e Christine Daaé. Escondido na despensa que fica ao lado do camarim da jovem diva, eu assisti a admiráveis sessões de música, que obviamente mergulhavam Christine em um maravilhoso êxtase, mas não acreditava que a voz de Erik, que podia ressoar como trovão ou ser doce como a dos anjos, poderia fazer sua feiura ser esquecida. Compreendi tudo quando descobri que Christine ainda não o tinha visto! Então, criei uma oportunidade para entrar no camarim e, lembrando-me das lições que ele tinha me dado no passado, não tive dificuldade em encontrar a ferramenta que girava a parede que sustentava o espelho e constatei através de quais tijolos ocos, que faziam ecoar o som, ele era capaz de ouvir Christine e de falar com ela como se estivesse ao seu lado. Dessa forma, achei também o caminho que leva à fonte e à masmorra, a masmorra dos prisioneiros da Comuna, e também o alçapão que permitia a Erik entrar diretamente na parte inferior do palco.

Alguns dias mais tarde, fiquei surpreso ao descobrir com meus próprios olhos e ouvidos que Erik e Christine Daaé tinha se encontrado pessoalmente, e surpreendi o monstro inclinado sobre a pequena nascente, na trilha da Comuna (sob a terra), molhando o rosto da jovem, que estava desmaiada. Um cavalo branco, o cavalo do Profeta, que tinha desaparecido dos estábulos subterrâneos da Ópera, aguardava calmamente ao lado deles. Eu apareci. E foi terrível. Vi faíscas saírem de seus dois olhos de ouro e, antes de conseguir dizer uma só palavra, fui atingido com um golpe que me fez perder os sentidos. Quando acordei, Erik, Christine e o cavalo branco haviam desaparecido. Não tive dúvidas de que a infeliz mulher era prisioneira na casa do lago. Sem hesitar, resolvi regressar à costa, apesar do evidente perigo de tal atitude. Durante vinte e quatro horas, escondido perto da margem escura, vigiei a movimentação do monstro, porque sabia que uma hora ele sairia dali, obrigado a ir em busca de provisões. E sobre este assunto, é importante dizer que, quando ele saía por Paris ou se atrevia a aparecer em público, usava, no lugar de seu horrível buraco do nariz, um nariz de papelão com um bigode, o que não disfarçava completamente seu aspecto macabro, uma vez que, quando passava, as pessoas falavam por suas costas: "Ali vai o Senhor da Morte", mas, ainda assim, aquele disfarce fazia que fosse menos, e só um pouco menos, insuportável vê-lo.

Eu estava lá, vigiando-o da margem do lago (o lago Averno, era assim que ele o chamava, em tom de deboche), e cansado de esperar por tanto tempo, pensei: "Ele deve ter saído por outra porta, provavelmente a do terceiro subsolo", quando ouvi um pequeno barulho no escuro. Vi os dois olhos de ouro brilhando como lanternas, e logo o barco aportou. Erik saltou e veio em minha direção.

– Você já está aí há vinte e quatro horas e está me irritando! Estou avisando, isso vai acabar mal e é você quem quer assim! Tenho muita paciência com você! Acha que pode me seguir, seu grande idiota?

Foi assim que ele disse, textualmente.

– Eu é que o estou seguindo, e sei tudo o que sabe a meu respeito. Poupei-o ontem na minha trilha da Comuna, mas estou avisando, desapareça! Tudo isso é imprudente, eu já disse! E me pergunto se ainda entende meias palavras!

Ele estava tão enfurecido que não tive coragem de interrompê-lo. Depois de bufar como um touro, ele revelou seu terrível plano, que confirmava meu assustador pressentimento.

– Sim, você deve entender de uma vez por todas, de uma vez por todas, o que estou dizendo! Estou avisando que com a sua imprudência, porque já foi preso duas vezes pela sombra com o chapéu de feltro, que não sabia o que você estava fazendo no subsolo e o levou aos diretores, que acharam que você era apenas um maluco que adora truques e é apaixonado pelos bastidores do teatro (eu estava lá... sim, eu estava lá no escritório; você sabe muito bem que eu estou em toda parte), as pessoas vão acabar se perguntando o que você está procurando aqui. E acabarão descobrindo que está à procura de Erik, e vão querer, como você, procurar Erik, e encontrarão a casa do lago. E aí, meu, caro, azar o seu! Azar! Eu não garanto mais nada!

Ele bufou mais uma vez como um touro.

– Nada! Se os segredos de Erik não permanecerem sendo os segredos de Erik, será um tanto pior para muitos seres da raça humana! Isso é tudo o que eu tenho a dizer e, a menos que você seja um grandíssimo idiota (literalmente), isso deve ser o suficiente; a menos que você não fale a minha língua e não esteja me entendendo!

Ele se sentou na parte de trás de seu barco e começou a bater na madeira da pequena embarcação com seus calcanhares, esperando que eu respondesse. E eu respondi simplesmente.

– Não é o Erik que estou procurando!

– E quem é então?

– Você sabe muito bem. Christine Daaé!

Ele respondeu:

– Tenho direito de me encontrar com ela em minha casa. Sou amado por ser quem sou.

– Isso não é verdade – eu disse –, você a sequestrou e a mantém prisioneira!

– Ouça – ele respondeu –, você promete não se meter mais na minha vida se eu provar que sou amado por ser quem sou?

– Sim, prometo – respondi sem hesitar, pois pensei que uma prova como aquela seria impossível para um monstro como ele.

– Bem, vamos lá! É muito simples! Christine Daaé sairá daqui quando quiser e voltará! Sim, voltará! Porque ela assim deseja. Voltará sozinha, porque ela me ama como eu sou!

– Ah! Duvido que ela volte! Mas é sua obrigação deixá-la partir.

– Minha obrigação, seu grande idiota! É minha vontade! Minha vontade deixá-la ir, e ela voltará porque me ama! Tudo isso, estou dizendo, terminará em casamento. Um casamento na igreja da Madeleine, seu grande idiota! Acredita em mim finalmente? Se eu disser que a missa do meu casamento já está escrita? Você vai ver esse *Kyrie*...

Ele bateu novamente com os calcanhares na madeira do barco, em um ritmo que o acompanhava enquanto cantava timidamente: "*Kyrie!... Kyrie!... Kyrie Eleison!...* Você vai ver, verá que missa!".

– Ouça, só acreditarei em você quando vir Christine Daaé sair da casa do lago e voltar a ela por vontade própria!

– E não se intrometerá mais em minha vida? Pois bem, você verá isso acontecer ainda está noite. Venha ao baile de máscaras. Christine e eu estaremos lá. Depois, esconda-se na despensa e verá que ela, ao retornar ao camarim, pedirá para voltar à trilha da Comuna.

– Está combinado!

Se aquilo fosse de fato verdade, eu não teria escolha a não ser aceitar, porque uma pessoa muito bonita tem o direito de amar o monstro mais horrível, especialmente quando, como era o caso, ele tem a sedução da música e quando essa pessoa é justamente uma cantora muito distinta.

– E agora, vá embora que eu preciso ir ao mercado!

Então fui, ainda preocupado com Christine, e tendo um pensamento temível que ele havia despertado ao falar de minha imprudência.

Eu pensava: "Como isso vai acabar?". E, embora eu fosse desde sempre bastante fatalista, não conseguia livrar-me de uma angústia indescritível por causa da enorme responsabilidade que assumi quando deixei viver o monstro que hoje ameaçava muitos da raça humana.

Para meu espanto, as coisas aconteceram exatamente como ele disse. Christine Daaé saiu da casa do lago e voltou várias vezes sem, aparentemente, ser forçada a fazê-lo. Minha mente tentou em vão se desinteressar daquele romance misterioso, mas era muito difícil para mim, sobretudo por conta do assustador pressentimento. Todavia, resignado à extrema cautela, não cometi o erro de retornar às margens do lago ou de voltar à trilha da Comuna. Mas a obsessão pela porta secreta do terceiro subsolo me perseguia e fui mais de uma vez diretamente àquele lugar que eu sabia estar deserto durante o dia. Costumava fazer plantões intermináveis lá, mexia os polegares e me escondia atrás de um cenário do *Rei de Lahore*, que foi deixado lá não sei por que razão, pois não havia apresentações frequentes dessa peça na Ópera. Tanta paciência acabou sendo recompensada. Um dia, vi o monstro caminhar na minha direção. Tinha certeza de que ele não podia me ver. Ele passou entre o cenário em um cabideiro, foi até a parede e destravou, em um ponto que pude identificar de longe, uma mola que derrubou uma pedra, abrindo-lhe uma passagem. Ele desapareceu por essa passagem e a pedra fechou atrás dele. Eu tinha descoberto o segredo do monstro, um segredo que podia, no momento oportuno, levar-me até a casa do lago.

Para ter certeza, esperei pelo menos meia hora e fui destravar a mola. Tudo se repetiu como havia acontecido com Erik, mas não tive coragem de entrar no buraco sabendo que Erik estava em casa. Por outro lado, a ideia de que eu poderia ser surpreendido por Erik, de repente, lembrou-me da morte de Joseph Buquet e, não querendo comprometer tal descoberta, que poderia ser útil para muitas pessoas, *para muitas pessoas da raça humana*, deixei a parte de baixo do teatro, depois de cuidadosamente colocar a pedra de volta no lugar, seguindo um sistema que permanecia o mesmo desde a Pérsia.

Você deve imaginar que eu ainda estava interessado na relação de Erik com Christine Daaé, não por uma curiosidade mórbida, mas, como já disse, em razão desse temível pressentimento que me perseguia: "Se Erik descobre que não é amado por ser quem é, podemos esperar o pior", pensei. E, vagando pela Ópera, prudentemente, mas sem cessar, logo descobri a verdade sobre o amor infeliz do monstro. Ele ocupava a mente de Christine pelo terror que lhe causava, mas o coração da doce criança pertencia por inteiro ao visconde Raoul de Chagny. Enquanto esses dois brincavam inocentemente de noivos, no topo da Ópera, fugindo do monstro, não faziam ideia de que alguém os protegia. Eu estava determinado a tudo: matar o monstro se fosse preciso, e depois explicar tudo à justiça. Mas Erik não apareceu e isso não me tranquilizou.

Tenho de contar todos os meus planos. Pensei que o monstro, ao sair de casa atraído pelo ciúme, deixaria o caminho livre para que eu pudesse adentrar em sua morada do lago, através da passagem do terceiro subsolo. Eu tinha interesse em saber o que exatamente havia lá dentro. Um interesse pelo bem comum! Um dia, cansado de esperar por uma oportunidade, desloquei a pedra e imediatamente ouvi uma música formidável; o monstro estava trabalhando em casa, com as portas abertas, em seu *Don Juan triunfante*. Eu sabia que aquele era o trabalho da vida dele. Tive o cuidado de não me mexer e permaneci em meu buraco escuro. Então, ele parou de tocar por um momento e começou a andar pela casa, como um louco. Foi quando disse em alto e bom som:

– Isto precisa estar pronto antes! E muito bem feito!

Essa fala não me tranquilizou e, quando a música recomeçou, coloquei a pedra de volta em seu lugar sem fazer barulho. No entanto, apesar de a pedra ter fechado a passagem, eu ainda ouvia o vago canto ao longe, bem distante, que subia das profundezas da terra, como o canto da Sereia, que ouvi brotar do fundo das águas. Lembrei-me das palavras de alguns maquinistas, que não foram levados a sério, sobre a morte de Joseph Buquet: "Havia ao redor do corpo do homem enforcado um som que se assemelhava ao canto dos mortos".

No dia do sequestro de Christine Daaé, cheguei tarde ao teatro e tremi ao descobrir as más notícias. Eu tinha tido um dia atroz, porque, desde que havia lido em um jornal, pela manhã, o anúncio do casamento de Christine com o visconde de Chagny, não parei de me perguntar se, afinal, eu não faria melhor em denunciar o monstro. Mas voltei à razão e me convenci de que tal atitude só faria precipitar a possível catástrofe.

Quando meu carro me deixou em frente à Ópera, olhei para aquele monumento como se fosse surpreendente ele ainda estar de pé!

Mas, como todo bom oriental, sou um pouco fatalista e entrei esperando o pior!

O rapto de Christine Daaé durante o ato da prisão naturalmente surpreendeu a todos, mas não a mim. Aos meus olhos, era claro que se tratava de uma obra de Erik, como o rei dos prestidigitadores[21] que era. E pensei que aquele seria o fim de Christine, e talvez de todos nós.

Tanto que, por um momento, me perguntei se não deveria aconselhar todas aquelas pessoas que estavam no teatro a fugir. Porém mais uma vez hesitei em fazer a denúncia pela certeza de que me considerariam louco. Além disso, sabia que se, por exemplo, começasse a gritar "Fogo!", eu mesmo poderia ser a causa de uma catástrofe, pois em meio ao pânico, as pessoas poderiam se asfixiar ou se pisotear, o que seria até pior.

Ainda assim, decidi agir sem mais demoras, mas sozinho. Ademais, o momento pareceu-me propício. Havia grandes chances de que Erik só pensasse em sua prisioneira naquele momento. Era necessário aproveitar a oportunidade para entrar em sua casa pelo terceiro subsolo, e pensei em me juntar ao pobre e desesperado visconde nessa empreitada, e ele aceitou minha proposta prontamente, o que me tocou muito. Eu tinha pedido ao meu funcionário que me trouxesse as pistolas. Darius nos encontrou, com a caixa, no camarim de Christine. Entreguei uma das pistolas ao visconde e aconselhei-o a estar sempre pronto para atirar, assim como eu, afinal, Erik poderia esperar por nós atrás da parede e passaríamos pela trilha da Comuna e pelo alçapão.

O pequeno visconde perguntou, quando viu minhas armas, se enfrentaríamos um duelo. Naturalmente! E acrescentei: "E que duelo!". Mas, evidentemente, não tive tempo para lhe explicar nada. O pequeno visconde é corajoso, mesmo assim ele ignorava quase tudo sobre o seu adversário! E foi melhor assim!

O que é um duelo com o mais terrível dos espadachins quando comparado a uma luta com o mais brilhante dos mágicos? Eu mesmo preferia não pensar que estava prestes a lutar com um homem que só é visível quando quer e que, no entanto, vê tudo a sua volta, ainda que tudo pareça obscuro para qualquer outro! Com um homem cujo saber estranho, a sutileza, a imaginação e a habilidade lhe permitem dispor

21 Ilusionista, aquele capaz de iludir com técnicas que envolvem agilidade com as mãos. (N.T.)

de todas as forças naturais combinadas para criar em nossos olhos ou ouvidos a ilusão que será, em seguida, desvendada! E tudo isso nos subsolos da Ópera, isto é, no próprio país da fantasmagoria! É possível imaginar tudo isso sem tremer? Para termos apenas uma ideia do que poderia acontecer com os olhos ou os ouvidos de um frequentador da Ópera, é como se o trancássemos dentro da Ópera, que tem cinco andares inferiores e vinte e cinco superiores, com um Robert Houdin[22] feroz e "brincalhão" que ora zomba, ora odeia; ora rouba, ora mata! Imagine isso: "Lutar com o senhor dos alçapões? Meu Deus! ele construiu em nossos palacetes esses incríveis alçapões giratórios, que são os melhores alçapões! Lutem contra o senhor dos alçapões no palácio dos alçapões!".

Minha esperança era que ele não tivesse deixado Christine Daaé naquela casa do lago para onde a tinha levado. Mais uma vez, meu temor era que ele já estivesse em algum lugar à nossa espera, preparando o *laço do Punjab.*

Ninguém sabe lançar melhor do que ele o laço do Punjab, ele era o príncipe dos estranguladores, assim como era o rei dos prestidigitadores. Depois de divertir a pequena sultana, na época das *Horas cor-de-rosa de Mazandarão*, ela mesma lhe pediu que a entretivesse com coisas que dessem medo. Ele não encontrou nada melhor do que o jogo do laço do Punjab. Erik passou um período na Índia, onde adquiriu uma incrível habilidade de estrangulamento. Ele ficava trancado em um pátio com um guerreiro, geralmente um homem condenado à morte, armado com uma lança e uma espada; já Erik só tinha o laço, e era sempre no momento em que o guerreiro pensava que ia matar Erik com um golpe fatal que se podia ouvir o assobio do laço. Com um simples jogo de punho, Erik apertava o fino laço no pescoço de seu inimigo e o arrastava diante da sultana e de suas acompanhantes, que assistiam a tudo da janela e aplaudiam. A pequena sultana também aprendeu a lançar o laço do Punjab e matou muitas de suas

---

22 Jean Eugène Robert-Houdin (1805-1871), mágico ilusionista francês conhecido como o pai do ilusionismo moderno. (N.T.)

companheiras e até mesmo algumas amigas que a visitavam. Mas prefiro não falar mais nesse terrível assunto das *Horas cor-de-rosa de Mazandarão*. Se toquei nesse assunto, foi porque, chegando com o visconde de Chagny nos subsolos da Ópera, precisei advertir meu companheiro sobre a possibilidade sempre ameaçadora de estrangulamento que nos cercava. Naturalmente, ali no subsolo, minhas pistolas já não eram mais úteis, pois eu tinha a certeza de que não tendo impedido nossa entrada na trilha da Comuna, Erik não nos deixaria vê-lo. Mas, ainda assim, poderia nos estrangular. Não tive tempo de explicar tudo isso ao visconde, e nem sequer sei se, tendo tido esse tempo, eu o teria usado para lhe dizer que havia, em algum lugar na escuridão, um laço do Punjab pronto para assobiar. Era inútil complicar a situação, por isso eu apenas aconselhei o senhor de Chagny a manter sua mão sempre na altura dos olhos, com o braço dobrado na posição do atirador à espera do comando de "fogo!". Nessa posição, é impossível, mesmo para o estrangulador mais habilidoso, lançar com êxito o laço do Punjab. Ele laçará, ao mesmo tempo, o pescoço e o braço ou a mão, e assim o laço pode ser facilmente desfeito, tornando-se inofensivo.

Depois de evitar o comissário de polícia, alguns dos fechadores de portas e os bombeiros, e encontrar pela primeira vez o Matador de Ratos, além de passar despercebido pelo homem com o chapéu de feltro, o visconde e eu chegamos em segurança ao terceiro subsolo, entre a arquitrave e o cenário do *Rei de Lahore*. Eu desloquei a pedra e nós saltamos sobre a casa que Erik construiu dentro da dupla camada dos paredões da fundação da Ópera (e o fez da forma mais tranquila possível, pois foi um dos primeiros empreiteiros de alvenaria de Philippe Garnier, o arquiteto da Ópera, e continuou a trabalhar, misteriosamente sozinho, quando as obras foram oficialmente suspensas durante a guerra com a Prússia, o cerco de Paris e a Comuna).

Eu conhecia Erik suficientemente bem para abandonar a presunção de conseguir descobrir todos os truques que ele tinha sido capaz de criar durante esse tempo, e foi exatamente por isso que não fiquei nada tranquilo ao pular sobre sua casa. Eu sabia o que ele tinha feito com certos palácios de Mazandarão, transformando a construção mais honesta do mundo na morada do diabo, onde não se podia mais pronunciar uma só palavra sem que ela fosse espiada ou relatada pelo eco. Quantos dramas familiares! Quantas tragédias sangrentas o monstro proporcionou com seus alçapões! Sem mencionar que não se podia nunca, nos palácios que ele tinha "manipulado", saber exatamente onde estávamos. Eram invenções surpreendentes. Certamente, a mais curiosa, mais horrível e mais perigosa de todas foi a Câmara de Suplícios. À exceção dos casos em que a pequena sultana se divertia em fazer sofrer os burgueses, só os condenados à morte podiam entrar. Na minha opinião, era a imaginação mais atroz das *Horas cor-de-rosa de Mazandarão*. Além disso, quando o visitante que tinha entrado na Câmara de Suplícios "não aguentava mais", era autorizado a terminar com tudo aquilo usando o laço do Punjab deixado à sua disposição ao pé da árvore de ferro!

Qual não foi minha emoção, assim que adentrei na morada do monstro, ao perceber que a sala em que o visconde de Chagny e eu tínhamos acabado de saltar era justamente a reconstrução exata da Câmara de Suplícios das *Horas-cor-de-rosa de Mazandarão*.

Aos nossos pés, encontrei o laço do Punjab que tanto temi durante toda a noite. Estava convencido de que aquele fio tinha sido usado com Joseph Buquet. O maquinista-chefe deve ter, como eu, surpreendido Erik uma noite qualquer, quando deslocava a pedra do terceiro subsolo. Curioso, ele tentou passar pelo buraco antes que a pedra se fechasse e caiu na Câmara de Suplícios, de onde só saiu enforcado. Eu podia imaginar nitidamente Erik arrastando o corpo do qual ele queria se livrar até o cenário do *Rei de Lahore* e deixando-o suspenso para servir de exemplo ou para aumentar o terror supersticioso que o ajudaria a proteger as imediações da caverna! Mas, após refletir, Erik voltou para buscar o laço do Punjab, que é feito com tripas de gato e poderia despertar a curiosidade de um juiz de investigação. Assim, era possível explicar o sumiço da corda do enforcamento.

E agora eu encontrava o laço aos nossos pés, na Câmara de Suplícios! Não sou pusilânime, mas um suor frio escorreu pela minha fronte.

A lanterna, cujo pequeno disco vermelho eu fazia circular pelas paredes da tão famosa sala, tremia em minha mão.

O senhor de Chagny percebeu e me perguntou:

– O que está acontecendo, senhor?

Fiz um sinal agressivo para que se calasse, pois ainda tinha a esperança suprema de que estivéssemos na Câmara de Suplícios sem que o monstro soubesse de nada!

E mesmo essa esperança não era a salvação, pois era de se imaginar que, através do terceiro subsolo, a Câmara de Suplícios era encarregada de proteger a *casa do lago*, e, talvez, de forma automática. Sim, talvez os suplícios começassem automaticamente.

Quem poderia imaginar que gestos provocariam isso? Recomendei ao meu companheiro que permanecesse absolutamente imóvel. Um silêncio esmagador pesava sobre nós.

E a minha lanterna vermelha continuava a sondar a Câmara de Suplícios. Eu a reconhecia, eu a reconhecia…

Na Câmara de Suplícios

Continuação do relato do Persa.

Estávamos no centro de uma pequena sala de forma perfeitamente hexagonal cujas seis paredes eram cobertas por espelhos de cima a baixo. Nas quinas, era possível distinguir claramente os "disfarces" de espelhos, com suas pequenas divisões destinadas a rolar os cilindros. Sim, sim, eu os reconheço, e reconheço a árvore de ferro no canto, no fundo de uma dessas pequenas emendas. A árvore de ferro com seu galho de ferro... para os enforcados.

Agarrei o braço do meu companheiro. O visconde de Chagny tremia dos pés à cabeça, pronto para gritar à sua noiva que tinha vindo salvá-la. Eu temia que ele não conseguisse se conter.

De repente, ouvimos um barulho à nossa esquerda. No início, parecia uma porta abrindo e fechando, no cômodo ao lado, e depois um gemido abafado. Segurei o braço do senhor de Chagny com mais força, e depois ouvimos claramente estas palavras:

– É pegar ou largar! A *missa de casamento* ou a *missa dos mortos*.

Reconheci a voz do monstro. Ouvimos mais um gemido. Depois, um longo silêncio.

Agora eu estava convencido de que o monstro não estava ciente da nossa presença em sua casa, pois do contrário ele teria feito o necessário para que não pudéssemos ouvi-lo. Teria sido suficiente para ele selar hermeticamente a pequena janela invisível através da qual os amantes de suplícios olham para a Câmara de Suplícios.

Além disso, eu tinha certeza de que, se ele tivesse descoberto nossa presença, as torturas teriam começado imediatamente. Tínhamos então uma grande vantagem sobre Erik: estávamos ao lado dele sem que ele soubesse.

O importante era não o deixar saber, e não tinha nada que eu temesse mais do que o impulso do visconde de Chagny em querer atravessar as paredes para se juntar a Christine Daaé, cujo gemido pensávamos ouvir em pequenos intervalos.

– A missa dos mortos não é nem um pouco alegre! – retomou a voz de Erik. – Já a missa de casamento, ah, nem queira saber! É magnífica! Você precisa tomar uma decisão e saber o que quer! É impossível para mim continuar a viver assim, nas profundezas da Terra, em um buraco, como uma toupeira! O *Don Juan triunfante* está pronto, agora quero viver como todo mundo. Quero ter uma esposa como todos e passear aos domingos. Inventei uma máscara que pode se parecer com qualquer um. As pessoas sequer se voltarão para me observar. Você será a mulher mais feliz do mundo e cantaremos um para o outro, até a morte. Está chorando! Tem medo de mim! No entanto, no fundo, eu não sou um homem mau! Basta me amar e você verá! Só me faltava ser amado para poder ser bom! Se me amasse, eu seria doce como um cordeiro e você faria de mim o que quisesse.

Logo o gemido que acompanhava essa litania de amor começou a crescer, crescer. Nunca ouvi nada mais desesperador, e o senhor de Chagny e eu reconhecemos que aquela terrível lamentação pertencia ao próprio Erik. Quanto a Christine, ela devia estar em algum lugar, talvez do outro lado da parede que se erguia diante de nós, muda de horror, sem forças para chorar, com o monstro ajoelhado aos seus pés.

Aquele lamento era profundo, estrondoso e condoído como o som de um oceano. Três vezes esta queixa saiu da garganta rochosa dele.

– Você não me ama! Você não me ama! Você não me ama! – E depois amoleceu: – Por que está chorando? Sabe que isso me faz mal.

Silêncio.

Cada silêncio era para nós uma esperança. Pensávamos: "Talvez ele tenha deixado Christine sozinha atrás desta parede".

Pensávamos apenas na possibilidade de alertar Christine Daaé da nossa presença sem que o monstro soubesse de nada.

Só poderíamos sair da Câmara de Suplícios se Christine abrisse a porta para nós; e era apenas sob essa condição que seria possível ajudá-la, pois nem sequer sabíamos onde a porta poderia estar ao nosso redor.

De repente, o silêncio no cômodo ao lado foi perturbado pelo som de uma campainha elétrica. Houve uma agitação e ouvimos a voz poderosa de Erik:

– Tem alguém tocando! Pois que entre! – ele disse com um riso sombrio. – Quem se atreve a nos incomodar? Espere aqui. *Vou pedir à Sereia que abra a porta.*

Os passos se distanciaram e uma porta se fechou. Não tive tempo de pensar no novo horror que se preparava; esqueci-me de que o monstro só saía para cometer um novo crime. Só pensei em uma coisa: Christine estava do outro lado da parede!

O visconde de Chagny começou a chamá-la.

– Christine! Christine!

Uma vez que ouvíamos o que era dito na sala ao lado, não havia nenhuma razão para que o meu companheiro não fosse ouvido. No entanto, o visconde teve de repetir seu chamado diversas vezes.

Finalmente, uma voz fraca chegou até nós.

– Estou sonhando – disse ela.

– Christine! Christine! Sou eu, Raoul.

Silêncio.

– Responda, Christine! Se está sozinha, em nome de Deus, responda.

A voz de Christine sussurrou o nome do Raoul.

– Sim! Sim! Sou eu! Não é um sonho! Christine, confie nisso! Estamos aqui para salvá-la, mas não sejamos imprudentes! Quando você ouvir o monstro, avise-nos.

– Raoul! Raoul!

Ela pediu que ele repetisse várias vezes que não estava sonhando e que Raoul de Chagny tinha conseguido encontrá-la, conduzido por um companheiro dedicado que conhecia o segredo da casa de Erik.

Mas à rápida felicidade sucedeu um terror maior ainda. Ela queria que Raoul partisse imediatamente. Tinha medo que Erik descobrisse seu esconderijo, pois nesse caso ele não hesitaria em matar o jovem. Disse-nos, rapidamente, que Erik estava louco de amor e determinado a matar a todos e a si próprio se ela não consentisse em se tornar sua esposa perante o juiz e o padre da Madeleine. Ele lhe deu até as onze horas da noite seguinte para pensar. Era o prazo final. Ela teria que escolher, como ele disse, entre a missa de casamento e a missa dos mortos!

E Erik tinha pronunciado esta frase, que Christine não havia compreendido completamente: "Sim ou não! Se for não, todo mundo estará morto e enterrado!".

Mas eu entendi perfeitamente a frase, pois ela respondia de maneira terrível ao meu temível pressentimento.

– Consegue nos dizer onde está Erik? – perguntei. Ela respondeu que ele devia ter saído da casa. – Pode nos dar certeza?

– Não! Estou presa, não consigo fazer nenhum movimento.

Ao saber disso, o senhor de Chagny e eu não conseguimos conter um grito de raiva. A salvação de nós três dependia da liberdade de movimentos da jovem. Ah! Libertá-la! Conseguir chegar até ela!

– Mas onde vocês estão? – perguntou Christine. – Há apenas duas portas no meu quarto: o quarto Luís Felipe de que lhe falei, Raoul! Há uma porta pela qual Erik entra e sai e outra que ele nunca abriu diante de mim e que me proibiu de atravessar, porque é, diz ele, a mais perigosa das portas, a porta dos suplícios!

– Christine, estamos atrás dessa porta!

– Vocês estão na Câmara de Suplícios?

– Sim, mas não conseguimos ver a porta.

– Ah! Se ao menos eu pudesse me arrastar até aí! Eu bateria à porta e vocês veriam onde ela está.

– É uma porta com fechadura? – perguntei.

– Sim, com fechadura.

Eu pensei: "Do outro lado ela abre com uma chave, como todas as portas, mas do nosso lado, ela só abre com a mola e o contrapeso, e isso não vai ser fácil de descobrir".

– Senhorita – eu disse –, é imprescindível que abra essa porta!

– Mas como? – respondeu a voz chorosa da jovem infeliz. Ouvimos um corpo se mover, tentando a qualquer custo se libertar das amarras que o aprisionavam...

– Não conseguiremos sem o truque – eu disse. – Precisamos conseguir a chave dessa porta...

– Eu sei onde ela está – respondeu Christine, que parecia exausta pelo esforço que tinha feito –, mas estou bem presa! Aquele desgraçado! E ouvimos um soluço.

– Onde está a chave? – perguntei, ordenando ao senhor de Chagny que ficasse calado e me deixasse liderar o caso, pois não tínhamos um só segundo a perder.

– No quarto, ao lado do órgão, com outra pequena chave de bronze na qual ele também me proibiu de tocar. Elas estão em um pequeno saco de couro que ele chama de *o pequeno saco da vida e da morte*. Raoul! Raoul! Fuja! Tudo aqui é misterioso e terrível e Erik vai enlouquecer completamente. Você está na Câmara de Suplícios! Voltem por onde vieram! Deve haver alguma razão para que ela tenha esse nome!

– Christine! – disse o jovem. – Vamos sair daqui juntos ou morreremos juntos!

– Está em nossas mãos sair daqui sãos e salvos – eu disse –, mas temos de manter a calma. Por que ele a amarrou, senhorita? Você não pode fugir daí! Ele sabe!

– Mas eu tentei me matar! Esta noite, depois de me trazer até aqui desacordada sob o efeito do clorofórmio, o monstro desapareceu. Parece que ele foi, como ele mesmo me disse, encontrar-se com seu banqueiro! Quando voltou, encontrou-me com o rosto sangrando. Tentei me matar! Bati a cabeça contra a parede.

– Christine! – gemeu Raoul, e começou a chorar.

– Então ele me prendeu. Só tenho o direito de morrer amanhã à noite, às onze horas!

Toda aquela conversa através da parede foi muito mais "entrecortada" e muito mais cuidadosa do que eu deixo transparecer ao transcrevê-la. Muitas vezes, parávamos no meio de uma frase porque nos parecia ouvir um estalo, um passo, um movimento incomum. Ela nos dizia: "Não! Não! Não é ele! Ele saiu! Ele está longe! Reconheci o barulho da parede do lago ao se fechar".

– Senhorita! – eu disse. – Se foi o próprio monstro que a amarrou, ele é quem irá desamarrá-la. Basta que represente a cena necessária para isso! Não se esqueça que ele a ama!

– Infelizmente, jamais esquecerei disso! – ouvimos quando ela disse.

– Lembre-se disso e sorria para ele. Implore, diga que as amarras estão machucando.

Mas Christine Daaé interrompeu:

– Silêncio! Ouvi qualquer coisa vindo dos lados do lago! É ele! Vão embora! Vão embora! Vão embora!

– Não poderíamos, ainda que quiséssemos! – eu disse para impressionar a jovem. – Não podemos ir embora! Nós estamos na Câmara de Suplícios!

– Silêncio! – disse Christine novamente. Nós três permanecemos calados.

Passos pesados se arrastavam lentamente atrás da parede, depois paravam para retomarem o barulho no piso.

Logo ouvimos um grande suspiro seguido por um grito de horror de Christine, e a voz de Erik disse:

– Desculpe-me por mostrar meu rosto! Estou em um ótimo estado, não estou? A culpa é do *outro*! Por que ele tocou? Por acaso eu pergunto as horas a quem passa? Ele não vai mais perguntar as horas a ninguém. A culpa é da Sereia…

Outro suspiro, mais profundo, mais formidável, vindo do fundo do abismo de uma alma.

– Por que gritou, Christine?

– Porque estou sofrendo, Erik.

– Pensei que a tivesse assustado…

– Erik, solte-me… Não sou sua prisioneira?

– Você vai querer se matar novamente...

– Você me deu até amanhã à noite, às onze horas, Erik. – Os pés continuaram se arrastando pelo chão. – Afinal de contas, morreremos juntos... e tenho tanta pressa quanto você... Sim, eu também estou cansada dessa vida, você entende!

– Espere, não se mexa, vou desamarrá-la. Você só precisa dizer uma palavra: *Não!* E *será o fim para todo mundo.* Você tem razão... você tem razão! Por que esperar até amanhã às onze da noite? Ah! Sim, porque seria mais bonito! Sempre sofri da doença do decoro... do grandioso... É tão infantil! É preciso pensar apenas em si mesmo na vida! Em sua própria morte. O resto é supérfluo. Vê como estou molhado? Ah, minha querida, fiz mal em sair. O tempo está tão ruim que não se deve nem deixar um cão na rua! Além disso, Christine, acho que estou tendo alucinações. Sabe, aquele que soou há pouco por causa sereia (veja no fundo do lago se ele ainda está tocando) ora, tive a impressão de ouvi-lo. Ali, vire-se, está contente? Pronto, está livre. Meu Deus! Os seus punhos, Christine! Eu lhe fiz mal? Diga... Só isso já merece a morte. Por falar em morte, *tenho de lhe cantar a sua missa!*

Ao ouvir essas palavras terríveis, não pude deixar de ter um péssimo pressentimento. Eu também toquei a campainha da porta do monstro uma vez. Sem saber, é claro! Devo ter acionado algum sistema de alerta. E lembro-me dos dois braços saindo das águas negras como tinta. Quem seria esse infeliz perdido naquelas margens?

O pensamento no pobre homem quase me impediu de colocar em prática o esquema de Christine. O visconde de Chagny sussurrava em meu ouvido estas mágicas palavras: "Ela está livre!", mas eu ainda me perguntava, "Quem? Quem era o outro? Aquele para quem ouvíamos ser cantada a missa dos mortos?".

Ah! A canção sublime e furiosa! Toda a casa do lago ressoava, as entranhas da Terra estremeciam. Encostamos nossos ouvidos contra a parede de espelhos para ouvir melhor o movimento de Christine Daaé, o movimento que ela estava fazendo para nos libertar, mas não ouvíamos nada além da missa dos mortos. Era mais uma missa dos condenados. Aquilo produzia, no fundo da Terra, uma ronda de demônios.

Lembro-me do *Dies irae* que ele cantou e que se abateu sobre nós como uma tempestade. Sim, sentíamos raios e relâmpagos à nossa volta... É claro! Ouvi-o cantar antes. Ele chegou a fazer com que as carrancas de pedra dos meus touros androcéfalos cantassem nas paredes do palácio de Mazandarão. Mas nunca tinha cantado assim, nunca! Ele cantava como o deus do trovão.

De repente, a voz e o órgão pararam tão bruscamente que o senhor de Chagny e eu recuamos atrás da parede, de tanto que ficamos apreensivos. E a voz mudou de repente, transformou-se, guinchou distintamente estas sílabas metálicas:

– *O que você fez com o saquinho de couro?*

O começo dos suplícios

Continuação do relato do Persa.

A voz repetiu furiosamente:

– O que você fez com meu saco?

Christine Daaé não devia tremer mais do que nós.

– Era para roubar meu saquinho que você queria que lhe soltasse, não era?

Ouvimos passos apressados, Christine corria de volta à sala Luís Felipe, como se procurasse um abrigo em frente à nossa parede.

– Por que está fugindo? – disse a voz zangada que a seguiu. – Devolva-me o meu saco! Não sabe que esse é o saco da vida e da morte?

– Ouça-me, Erik – suspirou a jovem –, já que agora está combinado que viveremos juntos, o que há de errado nisso? Tudo o que é seu me pertence!

A frase foi pronunciada de forma tão trêmula e insegura que era de dar pena. A jovem infeliz deve ter usado toda a energia restante para controlar o seu terror. Mas não seria com truques tão amadores, ditos entre dentes estremecidos, que o monstro se deixaria enganar.

– Você sabe muito bem que aí dentro há apenas duas chaves. O que você pretende fazer? – perguntou.

– Eu gostaria – disse ela – de visitar o quarto que não conheço e que você sempre escondeu de mim. É uma curiosidade feminina! – ela acrescentou, em um tom que queria ser brincalhão, mas que só fez aumentar a desconfiança de Erik de tão falso que soou…

– Não gosto de mulheres curiosas! – disse Erik. – E você deveria desconfiar disso depois da história do Barba Azul. Vamos! Devolva-me o saco! Devolva-me! Dê-me a chave, garotinha curiosa!

E riu enquanto Christine dava um grito de dor. Erik tinha acabado de recuperar o saco.

Foi neste momento que o visconde, incapaz de se conter, soltou um grito de raiva e impotência que pude, com dificuldade, sufocar em seus lábios…

– Ora! – exclamou o monstro. – Mas o que foi isso? Você ouviu, Christine?

– Não! Não! – a pobre jovem respondeu. – Não ouvi nada!

– Parece que ouvi alguém gritar!

– Um grito! Está ficando maluco, Erik? Quem poderia gritar na profundidade em que estamos? Fui eu quem gritei, porque você me machucou! Mas não escutei nada!

– Veja como você fala! Está tremendo! Está assustada! Você mentiu! Alguém gritou! Alguém gritou! Tem alguém na Câmara de Suplícios! Ah! Agora entendi tudo!

– Não há ninguém, Erik!

– Entendi!

– Ninguém!

– O seu noivo, talvez!

– Ora! Não tenho noivo! Você sabe muito bem disso! – outra risada sarcástica.

– Mas é tão fácil descobrir. Minha pequena Christine, meu amor, não precisamos abrir a porta para ver o que se passa na Câmara de Suplícios. Quer ver? Quer ver? Veja! Se houver alguém, se houver realmente alguém, você verá tudo iluminado lá em cima, perto do teto, pela janela invisível. Basta puxar a cortina preta e depois apagar aqui. Está pronto, é só apagar! Não tenha medo do escuro, o seu maridinho está aqui!

Então, foi possível ouvir a voz agonizante de Christine.

– Não! Tenho medo! Estou dizendo que tenho medo do escuro! Já não estou mais interessada por esse quarto! Você é quem me assusta sempre, como a uma criança, com essa tal Câmara de Suplícios! Então, eu fiquei curiosa, é verdade! Mas já não estou mais interessada!

E o que eu mais temia *começou automaticamente*. De repente, todo o ambiente foi inundado pela luz! Era como se a parede atrás de nós se incandescesse. O visconde de Chagny, que não estava preparado, ficou tão surpreso que cambaleou. Do outro lado, a voz explodiu em cólera.

– Eu disse que havia alguém! Está vendo a janela agora? A janela iluminada! Lá em cima! Quem está atrás dessa parede não consegue vê-la! Mas agora você vai subir pela escada. É por isso que ela está ali! Você me perguntou muitas vezes para que ela servia. Pois bem, agora você tem a resposta. Serve para olhar pela janela da Câmara de Suplícios, enxerida!

– Que suplícios? Que suplícios há lá dentro? Erik! Erik! Diga que só quer me assustar! Diga isso se realmente me ama, Erik! Não há nenhum suplício, não é mesmo? São só histórias inventadas!

– Olhe você mesma pela pequena janela, minha querida!

Não sei se o visconde, ao meu lado, ouvia a voz trêmula da jovem, pois estava concentrado no espetáculo incrível que tinha surgido diante de seus olhos perdidos. Quanto a mim, eu já tinha visto esse espetáculo muitas vezes, através da pequena janela das *Horas cor-de-rosa de Mazandarão*, e me concentrei apenas em ouvir que era dito do outro lado da parede, procurando uma ocasião para agir, uma resolução a tomar.

– Veja, veja pela janelinha e me diga você mesma! Depois me conte como é o nariz dele!

Ouvimos a escada ser arrastada e apoiada na parede.

– Suba! Não! Não, eu mesmo vou subir, minha querida!

– Não, pode deixar. Eu mesma verei com meus próprios olhos!

– Ah! Minha querida! Minha querida! Que gentil de sua parte me poupar desse esforço na minha idade! Você me dirá como é o nariz dele? Se as pessoas suspeitassem da felicidade que é ter um nariz... um nariz só seu, nunca viriam passear na Câmara de Suplícios!

Nesse momento, ouvimos distintamente estas palavras acima das nossas cabeças:

– Meu amigo, não há ninguém!

– Ninguém? Tem certeza de que não há ninguém?

– Eu juro, não há ninguém...

– Tanto melhor! O que é que você tem, Christine? O que está acontecendo? Não vai passar mal, não é mesmo? Já que não há ninguém! Mas você gosta da paisagem?

– Ah! Está tudo bem!

– Vamos! É melhor assim! Não é melhor assim? Bom, assim está melhor! Sem emoções! E que casa interessante, não é, onde se pode ver tais paisagens?

– Sim, é como se estivéssemos no museu Grévin[23]! Mas diga, Erik, não há suplícios lá dentro! Você me assustou sabia!

– Por que, se não há ninguém lá?!

– Foi você quem criou esse quarto, Erik? Ele é muito bonito! Decididamente, você é um grande artista, Erik...

– Sim, um grande artista "à minha maneira".

– Mas por que você chama esse quarto de Câmara de Suplícios?

– Ah! É muito simples. Primeiro, o que você viu?

– Eu vi uma floresta!

– E o que há em uma floresta?

– Árvores!

– E o que há em uma árvore?

– Pássaros...

– E você viu pássaros?

– Não, não vi nenhum pássaro.

– Então, o que viu? Pense um pouco! Você viu galhos! E o que há em um galho? – perguntou a voz terrível. – *Há uma forca!* É por isso que chamo minha floresta de Câmara de Suplícios! Percebe, é só uma

23 Um dos museus de cera mais antigos da Europa, fundado em 1882, em Paris. (N.T.)

maneira de dizer! Isso é tudo uma brincadeira! Nunca me expresso como os outros! Não faço nada como os outros! Mas estou farto! Realmente farto! Estou farto de ter uma floresta em minha casa e uma Câmara de Suplícios! E de viver alojado como um charlatão no fundo de uma caixa escondida dentro da terra! Estou farto! Estou farto! Quero ter um apartamento normal, com portas e janelas comuns e uma esposa honesta, como todo mundo! Você deveria compreender isso, Christine, e eu não precisaria repetir a todo momento! Uma esposa, como todo mundo! Uma mulher que eu amaria, que levaria para passear aos domingos, e que faria rir todos os dias! Ah! Você jamais ficaria entediada ao meu lado! Tenho mais do que um truque em minha manga, sem contar os truques de cartas! Veja! Quer que eu lhe mostre alguns truques de cartas? Isso nos manterá ocupados enquanto esperamos as onze da noite de amanhã! Minha pequena Christine!

"Minha doce Christine! Está me ouvindo? Não sente mais repulsa por mim, não é? Você me ama! Não, você não me ama! Mas não importa! Você vai me amar! Antigamente, você não conseguia olhar para a minha máscara porque sabia o que estava por trás dela. Agora, consegue olhar para ela e esquecer o que está por trás, e não quer mais que eu me afaste! É possível se habituar a tudo quando se quer, quando se tem boa vontade! Quantos jovens que não se amavam antes do casamento passaram a se adorar depois! Ah! Nem sei mais o que estou dizendo! Mas você se divertiria muito comigo! Não existe ninguém igual a mim, e isso eu juro em nome do Deus diante do qual nos casaremos, se você for sensata, poderá me usar como seu ventríloquo, por exemplo! Sou o maior ventríloquo do mundo! Você ri! Talvez não acredite em mim! Mas ouça!"

O miserável (que era, de fato, o maior ventríloquo do mundo) atordoava a pequena (eu estava perfeitamente ciente disso) para distrair sua atenção da Câmara de Suplícios! Ideia estúpida! Afinal, Christine só pensava em nós! Ela repetiu várias vezes, no tom mais suave que podia encontrar e com a súplica mais ardente:

– Feche a janelinha! Erik, feche logo essa pequena janela! – pois ela pensava que aquela luz que de repente apareceu na pequena janela, e da qual o monstro falou de forma tão ameaçadora, tinha uma terrível razão de existir. Uma única coisa podia tranquilizá-la momentaneamente, o fato de que ela nos vira, atrás da parede, no centro daquela magnífica claridade. E ambos estávamos bem e conseguíamos nos manter em pé! Mas ela ficaria mais calma se a luz estivesse apagada.

O outro já tinha começado a fazer o ventríloquo. Ele dizia:

– Veja, vou levantar um pouco a máscara! Ah! Só um pouco. Vê os meus lábios? Enfim, o que tenho de lábios? Eles não se mexem! Minha boca está fechada, enfim, o que posso chamar de boca, e mesmo assim você ouve a minha voz! Falo com minha barriga, é tudo natural, isso se chama ventriloquismo! É bem conhecido: ouça minha voz, para onde você quer que ela vá? Para a sua orelha esquerda? Para a direita? Para a mesa? Para as caixas de ébano perto da lareira? Ah! Isso a surpreende! Ouça minha voz nas pequenas caixas da lareira! Quer ouvi-la mais longe? Ou quer que ela se aproxime? Retumbante? Aguda? Anasalada? Minha voz pode passear por toda parte! Por toda parte! Ouça, minha querida, na pequena caixa à direita da lareira, e ouça o que ela diz: É para girar o escorpião? E agora, *crec*! Ouça agora o que ela diz na pequena caixa à esquerda: é para girar o gafanhoto? E agora, *crec*! Aqui está ela no pequeno saco de couro. O que ela diz? *Eu sou o saquinho da vida e da morte!* E agora, *crec*! Aqui está ela, na garganta de Carlotta, no fundo da garganta dourada, da garganta de cristal da Carlotta, puxa! O que ela diz? Ela diz: "Sou eu, o senhor sapo! Sou eu que canto: *Eu ouço essa voz solitária...* croac... *que canta em meu* croac!...". E agora, *crec*, ela está em uma cadeira no camarote do Fantasma, e ela diz: "Madame Carlotta canta esta noite *com uma voz de cair o lustre!*". E agora, *crec*! Ah! Ah, ah, ah! Onde está a voz do Erik? Ouça, Christine, minha querida! Ouça! Ela está atrás da porta da Câmara de Suplícios! Ouça-me! Eu é que estou na Câmara de Suplícios! E o que estou dizendo? Eu digo: "Ai daqueles que têm a felicidade de ter um nariz, um nariz de verdade, só deles, e que ousam entrar na Câmara de Suplícios! Ah, ah, ah!".

Maldita seja a voz do grande ventríloquo! Ela estava por toda parte, por toda parte!

Ela passava pela pequena janela invisível, através das paredes, ela corria à nossa volta, entre nós. Erik estava lá! Ele falava conosco! Fizemos um gesto como se fôssemos nos lançar sobre ele, porém, mais veloz, mais evasiva do que a voz sonora do eco, a voz de Erik já tinha saltado de volta para o outro lado da parede!

Logo não conseguimos ouvir mais nada, pois foi isto que aconteceu:

A voz de Christine:

– Erik! Erik! Está me aborrecendo com sua voz. Cale-se, Erik! Não acha que está calor aqui?

– Ah! Sim! – respondeu a voz de Erik. – O calor está ficando insuportável! – E novamente a voz angustiada de Christine:

– O que é isso? A parede está quente! Está pegando fogo!

– Christine, minha querida, é por causa da floresta ao lado!

– O que você quer dizer! A floresta?

– Então não viu que é uma floresta do Congo?

E o riso do monstro cresceu tão terrivelmente que já não conseguíamos distinguir os clamores suplicantes de Christine! O visconde de Chagny gritava e batia contra as paredes como um louco. Eu não podia mais detê-lo. Mas só ouvíamos o riso do monstro, e o próprio monstro só conseguia ouvir o seu riso. E então ouvimos o som de uma luta rápida, de um corpo caindo ao chão e sendo arrastado. E o estrondo de uma porta sendo violentamente fechada. Depois, mais nada, nada mais à nossa volta além do silêncio abrasador do meio-dia no coração de uma floresta da África!

"Barris! Barris! Quem tem barris para vender?"

Continuação do relato do Persa.

Eu disse que a sala onde estávamos, o visconde de Chagny e eu, era regularmente hexagonal e coberta de espelhos. Desde então, temos visto, especialmente em algumas exposições, esse tipo de sala projetada e chamada de "casa das miragens" ou "palácio das ilusões". Mas a invenção pertence inteiramente a Erik, que construiu, diante dos meus olhos, a primeira sala desse tipo durante as *Horas cor-de-rosa de Mazandarão*. Bastava colocar nos cantos um objeto decorativo, como uma coluna, por exemplo, para ter instantaneamente um palácio com mil colunas, pois, pelo efeito dos espelhos, a sala real era aumentada em seis salas hexagonais e cada uma se multiplicava infinitamente. Outrora, para divertir a pequena sultana, ele tinha criado uma decoração que se transformava em um "templo inumerável"; mas a pequena sultana rapidamente se cansou da ilusão tão infantil e Erik transformou sua invenção em uma Câmara de Suplícios. Em vez do objeto arquitetônico, ele colocou em um dos cantos uma árvore de ferro. Por que essa árvore, que imitava perfeitamente a vida com as suas folhas pintadas, era feita de ferro?

Porque tinha que ser resistente o bastante para suportar todos os ataques do "paciente" que fosse trancado na Câmara de Suplícios. Veremos como, em duas ocasiões, essa decoração tinha sido imediatamente transformada em dois outros cenários sucessivos, graças à rotação automática dos cilindros tripartidos que ficavam nos cantos, sustentando os ângulos dos espelhos e também um objeto decorativo diferente que aparecia a cada rotação.

As paredes dessa estranha sala não ofereciam qualquer saliência em que fosse possível se segurar, uma vez que, além do motivo decorativo de uma solidez inabalável, elas eram adornadas apenas com espelhos de espessura suficiente para resistir à ira do miserável homem que era atirado lá com as suas mãos e pés despidos.

Nada de mobília. O teto era luminoso. Um sistema engenhoso de aquecimento elétrico, que tem sido imitado desde então, permitia aumentar a temperatura das paredes à vontade e, assim, dar ao quarto a atmosfera desejada.

Eu procuro listar todos os detalhes precisos dessa invenção tão natural que resultava em uma ilusão sobrenatural, com alguns galhos pintados, uma floresta equatorial abrasada pelo sol do meio-dia, para que ninguém possa duvidar de minha sanidade mental e tenha o direito de dizer: "Esse homem enlouqueceu" ou "Esse homem está mentindo", ou "Esse homem acha que somos imbecis".

Se eu simplesmente contasse tudo assim: "Descemos até o fundo de um porão e encontramos uma floresta equatorial queimada pelo sol do meio-dia", eu causaria um efeito de estúpido espanto, mas não procuro causar nenhum efeito. O meu objetivo em escrever estas linhas é dizer o que exatamente aconteceu com o senhor visconde de Chagny e comigo durante aquela terrível aventura que, por um período, manteve ocupada toda a justiça do país.

Vou retomar os fatos de onde parei.

Quando o teto se iluminou, e também a floresta à nossa volta, o espanto do visconde ultrapassou tudo o que podemos imaginar. O aparecimento daquela floresta impenetrável, cujos inúmeros troncos e ramos nos amarraram ao infinito, mergulhou-o em uma consternação assustadora. Ele colocou as mãos na testa como se para afastar a visão de um sonho, e seus olhos brilhavam como olhos que, ao acordar, têm dificuldades para reconhecer a realidade das coisas. Por um instante, ele parou de ouvir!

Eu disse que o surgimento da floresta não me surpreendeu. Então, ouvíamos o que estava acontecendo na sala ao lado. Finalmente, minha atenção estava menos voltada para o cenário, que minha mente conseguia ignorar, e mais para o que os espelhos conseguiam produzir. O espelho estava trincado em algumas partes.

Sim, ele tinha alguns arranhões; alguém tinha conseguido "estrelar" o espelho, apesar de sua solidez, o que mostrava, sem dúvida, que a Câmara de Suplícios onde nos encontrávamos já tinha sido usada anteriormente!

Um infeliz, cujos pés e mãos estavam menos despidos do que os condenados das *Horas cor-de-rosa de Mazandarão*, tinha certamente caído naquela "ilusão mortal", e, louco de raiva, tinha lutado contra aqueles espelhos que, apesar de suas pequenas rachaduras, continuaram a refletir sua agonia! E o galho da árvore onde seu tormento havia terminado estava disposto de tal modo que, antes de morrer, ele pôde ver mil enforcados balançarem junto com ele!

Sim! Sim! Sim! Joseph Buquet certamente havia passado por ali! Morreríamos como ele?

Eu não acreditava nisso, porque sabia que tínhamos algumas horas pela frente e que eu podia usá-las de maneira mais útil do que Joseph Buquet fora capaz de fazer.

Então, eu não tinha um conhecimento completo da maioria dos "truques" de Erik? Aquele era, mais do que nunca, o momento de usá-lo.

Em primeiro lugar, não pensava em voltar pela passagem que nos levara àquela maldita câmara, não perdi tempo com a possibilidade de deslocar novamente a pedra que fechava a passagem. A razão era simples: eu não tinha meios! Tínhamos saltado de muito alto para a Câmara de Suplícios e nenhum móvel nos permitiria agora alcançar de volta aquela passagem, nem mesmo o galho da árvore de ferro ou nossos ombros usados como apoio.

Só havia uma saída possível, a que dava para o quarto Luís Felipe em que estavam Erik e Christine Daaé. Mas, se do lado em que estava Christine a porta tinha um aspecto normal, do nosso lado era absolutamente invisível. Portanto, era necessário tentar abri-la sem sequer saber onde ela estava, o que não seria uma tarefa fácil.

Quando tive certeza de que não havia esperança para nós do lado de Christine Daaé, ao ouvir o monstro levar, ou arrastar, a infeliz garota para fora da sala Luís Felipe, para que não perturbasse nossa provação, resolvi agir imediatamente, ou seja, procurar pela porta.

Primeiro tive de acalmar o senhor de Chagny, que caminhava pela clareira como um alucinado, pronunciando clamores incoerentes. Os excertos da conversa que ele tinha conseguido ouvir, entre Christine e o monstro, apesar de sua emoção, eram suficientes para deixá-lo fora de si. Se você adicionar a isso o truque da floresta mágica e o calor ardente que começava a fazer escorrer suor por suas têmporas, não será difícil compreender quão exaltado estava o humor do senhor de Chagny. Apesar de todas as minhas recomendações, meu companheiro já não demonstrava qualquer prudência.

Ele ia e vinha sem rumo, correndo em direção a um espaço inexistente, pensando que estava entrando em um beco que o conduziria ao horizonte e batendo a testa, depois de alguns passos, no próprio reflexo de sua ilusão de floresta!

Quando isso acontecia, ele gritava: “Christine! Christine!”, e agitava sua pistola, ainda invocando o monstro com toda força, desafiando o Anjo da Música a um duelo mortal e injuriando sua floresta ilusória. Isso tudo era o efeito produzido pelo suplício em uma mente que não tinha sido prevenida. Eu tentava, dentro do possível, acalmá-lo, procurando ser o mais razoável possível com o pobre visconde: fazia-o tocar com o dedo os espelhos e a árvore de ferro, os galhos sobre os cilindros, e explicava, de acordo com as leis da óptica, todo o imaginário luminoso em que estávamos envolvidos e do qual não podíamos, como vulgares ignorantes, ser vítimas!

– Estamos em uma sala, em uma sala pequena, é o que você tem que repetir a si mesmo cem vezes, sem cessar. E sairemos daqui assim que encontrarmos a porta. Pois bem, vamos procurá-la!

Prometi-lhe que, se ele me deixasse procurar sem me deixar tonto com seus gritos e suas caminhadas enlouquecedoras, eu encontraria a porta em menos de uma hora. Então, ele se deitou no chão, como fazemos em uma floresta, e disse que esperaria até que eu encontrasse a saída da floresta, uma vez que não tinha nada melhor para fazer! E achou importante acrescentar que, de onde estava, a vista era esplêndida (o suplício, apesar de tudo o que eu tinha dito, continuava agindo).

Quanto a mim, esquecendo a floresta, escolhi uma das paredes de espelhos e comecei a tateá-la em todas as direções, buscando ali o ponto fraco sobre o qual era necessário pressionar para girar as portas de acordo com o sistema de portas e alçapões giratórios de Erik. Em alguns casos, o ponto fraco era uma simples mancha no espelho, do tamanho de uma ervilha, sob a qual a mola era acionada. Procurava! Procurava! Tateava o mais alto que minhas mãos podiam alcançar. Erik era mais ou menos do meu tamanho e por um momento pensei em colocá-lo em uma altura maior do que ele normalmente alcançaria: era apenas uma hipótese, mas a minha única esperança. Eu tinha decidido percorrer sem desanimar, e meticulosamente, todas as seis paredes de espelhos e, em seguida, examinar todo o chão também com muito cuidado.

Eu tateava as paredes com o maior cuidado e tentava não perder um minuto sequer, pois o calor me chegava com cada vez mais força e nós estávamos literalmente cozinhando naquela floresta ardente.

Já fazia meia hora que eu trabalhava sem parar e já tinha finalizado três paredes quando uma maldição me fez voltar para o visconde ao ouvir uma exclamação abafada.

– Não consigo respirar! – ele disse. – Todos esses espelhos refletem um calor infernal! Falta muito para o senhor encontrar a saída? Se demorar, nós vamos cozinhar!

Não me desagradou ouvi-lo falar assim. Ele não tinha falado nada sobre a floresta e eu esperava que a razão do meu companheiro ainda pudesse resistir por muito tempo ao suplício. Mas ele acrescentou:

– Consola saber que o monstro deu até amanhã à noite, onze horas, para Christine: se não pudermos sair daqui a tempo de resgatá-la, ao menos estaremos mortos antes dela! A missa de Erik vai servir a todos!

Ele inspirou uma lufada de ar quente que quase o fez desmaiar. Como eu não tinha as mesmas razões desesperadas que o visconde de Chagny para aceitar a nossa perdição, voltei-me novamente para a parede, depois de pronunciar algumas palavras de encorajamento, mas cometi um terrível erro ao dar alguns passos enquanto lhe falava: havia perdido de vista o local onde eu tinha parado de procurar naquele extraordinário emaranhado da floresta ilusória! Vi-me obrigado a começar tudo de novo, ao acaso. Por isso, não pude deixar de expressar a minha decepção e o visconde compreendeu que tudo deveria ser refeito do início. Isso foi para ele um novo golpe.

– Nunca sairemos desta floresta! – ele gemeu.

E seu desespero só crescia. À medida que o tempo passava, o visconde esquecia que lidava apenas com espelhos e acreditava cada vez mais que estava no meio de uma floresta de verdade.

Quanto a mim, voltei a procurar, a tatear. A febre começava a me dominar também, pois não conseguia encontrar nada, absolutamente nada! No quarto ao lado, o mesmo silêncio. Estávamos perdidos na floresta, sem saída, sem bússola, sem guia, sem nada. Ah! Eu bem sabia o que nos aconteceria se ninguém viesse em nosso auxílio, ou se eu não conseguisse encontrar a saída. Mas, por mais que procurasse, só encontrava galhos, galhos que se espalhavam diante de mim, que se agigantavam sobre minha cabeça, mas que não faziam nenhuma sombra! O que era bastante natural, de qualquer forma, uma vez que estávamos em uma floresta equatorial com o sol logo acima de nossas cabeças. Uma floresta do Congo.

Mais de uma vez, o senhor de Chagny e eu tiramos e colocamos nossas roupas, ora acreditando que elas nos davam mais calor, ora que, pelo contrário, elas nos poupavam dele.

Eu ainda resistia moralmente, mas o senhor de Chagny parecia vencido. Ele afirmava que havia três dias e três noites que caminhava sem parar naquela floresta à procura de Christine Daaé. Às vezes, ele pensava tê-la visto atrás de um tronco de árvore, ou descendo pelos galhos, e chamava-a com palavras suplicantes que me deixavam com lágrimas nos olhos. "Christine! Christine!" ele dizia, "Por que está fugindo de mim? Você não me ama? Não estamos noivos? Christine, espere! Não vê que estou exausto! Christine, tenha piedade! Vou morrer nesta floresta, longe de você!"

– Ah! Tenho sede! – ele finalmente disse com tom delirante. Eu também tinha sede, minha garganta ardia.

No entanto, agachado no chão, isso não me impedia de procurar... procurar... procurar a abertura da porta invisível, sobretudo porque a estadia na floresta tornava-se mais perigosa à medida que a noite se aproximava. A sombra da noite já começava a nos envolver. Ela tinha chegado muito depressa, como acontece nos países equatoriais, e subitamente, quase sem nenhum crepúsculo.

A noite nas florestas do equador é sempre perigosa, especialmente quando, como era o nosso caso, não há meios para se fazer fogo e, assim, afastar os animais ferozes. Eu tinha tentado por um momento, deixando de lado a busca pela mola, quebrar alguns galhos que eu iluminaria com a minha lanterna, mas também acabei batendo nos famosos espelhos e isso me fez lembrar a tempo que estávamos lidando apenas com imagens de galhos.

Com o cair da tarde, o calor não diminuiu, pelo contrário, estava ainda mais quente sob a luz azul da lua. Aconselhei o visconde a manter sua arma pronta para disparar e a não se afastar do lugar do nosso acampamento enquanto eu continuava a procurar a saída.

De repente, ouvimos o rugido de um leão a poucos passos de distância. Era como se nossas orelhas fossem arrancadas.

– Ah! – disse o visconde em voz baixa. – Ele não está longe! O senhor o vê? Ali, entre as árvores! Escondido. Se rugir novamente, eu atiro!

E o rugido começou de novo, ainda mais formidável. O visconde disparou, mas não creio que tenha atingido o leão. Apenas partiu um espelho, como constatei ao amanhecer. Durante a noite tivemos que caminhar bastante, pois de repente nos encontrávamos à beira do deserto, um vasto deserto de areia, pedras e rochas. Não valeria a pena sair da floresta e cair no deserto. Esgotado, deitei-me ao lado do visconde, particularmente cansado de procurar pelas molas e nada encontrar.

Estava bastante surpreso (e disse isso ao visconde) por não termos tido outros maus encontros durante a noite. Normalmente, depois do leão, havia o leopardo, e às vezes o zumbido da mosca tsé-tsé. Expliquei ao senhor de Chagny, enquanto descansávamos antes de atravessar o deserto, que aqueles efeitos eram fáceis de se produzir. Que Erik obtinha o rugido do leão com uma espécie de tamborim comprido, coberto com pele de asno em uma das extremidades. Sobre essa pele é colocada uma corda feita de tripas, amarrada no centro a uma outra corda do mesmo tipo que atravessa o tambor em toda sua extensão. É só Erik esfregar essa corda com uma luva revestida de resina e, de acordo com a forma como esfrega, imita o rugido do leão ou do leopardo, ou mesmo o zumbido da mosca tsé-tsé. A ideia de que Erik podia estar na sala ao lado fazendo seus truques me deu vontade de iniciar uma conversa com ele, porque, claro, era preciso renunciar à ideia de surpreendê-lo e agora ele já devia saber quem eram os habitantes da Câmara de Suplícios. Comecei a chamá-lo: "Erik! Erik!". Gritei o mais alto que pude pelo deserto, mas ninguém respondeu ao meu chamado. À nossa volta, apenas o silêncio e a imensidão nua do deserto. O que seria de nós no meio daquela solidão assustadora?

Começávamos a literalmente morrer de calor, fome e sede. Especialmente de sede. Foi então que o senhor de Chagny apoiou-se em seus cotovelos e apontou para um ponto no horizonte. Ele tinha acabado de encontrar um oásis!

Sim, lá longe, bem distante, o deserto dava lugar a um oásis. Um oásis com água, uma água límpida como gelo, uma água que refletia a árvore de ferro! Ah! Era o quadro da *miragem*, logo o reconheci. O mais terrível, ninguém jamais conseguira resistir a ele, ninguém. Esforcei-me para manter minha sanidade e não *desejar água*, porque eu sabia que, se alguém desejasse água, a água que refletia a árvore de ferro e, depois de ter acreditado que aquilo era água, a pessoa encontrasse apenas um novo espelho, restaria uma única coisa a fazer: enforcar-se na árvore de ferro!

Então, eu gritava para o senhor de Chagny:

– É uma miragem! É uma miragem! Não acredite que é água! É apenas mais um truque com espelho!

Ele me mandou, como dizem, "passear, com a minha história de espelho, com minhas molas, minhas portas giratórias e meu palácio de miragens!". Afirmou, furioso, que eu estava louco ou cego para imaginar que toda aquela água que corria entre tão belas e numerosas árvores não era água de verdade! E que o deserto era real! E a floresta também! Não era ele que tinha de ser "convencido a acreditar", ele já tinha viajado muito, por diversos países.

E se arrastava dizendo:

– Água! Água!

Tinha a boca aberta como se estivesse bebendo. Eu também tinha a boca aberta como se estivesse bebendo, porque nós não apenas víamos a água, mas também a *ouvíamos*! Ouvíamos ela escorrer, balançar! Você conhece essa palavra, *balançar*? É uma palavra que ouvimos com a língua! A língua sai da boca para ouvi-la melhor!

Finalmente, o tormento mais intolerável, ouvíamos a chuva e não estava chovendo! Ah, que invenção demoníaca! E eu também sabia como Erik fazia para reproduzir aquele barulho! Ele enchia de pedras pequenas uma caixa bastante estreita e comprida, entrecortada por válvulas de madeira e metal. Quando as pedras pequenas caíam, encontravam essas válvulas e saltavam de uma para outra, seguidas de sons secos que imitavam o crepitar de granizo em uma tempestade.

Além disso, era preciso ver como o senhor de Chagny e eu tínhamos a língua pendurada, arrastando-nos até a margem barulhenta. *Nossos olhos e ouvidos estavam cheios de água, mas nossas línguas continuavam tão secas como um chifre!*

Ao chegarmos no gelo, o senhor de Chagny lambeu-o, e eu também o fiz. Ele estava ardente!

Rolamos no chão com um grito de desespero. O senhor de Chagny aproximou de sua cabeça a última pistola que sobrou carregada e eu olhei para o laço do Punjab aos meus pés.

Eu sabia por que, nesse terceiro cenário, víamos a árvore de ferro novamente! Ela estava à minha espera!

Mas quando olhei para o laço do Punjab, vi algo que me fez tremer tão violentamente que o senhor de Chagny interrompeu seu movimento suicida. Ele já sussurrava: "Adeus, Christine!".

Peguei em seu braço. Depois, tomei-lhe a arma e rastejei na direção do que tinha visto.

Eu tinha acabado de descobrir, perto do laço do Punjab, no sulco do chão, um prego de cabeça preta cuja serventia eu ignorava.

Finalmente! Encontrara a mola! A mola que ia girar a porta! A mola que nos restituiria a liberdade! A mola que nos levaria até Erik.

Toquei no prego. Mostrei-o ao senhor de Chagny com uma alegria radiante! O prego de cabeça preta cedeu sob a minha pressão.

E depois... Não foi uma porta que se abriu na parede, mas um alçapão que se escancarou no chão.

Imediatamente, um ar fresco saiu daquele buraco negro. Nós nos inclinamos sobre aquele quadrado sombrio como se fosse uma fonte límpida. Com queixo na sombra fresca, bebíamos aquele ar.

O visconde e eu nos curvávamos cada vez mais sobre o alçapão. O que poderia haver naquele buraco, naquele porão que se abria tão misteriosamente sob nossos pés?

Talvez houvesse água lá dentro? Água potável. Estendi o braço na escuridão e encontrei uma pedra, e depois outra, e depois uma escada, uma escadaria escura que descia até o porão.

O visconde já estava prestes a se atirar no buraco!

Lá dentro, mesmo que não houvesse água, poderíamos escapar daquele abraço luminoso dos abomináveis espelhos.

Mas eu detive o visconde, pois temia um novo truque do monstro e, com a lanterna acesa, desci primeiro.

A escadaria espiralada mergulhava na escuridão mais profunda. Ah! O adorável frescor das escadas e a escuridão!

Aquele frescor vinha menos do sistema de ventilação criado necessariamente por Erik e mais do frescor próprio da terra, que devia estar saturada de água no nível onde nós estávamos. Além disso, o lago não devia estar longe!

Logo chegamos no final da escada. Nossos olhos começaram a se acostumar com a escuridão, a distinguir ao nosso redor algumas formas, formas arredondadas para as quais eu direcionei a luz da minha lanterna.

Barris!

Estávamos na adega de Erik! Era lá que ele guardava seu vinho e talvez sua água potável…

Eu sabia que Erik era um grande apreciador de bons vinhos. Ah! Havia algo para beber!

O senhor de Chagny acariciava aquelas formas redondas e repetia incansavelmente:

– Barris! Barris! Quantos barris!

De fato, havia uma boa quantidade deles, alinhados simetricamente em duas fileiras entre as quais nos encontrávamos.

Eram barris pequenos e imaginei que Erik tinha escolhido esse tamanho para facilitar o transporte até a casa do lago.

Examinamos um a um à procura de algum que tivesse uma torneirinha já acoplada que indicasse que era usado de vez em quando.

Mas todos os barris estavam bem selados.

Então, depois de levantarmos um deles para verificar se estava cheio, ajoelhamo-nos e com a lâmina de uma pequena faca que eu tinha no bolso, comecei a tentar estourar o tampão.

Naquele momento, ouvi ao longe uma espécie de canto monótono cujo ritmo eu já conhecia, pois ouvi muito frequentemente nas ruas de Paris:

"Barris! Barris! Quem tem barris para vender?".

Minha mão ficou imóvel sobre o tampão. O senhor de Chagny também tinha ouvido. Ele me disse:

– Que curioso! Parece que é o próprio barril que canta! – e o canto recomeçou mais longe…

"Barris! Barris! Quem tem barris para vender?"

– Ah! Ah! Eu juro que esse canto vem de trás de um barril! – disse o visconde.

Nós nos levantamos e fomos olhar atrás dele.

– Vem de dentro! – exclamou o senhor de Chagny. – Vem lá de dentro!

Mas não ouvimos mais nada, então nos limitamos a culpar o mau estado, a verdadeira desordem dos nossos sentidos.

E voltamos ao tampão. O senhor de Chagny pôs as duas mãos juntas debaixo do barril e, com um último esforço, rebentei o tampão.

– Mas o que é isto? – o visconde exclamou imediatamente. – Não é água!

Ele tinha aproximado as duas mãos da minha lanterna. Inclinei-me sobre as mãos do visconde e imediatamente afastei a lanterna, mas tão bruscamente que ela caiu e apagou. Estava perdida para nós.

O que tinha acabado de ver nas mãos do senhor de Chagny... era pólvora!

É para girar o escorpião? É para girar o gafanhoto?

Fim do relato do Persa.

Enquanto descia até o mais profundo subsolo, cheguei também ao fundo do meu pressentimento mais assustador! O desgraçado não me enganara com suas vagas ameaças contra *muitos dos da raça humana*! Longe da humanidade, ele tinha construído para si mesmo uma espécie de covil subterrâneo, determinado a explodir tudo com ele em uma catástrofe brilhante se aqueles acima da terra viessem desentocá-lo do covil onde tinha refugiado sua monstruosa fealdade.

A descoberta que tínhamos acabado de fazer lançou-nos em uma emoção que nos fez esquecer todas as dores passadas e todos os sofrimentos atuais. A situação excepcional, quando nos encontrávamos à beira do suicídio, ainda não nos tinha aparecido sob sua forma mais pavorosa. Agora compreendíamos tudo o que o monstro insinuou e disse a Christine Daaé e o que significava a frase abominável: "Sim ou não! Se for não, todo mundo estará morto e enterrado!". Sim, enterrado sob os escombros do que tinha sido a grande Ópera de Paris! Seria possível imaginar um crime mais terrível para deixar o mundo em uma apoteose de horror?

Preparado para a tranquilidade do seu retiro, a catástrofe serviria de vingança para as frustrações amorosas do monstro mais horrível que um dia caminhou sob os céus! "Amanhã à noite, às onze horas, é o prazo final!" Ah! Ele havia escolhido bem o horário. Haveria muita gente na festa! Muitos da raça humana, lá em cima, nos andares exuberantes da casa de música! Que cortejo mais bonito ele poderia imaginar para sua morte? Ele desceria à sua cova com os colos mais bonitos do mundo, adornados com todas as suas joias. Amanhã à noite, às onze horas!

Explodiríamos todos em plena apresentação se Christine Daaé dissesse "não!". Amanhã à noite, às onze horas! E como Christine não diria "não"? Ela não preferiria se casar com os mortos do que com aquele cadáver vivo? Será que ela sabia do terrível destino de muitos da raça humana caso recusasse o casamento? Amanhã à noite, às onze horas!

Arrastando-nos pela escuridão para fugir da pólvora, tentávamos reencontrar os degraus de pedra da escada, porque lá em cima, acima das nossas cabeças, o alçapão que leva à sala dos espelhos tinha se fechado. Repetíamos sem cessar: "Amanhã à noite, às onze horas!".

Finalmente, encontrei a escada. Mas, de repente, endireitei-me logo no primeiro degrau, porque um pensamento terrível incendiou meu cérebro:

"Que horas são?".

Ah! Que horas são? Que horas? Porque, de todo modo, esse "amanhã à noite, às onze horas", pode ser hoje, pode ser quase imediatamente! Quem poderia nos dizer que horas eram? Parecia-me que estávamos presos naquele inferno há dias e dias, há anos, desde o início do mundo. Tudo isso pode explodir agora mesmo! "Ah! Um barulho! Um estralo! O senhor ouviu? Ali! Ali, naquele canto. Meu Deus! É como um barulho mecânico! Outra vez! Ah! Uma luz! Talvez seja alguma coisa mecânica que fará tudo explodir! Estou dizendo, um estralo. O senhor está surdo?"

O senhor de Chagny e eu começamos a gritar como loucos. O medo nos perseguia. Subimos as escadas saltando pelos degraus. Talvez o alçapão esteja fechado! Talvez seja a porta fechada que torna tudo isso escuro. Ah! Precisamos sair da escuridão! Sair da escuridão! Encontrar a claridade mortal da sala dos espelhos!

Mas chegamos ao topo da escada. Não, o alçapão não estava fechado, mas a sala dos espelhos estava tão escura como a adega de onde saímos! Saímos completamente da adega e começamos a nos arrastar pelo chão da Câmara de Suplícios. O chão que nos separava de toda aquela pólvora. Que horas são? Nós gritávamos, chamávamos! O senhor de Chagny clamava com toda a sua força ressurgente: "Christine! Christine!". E eu chamava por Erik! Lembrava que lhe havia salvado a vida! Mas ninguém respondia! Só o nosso próprio desespero, a nossa própria loucura. Que horas são?

"Amanhã à noite, às onze horas!" Nós conversamos, tentamos medir o tempo que estávamos ali, mas não conseguíamos raciocinar. Se ao menos pudéssemos ver o mostrador de um relógio com ponteiros funcionando! Meu relógio havia parado há muito tempo, mas o do senhor de Chagny ainda funcionava. Ele disse que havia dado corda antes de vir à Ópera. Tentamos tirar desse fato alguma conclusão que nos permitiria ter a esperança de não estarmos próximos do minuto fatal.

O menor barulho que passava pelo alçapão, que tentei em vão fechar, atirava-nos na mais atroz angústia. Que horas são? Já não tínhamos mais nenhum fósforo, no entanto, precisávamos saber. O senhor de Chagny pensou em quebrar o vidro do relógio e tatear os dois ponteiros. Fez-se um silêncio durante o qual ele sentiu, interrogou os ponteiros com a ponta dos dedos. O anel do relógio servia como ponto de referência! Ele estimou, pela abertura dos ponteiros, que poderiam ser exatamente onze horas.

Mas as onze horas que nos faziam estremecer poderiam já ter passado! Talvez fossem onze horas e dez minutos, e ainda teríamos pelo menos doze horas pela frente.

Gritei repentinamente:

– Silêncio!

Pensei ter ouvido passos no quarto ao lado.

Não estava errado! Ouvi um barulho de porta seguido de passos precipitados. Bateram contra a parede. A voz de Christine Daaé:

– Raoul! Raoul!

Ah! Gritávamos todos ao mesmo tempo, dos dois lados da parede. Christine soluçava, não sabia se encontraria o senhor de Chagny vivo! Parece que o monstro era terrível, ele só delirava enquanto esperava que ela pronunciasse o "sim" que ela lhe recusou. No entanto, ela tinha prometido dizer esse "sim" se ele a levasse até a Câmara de Suplícios! Mas ele se opôs obstinadamente, fazendo ameaças atrozes a todos da raça humana. Finalmente, depois de horas e horas daquele inferno, ele tinha acabado de sair, deixando-a sozinha para pensar uma última vez.

– Horas e horas! Que horas são? Que horas são, Christine?

– São onze horas! Faltam cinco minutos para as onze horas!

– Mas quais onze horas?

– As onze horas que decidirão pela vida ou pela morte! Ele acabou de me repetir isso quando estava de saída – disse a voz rouca de Christine. – Ele é assustador! Ele está delirando! Arrancou a máscara e os seus olhos de ouro estão atirando chamas! E ele ri! Ele me disse com uma gargalhada, como se fosse um demônio bêbado: "Cinco minutos! Vou deixá-la sozinha por causa do seu famoso pudor! Não quero vê-la ruborizar ao me dizer 'sim', como fazem as noivas tímidas! Diabos! Eu sei lidar com as pessoas!". Estou dizendo, é como um demônio bêbado! "Tome! (E ele abriu o saquinho da vida e da morte.) Pegue!", ele disse, "Aqui está a chave de bronze que abre as caixas de ébano que estão na chaminé do quarto Luís Felipe. Em uma dessas caixas, você encontrará um escorpião e na outra um gafanhoto. São cópias perfeitas desses animais, em bronze, feitas no Japão; são animais que dizem sim e não! Ou seja, você só terá de girar o escorpião em seu eixo, na direção oposta àquela em que o encontrar. Isso significará para mim, quando eu retornar à sala Luís Felipe, à sala do noivado: 'sim!'. Se você girar o gafanhoto, isso significará um 'não!' para mim, ao retornar à sala Luís Felipe, a sala da morte!". E riu como um demônio bêbado! Tudo o que fiz foi ajoelhar-me aos seus pés e implorar pela chave da Câmara de Suplícios, prometendo-lhe que seria sua esposa para sempre se ele me concedesse isso. Mas ele disse que nunca mais precisaríamos dessa chave e que iria jogá-la no fundo do lago! Depois, rindo como um demônio bêbado, ele me deixou dizendo que só voltaria em cinco minutos, porque sabia o que deveria fazer, como um gentil cavalheiro que é, pelo pudor das mulheres! Ah! Sim, ele gritou outra vez: "O gafanhoto! Cuidado com o gafanhoto! Ele não gira somente, como um verdadeiro gafanhoto, ele salta, salta lindamente!".

Aqui tento reproduzir com frases as palavras entrecortadas, as exclamações, o significado das palavras delirantes de Christine! Pois ela também, durante essas vinte e quatro horas, deve ter atingido as profundezas da dor humana. E talvez ela tenha sofrido mais do que nós! A cada momento, Christine se calava e nos interrompia para gritar: "Raoul! Você está sofrendo?". E ela tateava as paredes, que estavam frias agora, e perguntava por que elas tinham ficado tão quentes! E os cinco minutos se passaram enquanto meu pobre cérebro era arranhado pelas garras do escorpião e do gafanhoto!

No entanto, eu conservava uma lucidez suficiente para entender que se girassem o gafanhoto, o gafanhoto saltaria, e com ele muitos da raça humana! Não havia dúvida de que o gafanhoto comandava alguma corrente elétrica destinada a explodir a pólvora! Apressadamente, o senhor de Chagny, que desde que ouvira a voz de Christine parecia ter recuperado toda a sua força moral, explicou à jovem em que situação estávamos nós e toda a Ópera. Era preciso girar o escorpião.

Esse escorpião responderia ao "sim" tão desejado por Erik e provavelmente impediria que a catástrofe acontecesse.

– Vá! Vá, minha doce e amada Christine! – ordenou Raoul. Houve um silêncio.

– Christine – eu gritei –, onde você está?

– Diante do escorpião!

– Não toque nele!

Ocorreu-me (porque eu conhecia meu Erik) que o monstro tinha enganado a jovem novamente. Talvez fosse o escorpião que explodiria tudo. Afinal, por que ele não estava lá? Já fazia muito tempo que os cinco minutos tinham se passado, e ele não tinha voltado. Provavelmente, estava protegido em algum lugar! E talvez estivesse à espera da grande explosão. Era só o que ele esperava! Ele não podia esperar, na verdade, que Christine consentisse em ser sua presa voluntária! Por que ele não voltou? "Não toque no escorpião!"

– É ele! – disse Christine, desesperada. – Estou ouvindo! Ele está chegando!

De fato, ele chegava. Ouvimos seus passos se aproximarem do quarto Luís Felipe. Ele agora tinha se juntado a Christine sem dizer uma palavra. Então eu gritei bem alto:

– Erik! Sou eu! Está me reconhecendo?

A este chamado, ele respondeu de imediato e em um tom extraordinariamente pacífico:

– Não estão mortos aí dentro? Então, fiquem tranquilos.

Eu quis interrompê-lo, mas ele falou tão friamente que eu congelei do outro lado da parede:

– Nem mais uma palavra, daroga, ou eu vou explodir tudo!

E acrescentou:

– A honra deve ser dedicada à senhorita! Ela não tocou no escorpião (como falava tranquilamente!), nem tocou no gafanhoto (com um sangue frio assustador!), mas não é tarde demais. Veja, eu abro sem as chaves, pois sou o senhor dos alçapões, eu abro e fecho o que quiser, como quiser. Abro as pequenas caixas de ébano: olhe para elas, senhorita, as pequenas caixas de ébano. Os belos pequenos animais. São cópias muito bem-feitas. E como parecem inofensivos. Mas o hábito não faz o monge! (Tudo isso foi falado em um tom de voz brando, uniforme.) Se girarmos o gafanhoto, saltamos todos, senhorita. Há pólvora suficiente debaixo dos nossos pés para explodir um bairro inteiro de Paris. Se girarmos o escorpião, todo esse pó ficará molhado! Senhorita, por ocasião do nosso casamento, vai dar um belo presente a algumas centenas de parisienses que estão neste momento aplaudindo uma pobre obra-prima de Meyerbeer. Vai dar-lhes de presente a vida. Porque a senhorita vai, com as suas belas mãos (que voz cansada era aquela) girar o escorpião! E felizes, felizes, vamos nos casar!

Um silêncio, e depois:

– Se, daqui a dois minutos, a senhorita não girar o escorpião; eu tenho um relógio – acrescentou a voz de Erik –, um relógio que funciona muito bem; eu girarei o gafanhoto, e o gafanhoto salta lindamente!

O silêncio voltou, mais assustador por si só do que todos os outros silêncios assustadores. Eu sabia que, quando Erik assumia aquela voz pacífica, calma e cansada era porque ele estava no limite de tudo, capaz do crime mais titânico ou do devotamento mais ardente, que uma simples sílaba desagradável no seu ouvido poderia transformar em um furacão. O senhor de Chagny percebeu que só lhe restava rezar. Então, pôs-se de joelhos e rezou. Quanto a mim, meu sangue corria pelas veias com tamanha intensidade que protegi meu coração com as mãos, com medo de que ele explodisse. Nós pressentíamos o que estava acontecendo durante aqueles segundos supremos no pensamento desesperado de Christine Daaé e compreendemos sua hesitação em girar o escorpião, pois de fato poderia ser o escorpião que faria tudo explodir! Se Erik tivesse decidido devorar a todos nós e a si mesmo, juntos!

Finalmente, a voz de Erik, desta vez com uma doçura angelical, disse:

– Os dois minutos já se passaram. Adeus, senhorita! Salte, gafanhoto!

– Erik! – gritou Christine, que deve ter impedido a mão do monstro de prosseguir. – Jure, monstro, jure-me por seu amor infernal que é o escorpião que devo girar...

– Sim, para saltarmos ao nosso casamento...

– Ah! Está vendo! Vamos saltar!

– Ao nosso casamento, criança inocente! O escorpião abre o baile! Mas já chega! Você não quer o escorpião? Então fico com o gafanhoto!

– Erik!

– Basta!

Juntei os meus gritos aos de Christine. O senhor de Chagny, ainda de joelhos, continuava rezando.

– Erik! Eu girei o escorpião!

Ah! Aquele segundo interminável que nós vivemos! Esperando!

Esperando o momento em que seríamos apenas migalhas no meio do trovão e das ruínas... Sentindo o crepitar debaixo dos nossos pés, no abismo aberto... Coisas, coisas que poderiam ser o início da apoteose do horror. Através do alçapão aberto em meio à escuridão, como uma boca negra na noite escura, um assobio perturbador, como os primeiros barulhos de um foguete, vinha primeiro baixinho, depois mais intenso, e depois muito alto...

Ouçam! Ouçam! E segurem com as duas mãos o coração prestes a saltar com muitos da raça humana.

Isso não é o assobio do fogo. Não parece uma tromba d'água?

O alçapão! O alçapão!

Ouçam! ouçam!

Agora está fazendo *glub... glub...*

O alçapão! O alçapão! O alçapão! Que frescor!

Frescor! Frescor! Toda a nossa sede que tinha desaparecido quando veio o terror, voltou ainda mais forte com o barulho da água.

Água! Água! A água está subindo!

Está vindo da adega, sobre os barris, todos os barris de pólvora ("Barris! Barris! Quem tem barris para vender?").

Água!... a água em direção à qual descemos com as gargantas em brasa... a água que sobe agora até nossos queixos, às nossas bocas...

E bebemos, no fundo da adega, bebemos, até a própria adega...

E subimos, na noite escura, as escadas, degrau por degrau. As escadas que tínhamos descido ao encontro da água, e que agora subimos de volta junto com a água.

De fato, a pólvora estava perdida e bem afogada! Em muita água!

É um belo trabalho! Não olhamos para a água na casa do lago! Se continuar assim, todo o lago entrará na adega...

Porque, na verdade, não sabemos onde vai parar agora. Saímos da adega e a água continua subindo.

E a água também sai da adega, espalha-se pelo chão. Se continuar assim, toda a casa do lago será inundada. O chão da sala de espelhos se transformou em um pequeno lago onde nossos pés chafurdam. Toda essa água já é suficiente! Erik tem de desligar a torneira. Erik! Erik! Há água suficiente para a pólvora! Gire a torneira! Feche o escorpião!

Mas Erik não responde. Não conseguimos ouvir mais nada além da água subindo. Agora ela já chega até nossos joelhos!

– Christine! Christine! A água está subindo! Está batendo em nossos joelhos – grita o senhor de Chagny.

Mas Christine não responde… Só se ouve a água subindo.

Nada! Nada! No quarto ao lado, mais ninguém! Ninguém para girar a torneira! Ninguém para fechar o escorpião!

Estamos sozinhos, no escuro, com a água negra que nos asfixia, que sobe, que nos congela! Erik! Erik! Christine! Christine!

Não dá mais pé e estamos rodopiando na água, levados por um movimento de rotação irresistível, porque a água está girando conosco e nós estamos batendo nos espelhos negros que nos repelem. E nossas gargantas erguidas acima do redemoinho gritam.

Nós vamos morrer aqui? Afogados na Câmara de Suplícios?

Nunca vi nada igual! Erik, no tempo das *Horas cor-de-rosa de Mazandarão*, nunca me mostrou isso através da janelinha invisível! Erik! Erik! Eu salvei a sua vida! Lembre-se disso! Você já estava condenado! Ia morrer! E eu abri as portas da vida para você! Erik!

Ah! Estamos girando na água como destroços!

Mas de repente agarro um tronco da árvore de ferro com as minhas mãos trêmulas e chamo o senhor de Chagny. E cá estamos ambos pendurados no galho da árvore de ferro.

E a água continua subindo!

Ah! Ah! Lembre-se! Quanto espaço há entre o galho da árvore de ferro e o teto em forma de cúpula do quarto de espelhos? Tente se lembrar! Afinal, a água pode talvez parar. Certamente encontrará o seu limite. Veja! Parece que está parando!

Não! Não! O horror! Nade! Nade! Nossos braços nadadores se entrelaçam, sufocamos! Lutamos em meio à água negra! Já temos dificuldade para respirar o ar negro acima da água negra. O ar que foge, que ouvimos escapar sobre nossas cabeças por não sei qual dispositivo de ventilação. Ah! Vamos girar! Vamos girar! Vamos girar até encontrarmos a saída de ar. Então, colaremos nossas bocas na saída de ar. Mas estou ficando sem forças, tentando me agarrar às paredes! Ah! Como as paredes de gelo estão escorregadias para os meus dedos. Continuamos girando! Estamos afundando. Uma última tentativa! Um último grito!

Erik! Christine! *Glub, glub, glub*! Nas orelhas! Glub, *glub, glub*! No fundo da água escura, os nossos ouvidos borbulham! E ainda me parece, antes de perder completamente a consciência, que ouço entre dois *glub glub*: "Barris! Barris! Quem tem barris para vender?".

O fim dos amores do Fantasma

Aqui termina o relato escrito que o Persa me entregou.

Apesar do horror da situação que parecia condená-los definitivamente à morte, o senhor de Chagny e seu companheiro foram salvos pela sublime devoção de Christine Daaé. E o restante da aventura foi ouvido da boca do próprio daroga.

Quando eu o visitava, ele ainda vivia no seu pequeno apartamento na rua Rivoli, em frente ao jardim Tuileries. Ele estava muito doente e foi preciso todo o meu ardor como jornalista-historiador a serviço da verdade para que ele aceitasse reviver comigo o inacreditável drama. Ainda era o seu velho e fiel criado Darius quem lhe servia e que me conduziu até ele. O daroga me recebeu no canto da janela que dava para o jardim, sentado em uma grande poltrona onde ele tentava endireitar um torso que deve ter sido muito bonito. O nosso Persa ainda tinha olhos magníficos, mas seu pobre rosto estava muito cansado. Tinha raspado a cabeça, geralmente coberta com um chapéu de astracã, e vestia um longo manto muito simples com cujas mangas ele se divertia torcendo-as inconscientemente em seus polegares, mas sua mente continuava muito lúcida.

Era impossível para ele lembrar-se das velhas agonias sem ser tomado por uma certa exaltação, e foi por fragmentos que lhe tirei o surpreendente final desta inusitada história. Às vezes, ele se fazia de rogado por muito tempo antes responder às minhas perguntas, e, em outros momentos, exaltado pelas memórias, evocava espontaneamente diante de mim, com um grande alívio, a assustadora imagem de Erik e as terríveis horas que o senhor de Chagny e ele viveram na morada do lago.

Era preciso ver o frêmito que o agitava quando me descrevia o seu despertar na inquietante escuridão do quarto Luís Felipe, depois do drama das águas. E aqui está o final dessa terrível história, tal qual ele me contou, a fim de completar o relato escrito que ele gentilmente me confiou:

Ao abrir os olhos, o daroga estava deitado sobre uma cama, e o senhor de Chagny em um sofá, ao lado do armário de espelhos. Um anjo e um demônio velavam por eles...

Depois das miragens e das ilusões da Câmara de Suplícios, a precisão dos detalhes burgueses daquela pequena sala silenciosa parecia ter sido inventada novamente com o objetivo de confundir a mente do mortal suficientemente temerário para se perder naquele domínio do pesadelo vivo. A cama-barco, as cadeiras de mogno encerado, a cômoda e os objetos de cobre, o cuidado com que os pequenos panos de crochê cobriam os encostos das poltronas, o pêndulo e as caixinhas de aparência tão inofensiva dos dois lados da chaminé, além de uma prateleira cheia de conchas, as almofadas vermelhas para alfinetes, os barcos de madrepérola e um enorme ovo de avestruz: tudo discretamente iluminado por um abajur colocado sobre uma mesinha. Todo esse mobiliário, de uma cafonice comovente, tão pacata e tão razoável, no fundo dos porões da Ópera, confundia a imaginação mais do que todas as fantasmagorias passadas.

E a sombra do homem da máscara, naquela pequena moldura velha, precisa e asseada, parecia ainda mais extraordinária. Ela se inclinou ao ouvido do Persa e lhe disse em voz baixa:

– Sente-se melhor, daroga? Está admirando minha mobília? É tudo o que me resta da minha pobre e miserável mãe.

Ela ainda lhe disse outras coisas de que já não se lembrva mais. Mas (e isso lhe parecia muito estranho) o Persa tinha a lembrança clara de que, durante essa visão remota do quarto Luís Felipe, apenas Erik falava. Christine Daaé não dizia uma palavra; ela se deslocava sem emitir nenhum som, como uma irmã de caridade que fez voto de silêncio. Ela lhe trouxe um cordial[24] em uma taça. O homem da máscara tirou a bebida das mãos dela e a entregou ao Persa.

O senhor de Chagny, continuava dormindo.

Erik disse enquanto colocava um pouco de rum na taça do daroga e lhe apontava o visconde estendido na cama:

– Ele voltou a si muito antes de sabermos se você ainda estava vivo, daroga. Ele está bem, apenas dorme, não é preciso acordá-lo.

Por um momento, Erik deixou a sala e o Persa, apoiando-se sobre os cotovelos, olhou em volta. Ele viu, sentada no canto da lareira, a silhueta branca de Christine Daaé. Ele falou com ela, chamou-a, mas ainda estava muito fraco e caiu de volta sobre o travesseiro. Christine veio ter com ele, colocou a mão em sua testa e depois saiu. O Persa se lembrava que, quando se retirou, ela não olhou para o senhor de Chagny, que dormia muito tranquilamente ao lado de sua cama. Ela voltou para se sentar em sua poltrona, no canto da lareira, silenciosa como uma irmã de caridade que fez um voto de silêncio.

Erik voltou com alguns pequenos frascos que colocou sobre a chaminé. E, ainda sussurrando, para não acordar o senhor de Chagny, disse ao Persa, depois de se sentar ao seu lado da cama e sentir o seu pulso:

– Agora vocês dois estão salvos. E logo vou conduzi-los de volta ao topo da terra, para agradar à minha esposa.

Então ele se levantou, sem mais explicações, e desapareceu novamente.

O Persa agora observava o perfil calmo de Christine Daaé sob a lâmpada. Ela lia um pequeno livro com uma fita dourada, como vemos nos livros religiosos. *A imitação de Cristo* tem edições como aquela. E o tom natural com que o outro tinha dito: "para agradar à minha esposa" ainda reverberava no ouvido do Persa.

---

24 Bebida alcoólica ou medicamentosa que ativa a circulação do sangue e ajuda a recuperar o ânimo. (N.T.)

Lentamente, o daroga chamou de novo, mas Christine devia estar lendo muito longe, pois não o escutou.

Erik voltou e deu ao daroga uma poção, depois de ter recomendado que não dirigisse mais nenhuma palavra à "sua esposa" ou a qualquer outra pessoa, pois isso poderia ser muito perigoso para a saúde de todos.

A partir desse momento, o Persa ainda se lembrava da sombra negra de Erik e da silhueta branca de Christine que sempre deslizavam silenciosamente pela sala, inclinando-se sobre o senhor de Chagny. O Persa ainda estava muito fraco e o menor barulho, como a porta do armário de espelhos que rangia ao abrir, por exemplo, doía-lhe a cabeça. Ele logo adormeceu como o senhor de Chagny.

Desta vez, ele acordou apenas em sua casa, sob os cuidados do fiel Darius, que lhe contou que ele havia sido encontrado na noite anterior à porta de seu apartamento, aonde ele deveria ter sido levado por um estranho que teve o cuidado de tocar a campainha antes de partir.

Assim que o daroga recuperou sua força e responsabilidade, mandou pedir notícias do visconde na casa do conde Philippe. Responderam-lhe que o jovem não havia reaparecido e que o conde Philippe tinha morrido. Seu corpo fora encontrado às margens do lago da Ópera, ao lado da rua Scribe. O Persa se lembrou da missa fúnebre a que havia assistido por trás da parede da sala dos espelhos e não teve dúvidas sobre o crime nem sobre o criminoso. Sem dificuldades, infelizmente, e conhecendo Erik, ele reconstituiu o drama. Depois de acreditar que seu irmão havia sequestrado Christine Daaé, Philippe apressou-se em procurá-lo pela estrada de Bruxelas, onde sabia que tudo estava preparado para a aventura. Como não encontrou os jovens, voltou para a Ópera, lembrou-se das estranhas confidências de Raoul a respeito de seu fantástico rival, descobriu que o visconde tinha tentado de tudo para penetrar os andares inferiores do teatro e, por fim, que ele havia desaparecido, deixando o seu chapéu no camarim da diva ao lado de uma caixa de pistolas. Como já não duvidava mais da loucura do irmão, o conde, por sua vez, lançou-se no infernal labirinto subterrâneo. Aos olhos do Persa, não haveria outra explicação para que o corpo do conde fosse encontrado às margens do lago, onde se ouvia a canção da Sereia, a sereia de Erik, a guardiã do lago dos mortos.

Então ele não hesitou mais. Apavorado com esse novo crime, incapaz de permanecer na incerteza em que se encontrava em relação ao destino final do visconde e de Christine Daaé, decidiu contar tudo a o tribunal.

O juiz Faure era o responsável por investigar o caso e o Persa foi bater em sua casa. É possível imaginar que tipo de mente cética, prosaica, superficial (digo exatamente o que penso) e completamente despreparada para tal confidência recebeu a deposição do daroga. Ele foi tratado como um louco.

Desesperado para ser ouvido, o Persa se pôs a escrever. Já que a justiça não desejava seu testemunho, a imprensa poderia apreciá-lo, e, uma noite, quando ele acabava a última linha da história que eu fielmente relatei aqui, o seu empregado, Darius, anunciou que um sujeito estranho, que não disse seu nome e cujo rosto era impossível de ver, declarou simplesmente que não deixaria o local sem antes falar com o daroga.

O Persa, pressentindo a personalidade do singular visitante, ordenou que ele entrasse imediatamente.

O daroga não estava enganado. Era o Fantasma! Era Erik!

Ele parecia extremamente fraco e se apoiava à parede como se tivesse medo de cair. Tirando o chapéu, apresentou uma fronte pálida como se feita de cera. O restante do rosto estava escondido pela máscara.

O Persa ficou em pé diante dele.

– Assassino do conde Philippe, o que você fez com o irmão e com Christine Daaé?

Com esse grande apóstrofe, Erik cambaleou e permaneceu em silêncio por um instante; então, arrastando-se até uma poltrona, deixou-se cair sobre ela com um profundo suspiro. Disse algumas frases curtas, algumas palavras soltas, com a respiração entrecortada:

– Daroga, não fale assim sobre o conde Philippe... ele estava morto... já... quando saí de casa... ele estava morto... já... quando... a Sereia cantou... foi um acidente... um triste... um... lamentável e triste... acidente... ele caiu desajeitado, simples e naturalmente no lago!

– Mentiroso! – vociferou o Persa.

Então Erik curvou a cabeça e disse:

– Eu não vim aqui... para falar do conde Philippe... mas para lhe dizer que... vou morrer...

– Onde estão Raoul de Chagny e Christine Daaé?

– Vou morrer.

– Raoul de Chagny e Christine Daaé?

– ... de amor... daroga... vou morrer de amor... é assim... eu a amava tanto!... E ainda a amo, daroga, já que estou morrendo, vou lhe dizer... Se você soubesse como ela estava bonita quando me permitiu beijá-la viva, por sua salvação eterna... Foi a primeira vez, daroga, você entende, a primeira vez que beijei uma mulher... Sim, viva, beijei-a viva e ela estava linda como uma defunta!

O Persa se levantou e ousou tocar Erik. Sacudiu-lhe o braço.

– Fale de uma vez por todas se ela está morta ou viva!

– Por que está me chacoalhando assim? – disse Erik com esforço. – Estou dizendo que eu é que vou morrer... Sim, beijei-a viva...

– E agora, ela está morta?

– Estou dizendo que a beijei assim, na testa... e ela não tirou a testa da minha boca! Ah! É uma jovem boa! Quanto a estar morta, acredito que não, embora não seja mais da minha conta... Não! Não! Ela não está morta! E não quero saber se alguém tocou em um só fio de cabelo dela! Foi uma jovem corajosa e honesta quem lhe salvou a vida, e ainda por cima, daroga, em um momento em que eu não teria dado dois centavos por sua pele de persa. No fundo, ninguém se importava com você. Por que você estava lá com aquele jovem? Você ia morrer! Eu juro, ela suplicava por seu jovem, mas respondi-lhe que, como ela havia girado o escorpião, eu tinha me tornado, por vontade dela, seu noivo, e ela não precisava de dois noivos, o que era muito justo; quanto a você, você não existia, não existe mais, repito, e você ia morrer com o outro noivo!

"Só que, ouça bem, daroga, enquanto vocês gritavam como se estivessem possuídos, por causa da água, Christine veio ter comigo e, com os seus lindos olhos azuis abertos, jurou-me, por sua salvação eterna, que consentia ser a minha esposa viva! Até então, no fundo de seus olhos, daroga, eu sempre tinha visto minha esposa morta; era a primeira vez que eu via neles a minha esposa viva. Ela estava sendo sincera sobre a sua salvação eterna. Não tentaria mais se matar. Assunto encerrado. Meio minuto depois, toda a água estava de volta ao lago, e eu dei de ombros para você, daroga, pois eu tinha certeza, juro, que você ficaria ali! Enfim... É isso! Estava combinado! Eu ia levá-lo até sua casa, na superfície da terra. Quando você desobstruiu o assoalho da sala Luís Felipe, voltei lá, sozinho."

– O que você fez com o visconde de Chagny? – interrompeu o Persa.

– Ah! Você entende... Aquele ali, daroga, eu não ia levar imediatamente de volta à superfície da terra. Ele era meu refém. Mas eu não poderia mantê-lo na casa do lago, por causa de Christine. Então eu o mantive preso muito confortavelmente, acorrentei-o (o perfume de Mazandarão o deixou completamente grogue) na catacumba da Comuna, que é a parte mais deserta do porão mais remoto da Ópera, abaixo do quinto subsolo, onde ninguém nunca vai e de onde não se pode ser ouvido por absolutamente ninguém. Fiquei bastante sossegado e voltei para junto de Christine. Ela estava à minha espera...

Neste ponto do relato, parece que o Fantasma se levantou tão solenemente que o Persa, que tinha se assentado na poltrona, teve que se levantar também, como se respeitasse o movimento e com o sentimento de que era impossível permanecer sentado em um momento solene, e até mesmo (como o próprio Persa me disse) removeu o seu chapéu de astracã, mesmo com os cabelos raspados.

– Sim! Ela estava à minha espera! – prosseguiu Erik, que começou a tremer como uma folha, mas tremer tomado de uma verdadeira emoção. – Ela estava à minha espera, viva, como uma verdadeira noiva viva, em sua salvação eterna... E quando avancei em sua direção, ela não recuou, ainda que estivesse mais tímida que uma criança. Não... não... ela ficou. Ela esperou por mim... Tenho a impressão, inclusive, daroga, que ela... oh! Não muito... mas um pouco, como uma noiva viva, inclinou-se em minha direção... e... e... eu... a beijei!... Eu!... Eu!... Eu!... E ela não está morta!

"... Ela permaneceu espontaneamente ao meu lado, depois de eu a ter beijado, assim... na testa... Ah! como é bom, daroga, beijar alguém! Você não pode saber!.... Mas eu! Eu!

"... A minha mãe, daroga, a minha pobre e miserável mãe nunca quis que eu a beijasse... Ela fugiu... logo depois de me atirar a máscara!... Nem qualquer mulher!... Nunca!... Nunca!... Ah! Ah! Ah! Então, é claro!... Com tamanha felicidade, não é mesmo? Chorei. E me joguei aos pés dela chorando... E beijei-lhe os pés, seus pés pequenos, chorando... Você também está chorando, daroga, e ela também chorava... O anjo chorou..."

Enquanto contava essa história, Erik soluçava e o Persa, é claro, não pôde conter suas lágrimas diante daquele homem mascarado que, sacudindo os ombros aos soluços, com as mãos no peito, gemia ora de dor, ora de enternecimento.

–... Ah! Daroga, senti as lágrimas dela escorrerem-me pela testa! Sobre mim! Sobre mim! Eram quentes... eram doces! Elas escorriam pela minha máscara, as lágrimas dela! E iam se misturar com as minhas lágrimas em meus olhos! Elas escorriam até minha boca... Ah! As lágrimas dela, em mim! Ouça, daroga, ouça o que eu fiz. Arranquei minha máscara para não perder uma única gota das lágrimas dela... E ela não fugiu!

"... E ela não está morta! Ela continuou viva, chorando... sobre mim... comigo... Nós choramos juntos!... Deus do céu! O Senhor me deu toda a felicidade do mundo!"

E Erik desabou sobre a poltrona, gemendo.

– Ah! Ainda não vou morrer... imediatamente... mas deixe-me chorar! – ele disse ao Persa.

Depois de um tempo, o homem da máscara prosseguiu:

– Ouça, daroga... ouça bem... enquanto eu estava aos pés dela... ouvi-a dizer: "Pobre e infeliz Erik!" e ela pegou na minha mão! Eu não era nada além de um pobre cão pronto para morrer por ela... Como eu disse, daroga!

"Imagine você que eu tinha na mão um anel, um anel de ouro que eu tinha dado a ela... que ela tinha perdido... e que encontrei... uma aliança, na verdade! Coloquei-o na mãozinha dela e disse: 'Tome!... pegue isso! Fique com isso para você... e para ele... Será meu presente de casamento... o presente do pobre e infeliz Erik. Sei que o ama, àquele jovem... Não chore mais!...' Ela me perguntou, com uma voz muito doce, o que eu queria dizer; então, eu expliquei e ela entendeu imediatamente que eu era para ela apenas um pobre cão prestes a morrer... Mas que ela podia se casar com o jovem quando quisesse, porque chorara comigo... Ah! Daroga... você pode imaginar... quando lhe disse isso, foi como se cortasse lentamente meu coração em quatro pedaços, mas ela chorou comigo... e disse:

"Pobre e infeliz Erik!"

A emoção de Erik era tamanha que pediu ao Persa que não olhasse para ele, pois estava sufocando e teria que remover sua máscara. Sobre isso, o daroga me contou que ele mesmo foi até a janela e abriu-a com o coração repleto de tristeza, mas tomando o cuidado de fixar os olhos nos topos das árvores do jardim Tuileries, de modo a não encontrar o rosto do monstro.

– Eu fui – continuou Erik – libertar o jovem e pedi que ele me seguisse até Christine... Eles se beijaram diante de mim, no quarto Luís Felipe... Christine usava meu anel... Eu a fiz jurar que, quando eu morresse, ela viria uma noite me enterrar em segredo no lago da rua Scribe, com o anel de ouro que ela deveria usar até aquele último minuto... Disse como encontraria meu corpo e o que deveria fazer com ele... Então, Christine me beijou pela primeira vez, aqui, na testa... (não olhe, daroga!) aqui, na minha testa... na minha própria testa!... (não me olhe, daroga!) e eles partiram... Christine não chorava mais... Só eu continuei chorando... daroga, daroga... Se Christine mantiver seu juramento, ela voltará em breve!

Erik se calou. O Persa não fez mais nenhuma pergunta, estava tranquilo sobre o destino de Raoul de Chagny e Christine Daaé, e nenhum ser humano, depois de ouvir sua confissão naquela noite, seria capaz de questionar as palavras de Erik que chorava copiosamente.

O monstro tinha colocado sua máscara novamente e reunido suas forças para deixar o daroga. Ele anunciou ainda que, quando sentisse que seu fim se aproximava, enviaria ao daroga, para agradecer o bem que ele lhe havia feito em outra época, o que ele tinha de mais valioso no mundo: todos os papéis de Christine Daaé, que ela havia escrito para Raoul durante a aventura, e que deixara para Erik, além de alguns objetos que pertenciam a ela: dois lenços, um par de luvas e um laço de sapatos. À pergunta do Persa, Erik respondeu que os dois jovens, assim que se viram livres, decidiram procurar por um sacerdote em algum lugar isolado onde se esconderiam e viveriam sua felicidade, e que, com esse intento, haviam tomado a direção da "estação do Norte do Mundo". Por fim, Erik contava com o Persa para anunciar sua morte aos dois jovens assim que recebesse as relíquias e os papéis prometidos. Para isso, ele teria que pagar pela publicação de uma linha nos obituários do jornal *l'Époque*.

Era isso.

O Persa então acompanhou Erik até a porta de seu apartamento e Darius o levou até a calçada, sustentando-o com o braço. Uma carruagem estava à sua espera. Erik subiu nela. O Persa, que havia voltado à janela, ouviu-o dizer ao cocheiro: "Esplanada da Ópera".

Em seguida, a carruagem desapareceu na escuridão. O Persa vira o pobre e infeliz Erik pela última vez.

Três semanas depois, o jornal *l'Époque* publicou este obituário:

Erik está morto.

Epílogo

Essa é a verdadeira história do Fantasma da Ópera. Como anunciei no início deste livro, não há mais dúvidas de que Erik realmente existiu. Muitas provas de sua existência estão agora disponíveis para que todos possam seguir razoavelmente as ações de Erik através de todo o drama dos Chagny.

Não há necessidade de repetir aqui o quanto a capital ficou apaixonada por esse assunto. A artista raptada, o conde de Chagny que morreu em circunstâncias tão excepcionais, seu irmão que desapareceu e o triplo sono dos funcionários da iluminação da Ópera! Que dramas! Que paixões! Que crimes horrendos envolveram o idílio de Raoul e da doce e encantadora Christine! O que teria acontecido à sublime e misteriosa cantora de quem a terra nunca, jamais, ouviria falar novamente? Ela foi retratada como vítima da rivalidade dos dois irmãos, e ninguém imaginava o que havia de fato acontecido; ninguém compreendeu que, uma vez que Raoul e Christine desapareceram juntos, foi porque os dois noivos tinham partido para longe do mundo para desfrutar de uma felicidade que não queria pública, após a morte inexplicável do conde Philippe. Um dia, pegaram um trem para a estação do Norte do Mundo. Talvez um dia eu também pegue um trem para a mesma estação para procurá-los à beira dos seus lagos, ó Noruega! Ó silenciosa Escandinávia! Talvez os vestígios de Raoul e de Christine, e também da senhora Valérius, que desapareceu na mesma época! Talvez um dia, possa ouvir com meus próprios ouvidos o eco solitário do Norte do Mundo repetindo a canção daquela que conheceu o Anjo da Música!

Muito tempo depois que o caso, pelos cuidados descuidados do juiz de instrução Faure, foi arquivado, a imprensa, de vez em quando, ainda tentava penetrar no mistério e continuava a se perguntar onde estaria a mão monstruosa que havia planejado e executado tantos desastres inesperados! (Crime e desaparecimento.)

Um jornal do *boulevard*, que conhecia todos os boatos dos bastidores, foi o único a escrever:

Essa mão é a mão do Fantasma da Ópera.

E, ainda assim, o fizera, naturalmente, de forma irônica.

Somente o Persa, a quem não quiseram ouvir e que não renovou sua primeira tentativa de procurar a justiça após a visita de Erik, detinha toda a verdade.

Ele tinha em sua posse as principais evidências que lhe haviam sido entregues com as relíquias piedosas anunciadas pelo Fantasma.

Essas provas, cabia a mim completá-las, com a ajuda do próprio daroga. Mantive-o, dia a dia, informado da minha pesquisa, e ele me guiava. Durante anos e anos, ele não retornou à Ópera, mas conservou a memória mais precisa do monumento e não havia melhor guia para me fazer descobrir os cantos mais escondidos. Foi ele quem me disse as fontes das quais eu poderia beber, que personagens interrogar; foi ele quem me aconselhou a ir bater à porta do senhor Poligny, no momento que o pobre homem estava quase em agonia. Eu não sabia que ele estava tão debilitado e nunca vou esquecer o efeito que minhas perguntas sobre o Fantasma tiveram sobre ele. Ele me olhou como se visse o diabo, e respondeu-me com apenas algumas frases soltas, mas que atestaram (o que era suficiente) o quanto o F. da Ó. tinha, em seu tempo, perturbado aquela vida já muito turbulenta (o senhor Poligny era o que nós costumamos chamar de um *bon vivant*).

Quando relatei ao Persa o parco resultado da minha visita ao senhor Poligny, o daroga deu um sorriso vago e disse-me:

– O senhor Poligny jamais compreendeu como aquele extraordinário canalha do Erik (às vezes, o Persa se referia a Erik como um deus, às vezes, como um vil canalha) o fez "dançar". Poligny era supersticioso e Erik sabia disso. Erik também sabia muito sobre os assuntos públicos e privados da Ópera.

"Quando o senhor Poligny ouviu uma voz misteriosa lhe contar, no camarote nº5, do uso que fazia do seu tempo e da confiança do seu sócio, ele se rendeu. Primeiro ficou impressionado, como se ouvisse uma voz do céu, e julgou que tinha sido amaldiçoado; depois, como a voz lhe pedia dinheiro, constatou que estava sendo extorquido por um chantagista de quem o próprio Debienne era uma vítima. Ambos cansados da direção por diferentes razões, foram embora sem tentar conhecer mais de perto a personalidade daquele estranho F. da Ó. que lhes havia enviado o tão singular caderno de encargos. Eles deixaram todo o mistério para a próxima administração, com um grande suspiro de satisfação e completamente livres de uma história que os intrigou sem fazê-los rir."

Foi assim que o Persa falou a respeito dos senhores Debienne e Poligny. Perguntei-lhe sobre seus sucessores e fiquei surpreso com o fato de que nas *Memórias de um diretor*, do senhor Moncharmin, os fatos e os gestos do F. da Ó. foram descritos de forma tão completa na primeira parte, para acabar não dizendo mais nada, ou quase nada, sobre isso na segunda. O Persa, que conhecia essas memórias como se as tivesse escrito, apontou que eu encontraria a explicação de todo o caso se me desse ao trabalho de refletir sobre as poucas linhas que, na segunda parte dessas *Memórias*, Moncharmin havia consagrado ao Fantasma. Aqui estão as linhas que nos interessam, aliás, especialmente, porque encontramos narrado o modo muito simples como terminou a famosa história dos vinte mil francos:

"Sobre o F. da Ó. (é o senhor Moncharmin quem fala), de quem já falei aqui, no início das minhas *Memórias*, a respeito de alguns caprichos singulares, quero dizer apenas uma coisa: ele redimiu por um belo gesto todas as atribulações que tinha causado ao meu querido colaborador e, devo confessar, a mim mesmo. Ele, sem dúvida, considerou que havia limites para qualquer brincadeira, especialmente quando ela custa tão caro e quando o comissário de polícia é "envolvido nisso", porque, no momento exato em que encontramos Mifroid em nosso escritório para lhe contar toda a história, poucos dias depois do desaparecimento de Christine Daaé, encontramos sobre a mesa de Richard, em um belo envelope em que se lia, em tinta vermelha "Da parte do F. da Ó." as quantias enormes que ele tinha conseguido subtrair momentaneamente, como se fosse mágica, do caixa da direção. Richard de imediato pensou que deveríamos parar por aí e não levar o caso adiante. Consenti em concordar com Richard. E tudo está bem quando acaba bem. Não é mesmo, meu caro, F. da Ó.?"

Evidentemente, Moncharmin, após essa restituição, continuou acreditando que tinha, por um tempo, sido um joguete da burlesca imaginação de Richard, pois, de sua parte, Richard não deixara de acreditar que Moncharmin tinha, por vingança por algumas brincadeiras, se divertido inventando toda a história do F. da Ó.

Não era então o momento de pedir ao Persa que me contasse o truque com que o Fantasma havia feito desaparecer os vinte mil francos do bolso de Richard, a despeito do alfinete de fralda? Ele respondeu que não tinha se aprofundado nesse mero detalhe, mas que, se eu mesmo quisesse "trabalhar" *in loco*, certamente encontraria a chave do enigma no próprio gabinete da direção, lembrando que Erik não tinha sido apelidado de "senhor dos alçapões" à toa. Prometi ao Persa que, assim que tivesse tempo, faria investigações úteis com essa finalidade. Direi imediatamente ao leitor que os resultados dessas investigações foram perfeitamente satisfatórios. Eu não imaginava, na verdade, que fosse descobrir tantas provas inegáveis da autenticidade dos fenômenos atribuídos ao Fantasma.

É bom que saibamos que os documentos do Persa, os de Christine Daaé, as declarações que me foram feitas pelos antigos colaboradores, os senhores Richard e Moncharmin e pela própria pequena Meg (a excelente senhora Giry, infelizmente, havia morrido!) e por Sorelli, que está aposentada em Louveciennes – é bom, repito, que se saiba que tudo isso, que constitui a prova documental da existência do Fantasma, e que eu vou guardar nos arquivos da Ópera, é controlado por várias descobertas importantes das quais eu posso ter um certo orgulho.

Se não consegui encontrar a morada do lago (Erik teria condenado definitivamente todas as entradas secretas, ainda que eu tenha certeza de que seria fácil chegar até lá se o lago fosse esvaziado, como solicitei incontáveis vezes à subsecretaria de Belas Artes), ao menos descobri o corredor secreto da Comuna, cujas paredes de madeira caíram em ruínas em alguns trechos; e, da mesma forma, localizei o alçapão através do qual o Persa e o Raoul desceram até os andares inferiores do teatro. Encontrei, na masmorra da Comuna, muitas iniciais desenhadas nas paredes pelos infelizes que foram aprisionados e, entre essas iniciais, um R e um C. – R.C.? Isso não é significativo? Raoul de Chagny! As letras estão legíveis até hoje. Claro que não parei por aí. No primeiro e terceiro subsolo, desloquei dois alçapões com a ajuda de um sistema giratório completamente desconhecido pelos maquinistas, que usam apenas os alçapões com portas de correr horizontais.

Enfim, posso dizer ao leitor, com pleno conhecimento dos fatos: "Visite a Ópera um dia, peça para passear por ali em paz, sem um cicerone estúpido, entre no camarote nº 5 e bata na enorme coluna que separa esse camarote do proscênio; bata com sua bengala ou com seu punho e escute... até a altura da sua cabeça: a coluna é oca! E depois disso, não se surpreenderá com o fato de que ela possa ter sido habitada pela voz do Fantasma; há dentro dessa coluna espaço suficiente para dois homens. Se você achar estranho que, durante os fenômenos do camarote nº 5, ninguém tenha se voltado para essa coluna, não se esqueça de que ela transparece o aspecto de mármore sólido e que a voz que estava trancafiada lá dentro parecia vir do lado oposto (porque a voz do fantasma ventríloco vinha de onde ele queria). A coluna é trabalhada, esculpida, cavada e escavada pelo cinzel do artista. Não perco a esperança de um dia descobrir o pedaço de escultura que devia inclinar-se e levantar-se facilmente, deixando uma passagem livre e misteriosa à correspondência do Fantasma com a senhora Giry e às suas generosidades. Certamente, tudo isso que eu vi, senti, apalpei não deve ser nada comparado ao que, na realidade, um ser enorme e fabuloso como Erik deve ter criado no recôndito de um monumento como a Ópera. Mas eu trocaria todas essas descobertas pela que eu fiz, na presença do administrador, no escritório do diretor, a poucos centímetros da poltrona: um alçapão do tamanho de um taco do assoalho, ou de um antebraço, não mais... um alçapão que se fecha como a tampa de um baú, um alçapão através do qual vejo uma mão trabalhar com destreza na aba de um casaco com "rabo-de-bacalhau" que se arrasta pelo chão...

Foi para lá que partiram os quarenta mil francos! E foi de lá que voltavam, através de algum intermediário.

Quando contei isso ao Persa, com uma emoção compreensível, disse-lhe:

– Erik estava apenas se divertindo (pois os quarenta mil francos voltaram), bancando o engraçadinho com seu caderno de encargos?

Ele respondeu:

– Não acredite nisso! Erik precisava de dinheiro. Acreditando estar acima da humanidade, ele não tinha escrúpulos e usava seus extraordinários dons de habilidade e imaginação, que tinha recebido da natureza para compensar a atroz feiura que ela mesma lhe concedera, para explorar os seres humanos, às vezes da forma mais artística do mundo, pois o truque, muitas vezes, valia ouro. Se ele devolveu os quarenta mil francos por sua própria vontade aos senhores Richard e Moncharmin, foi porque, no momento da restituição, ele já não precisava deles! Tinha renunciado a seu casamento com Christine Daaé. Ele tinha renunciado a todas as coisas acima da terra.

De acordo com o Persa, Erik era originário de uma pequena cidade perto de Rouen, filho de um empreiteiro de maçonaria. Ele tinha fugido da casa paterna muito cedo, onde sua fealdade era objeto de horror e medo para seus pais. Durante algum tempo, exibiu-se em feiras, onde seu empresário o apresentava como "morto-vivo". Ele atravessou a Europa de feira em feira e completou sua estranha educação como artista e mágico na própria fonte de arte e magia, entre os boêmios. Um período inteiro da existência de Erik foi bastante obscuro.

Encontramo-lo na Feira de Nijni Novgorod, onde se apresentou com toda sua assustadora glória. Já naquela época, ele cantava como ninguém no mundo jamais havia cantado. Ele se apresentava como ventríloquo e fazia malabarismos extraordinários sobre os quais as caravanas, quando regressavam à Ásia, ainda falavam ao longo do caminho. Assim, sua reputação atravessou as paredes do palácio de Mazandarão, onde a pequena sultana, favorita do xainxá[25], vivia entediada. Um comerciante de peles que se dirigia para Samarcanda, retornando de Nijni Novgorod, contou sobre os milagres que tinha visto na tenda de Erik. O mercador foi levado para o palácio, onde o daroga de Mazandarão o interrogou. Então o daroga foi encarregado de procurar Erik. Ele o trouxe à Pérsia, onde, por alguns meses, como dizem por aí, ele mandou e desmandou. Cometeu inúmeros horrores, pois parecia não conhecer nem o bem nem o mal, e cooperou com alguns belos assassinatos políticos tão tranquilamente quanto combateu, com invenções diabólicas, o emir do Afeganistão, em guerra com o Império. O xainxá se tornou seu amigo. É neste momento que se encaixam as *Horas cor-de-rosa de Mazandarão*, das quais o relato de daroga nos deu um vislumbre. Como Erik tinha ideias muito próprias sobre arquitetura e projetava um palácio como um mago pode imaginar um cofre de combinações, o xainxá encomendou-lhe uma construção desse tipo, o que ele levou a cabo e que foi, ao que parece, tão engenhoso que Sua Majestade podia passear por toda parte sem que se pudessem vê-lo e desaparecer sem que fosse possível descobrir por que artifício. Quando o xainxá se viu mestre de tal tesouro, ordenou, como fizera certo czar com o brilhante arquiteto de uma igreja da Praça Vermelha, em Moscou, que os olhos de ouro de Erik fossem perfurados. Mas ele pensou que, mesmo cego, Erik poderia construir para outro soberano uma morada tão inaudita quanto a sua, e então concluiu que, enquanto Erik estivesse vivo, alguém deteria o segredo do maravilhoso palácio. A morte de Erik foi decidida, assim como a de todos os operários que haviam trabalhado para ele.

25 Para os persas, o xá dos xás. (N.T.)

O daroga de Mazandarão foi encarregado da execução dessa ordem abominável. Erik havia lhe feito alguns favores e o fizera rir bastante. Ele então o salvou, proporcionando-lhe os meios para fugir. Mas ele quase pagou por essa fraqueza generosa com a cabeça. Felizmente para o daroga, na costa do mar Cáspio, um cadáver meio comido pelos pássaros marinhos foi encontrado e acreditaram que se tratava de Erik, porque os amigos do daroga tinham vestido os restos mortais com trajes que pertenceram ao próprio Erik. O daroga julgou-se quite pela perda de seu cargo, de seus bens, e pelo exílio. Como o daroga pertencia à linhagem real, o Tesouro persa continuou lhe proporcionando uma renda pequena de algumas centenas de francos por mês, e foi então que ele veio se refugiar em Paris.

Quanto a Erik, ele tinha ido para a Ásia Menor, depois para Constantinopla, onde trabalhou a serviço do sultão. Eu posso explicar claramente os serviços que ele prestou a um soberano obcecado por todos os terrores, revelando que foi Erik quem construiu todos os famosos alçapões, as câmaras secretas e os cofres-fortes misteriosos que foram encontrados em Yildiz Kiosk após a última revolução turca. Foi também ele quem imaginou a criação de autômatos vestidos como o príncipe e assemelhando-se a ele a ponto de serem confundidos com o próprio príncipe, autômatos que faziam crer que o líder dos islamitas estava em um lugar, acordado, quando ele na verdade descansava longe dali.

Naturalmente, ele teve de abandonar o serviço do sultão pelas mesmas razões que teve para fugir da Pérsia. Ele sabia demais. Então, muito cansado de sua vida aventureira, formidável e monstruosa, queria se tornar alguém como todo mundo. Tornou-se empreiteiro, um empreiteiro comum que constrói casas para todos, com tijolos comuns. Ele apresentou uma proposta para o trabalho de fundação na Ópera. Quando se viu nos porões de um teatro tão vasto, seu dom natural de artista, trapista e ilusionista prevaleceu. Além disso, ele não continuava feio como antes? Erik sonhava em construir um lar desconhecido do restante da terra, que o esconderia para sempre dos olhares dos homens.

A continuação da história nós já conhecemos e vislumbramos. Ela se encontra ao longo das páginas desta incrível, porém verdadeira, aventura. Pobre e infeliz Erik! Devemos ter pena dele? Devemos amaldiçoá-lo? Ele só queria ser alguém como todo mundo! Mas ele era muito feio! E teve que esconder sua genialidade ou usá-la para fazer truques, ao passo que, com um rosto comum, teria sido um dos mais nobres da raça humana! Ele tinha um coração que comportava todo o império do mundo, mas teve que se contentar com um porão. Decididamente, o Fantasma da Ópera é digno de pena!

Rezei, apesar dos seus crimes, sobre o seu corpo, e que Deus tenha piedade dele! Por que Deus fez um homem tão feio como ele?

Tenho certeza, claro, de que rezei sobre o seu cadáver outro dia, quando foi tirado da terra, no mesmo lugar onde enterraram as vozes vivas; era o seu esqueleto. Não foi pela feiura da cabeça que eu o reconheci, pois quando estão mortos por tanto tempo, todos os homens são feios, mas pelo anel de ouro que ele usava e que Christine Daaé certamente veio colocar em seu dedo antes do sepultamento, como lhe havia prometido.

O esqueleto estava perto da pequena fonte, onde pela primeira vez, quando a arrastou pelos subsolos do teatro, o Anjo da Música segurou Christine Daaé desmaiada em seus braços trêmulos.

E agora, o que farão com esse esqueleto? Não vão atirá-lo na vala comum! Eis a minha opinião: o lugar do esqueleto do Fantasma da Ópera é nos arquivos da Academia Nacional de Música. Ele não é um esqueleto comum.